MADAME BÂ

Paru dans Le Livre de Poche :

DEUX ÉTÉS

LA GRAMMAIRE EST UNE CHANSON DOUCE

LONGTEMPS

ERIK ORSENNA

Madame Bâ

ROMAN

FAYARD/STOCK

ISBN : 2-253-11246-1 - 1re publication - LGF
ISBN : 978-2-253-11246-4 - 1re publication - LGF

Pour Stéphane Willaume,
la Djiboutienne

Pour les Soninkés,
Et vive le Mali !

« Mais je lui ai dit que ça ne nous porterait pas bonheur parce que le Seigneur a fait les routes pour voyager ; c'est pour ça qu'Il les a couchées à plat sur la terre.

Quand Il veut que les choses soient toujours en mouvement, Il les fait allongées comme une route ou un cheval ou une charrette.

Mais quand Il veut que les choses restent tranquilles, Il les fait en hauteur, comme un arbre ou un homme. »

William FAULKNER,
Tandis que j'agonise.

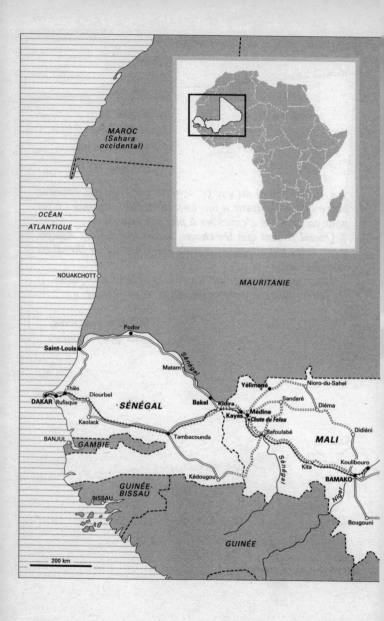

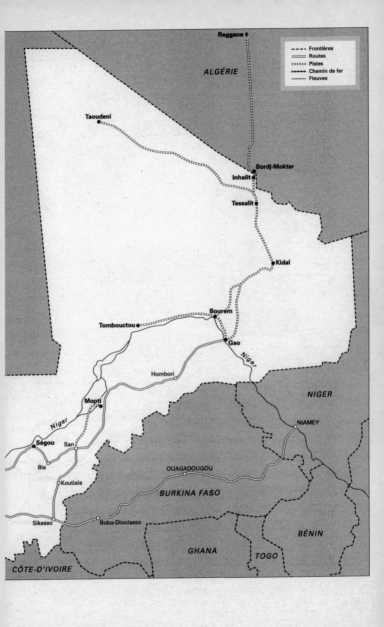

Monsieur le Président de la République française,

J'ai bien réfléchi : notre ancêtre est un oiseau. « Ô serefana ni yéliné gna », comme nous disons, nous autres Soninkés.

Je me suis éloignée du village, j'ai marché entre les pousses de mil, j'ai posé les deux mains sur ma tête pour me protéger du soleil, j'ai froncé les sourcils pour m'étirer le cerveau et j'en suis arrivée à cette conclusion : celui qui ne remonte pas aux siècles lointains des ailes ne comprend rien à notre histoire.

Évidemment, je pourrais farfouiller encore plus haut dans les souvenirs.

Au commencement était la mer, qui recouvrait l'Afrique.

Au commencement était le désert, quand la mer se retira.

Une origine est toujours la fille d'une origine plus ancienne.

Mais j'ai pitié de vous.

Je vous connais. À la télévision je vous ai vus nous rendre visite, pauvres présidents. J'ai constaté que vous possédiez tout, sauf le loisir. Tout, motards, Mercedes, hôtesses d'accueil et climatisation. Tout, sauf la liberté d'aller tranquillement chasser la vérité jusque dans les époques les plus reculées. À peine arrivés quelque part, déjà de l'index vous tapotez sur le verre de votre Rolex platine. Déjà votre aide de camp vous murmure à l'oreille la litanie des prochains rendez-vous.

J'en viens donc au fait. Je brûle les étapes. Je les incendie, même.

Au commencement était l'oiseau. L'oiseau volant où bon lui semble. Oublions la mer et le désert, oublions, pour l'instant, le fleuve Sénégal qui se mit un beau jour à couler de la montagne secrète Fouta-Djalon. Au commencement était l'oiseau. L'oiseau libre de jouer avec les saisons. Quand le froid se glisse sous mes plumes, je gagne le Sud. Quand le printemps revient au Nord, j'y retourne.

Alors l'exemple des oiseaux entra dans l'âme des hommes à peau noire. Nos peuples portent des noms qui sonnent dans l'air comme ceux des oiseaux : Peuls, Mandingues, Toucouleurs, Soninkés, Bagadais, Tounacos, Barbicans... Et nos langues se rapprochent de leurs chants.

Comme eux, nous aimons la liberté, parcourir la planète. Comme eux, nous fuyons la douleur, autant que faire se peut, nous cherchons la douceur.

Comme eux, nous avions des ailes. Hélas, nos ailes sont tombées. Il nous reste la marche.

Monsieur le Président de la République française des armes, des lois et des aéroports, j'ai, par la présente, le très respectueux et obéissant honneur de timidement mais résolument contester vraiment la décision de votre dame Consule Générale adjointe de Bamako, Mme (non mariée) Gabrielle Lançon, qui, par une signature tarabiscotée, en date du 17 septembre 2000, a refusé ma demande (urgente) de visa.

Je sais bien que j'aurais dû plutôt saisir la commission instituée par le décret n° 2000-1093 du 10 septembre 2000 et qu'aux termes de l'article premier de ce décret cette saisine est « un préalable obligatoire à l'exercice d'un recours contentieux, à peine d'irrecevabilité de ce dernier ».

Je sais bien. Mais le temps presse. Mon petit-fils a besoin, un besoin vital, de moi. Je dois le rejoindre en France, sans tarder. D'où mon appel direct à vous.

Oh, oh, s'étonnera forcément, pressentant l'embrouille, le conseiller chargé, en votre palais, d'ouvrir à votre place le volumineux courrier qui vous est adressé.

Oh, oh, comment une banale Africaine, institutrice, région de Kayes (Mali du Nord-Ouest), a-t-elle aussi précise connaissance de notre jungle juridique ?

À cette interrogation légitime, je répondrai par les nom et qualité de mon conseil, le jeune et timide mais si savant Me Benoît Fabiani, avocat voyageur inscrit aux deux barreaux de Paris et Bamako. C'est lui, Blanc cent pour cent comme vous, le porte-parole de ma vérité.

Chaque matin, depuis un mois, j'entre à huit heures précises dans son bureau, m'assieds sur son fauteuil (collant) de faux cuir et commence ma chanson colérique.

Malheureux Me Benoît ! Tel l'infatigable chasseur de papillons, il court l'espace à la poursuite de mes paroles. Une fois capturées, il les aligne en phrases correctes et les pique sur le papier officiel. Tel le villageois bataillant contre la crue de son fleuve, il lutte pied à pied contre mes débordements, il m'entoure de digues fragiles pour me garder dans mon lit, m'obliger à suivre mon propos, et rien que lui. Tel le mari parfait, à l'infinie patience, il doit supporter mes récriminations d'auteur : tu rabotes ma spontanéité ! tu trahis ma complexité de femme !

Qu'il soit remercié et lavé de tout faux procès !

Je, soussignée Marguerite Bâ, suis, Monsieur le Président de la République française, seule responsable du recours gracieux qui va suivre.

Depuis un mois, ce document précieux ne me quitte pas. Je le porte contre moi comme la lettre d'un amoureux secret. Ou je le brandis devant mes yeux pour qu'ils l'apprennent par cœur, encore et toujours, le gravent dans ma mémoire. La nuit, il accompagne toutes mes visions. Si je rêve qu'un bateau blanc vient me chercher, le formulaire 13-0021 volette autour de moi comme une tourterelle annonciatrice de bonne nouvelle. Et si je vois mon petit-fils allongé dans un hôpital, le formulaire l'évente ainsi qu'une palme bienveillante.

Je l'ai recouvert de plastique, pour ne pas le tacher. Il ne manquerait plus que ça : de la graisse, une bavure de café sur la belle page bicolore blanc/marron pâle. Je ne veux dénoncer personne, mais j'en ai vu, des 13-0021 maltraités, des froissés, des demi-déchirés, des franchement dégueulassés. La chère consule générale adjointe en avait des haut-le-cœur, rien qu'à les parcourir.

Aucun risque de ce genre avec moi. Je le respecte, cet imprimé, je vous le jure, je le vénère, autant que mon livret de famille. Je sais trop ce qu'il représente : la clé d'entrée dans votre beau pays, celui de Molière, Victor Hugo et Charles de Gaulle.

Bien sûr, le plus simple serait de se rencontrer. Incognito. À l'endroit le plus pratique pour vous. Pourquoi pas une très discrète salle de transit, en votre aéroport de Roissy ? Des amis m'ont raconté comment ça se passait à l'arrivée de l'avion. Dès l'ouverture des portes, on sépare le bon grain de l'ivraie. À droite, une file pour les Blancs. À gauche, une file pour les Noirs. La file de Blancs avance à belle allure. Normal. Ils sont chez eux. Bon retour au pays, monsieur blanc, madame blanche. On dirait que les policiers leur ouvrent les bras, comme s'ils étaient de la famille. Peut-être que tous les Blancs ont des policiers dans leur famille. Pendant ce temps-là, les peaux plus foncées patientent, interminablement. Tandis que d'autres policiers, ou peut-être des diamantaires déguisés en policiers, examinent à la loupe, aidés par des lampes spéciales à ampoule rouge, les documents crasseux qu'on leur a présentés.

Je pourrais me trouver là, dans la ligne qui piétine. Au lu de mon nom, deux solides gaillards me mèneraient vers vous. On me prendrait pour une tricheuse, une faux-papiers. Qu'importe. Je suis prête à tout abandonner pour rejoindre mon petit-fils en danger, même ma fierté.

Je me présenterais à vous. J'approcherais doucement ma bouche de votre oreille. Je vous donnerais les vraies nouvelles du continent pauvre. Pas celles que vous envoient les gens chargés de vous renseigner. Ces gens-là ont peur. Ils veulent conserver leurs salaires détaxés. Ils gardent pour eux les informations inquiétantes, celles que vous seriez furieux d'entendre.

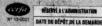

RÉPUBLIQUE FRANÇAISE
MINISTÈRE DES AFFAIRES ÉTRANGÈRES

N° 13-0021

FORMULAIRE DE DEMANDE DE VISA DE COURT SÉJOUR / TRANSIT
(formulaire gratuit)

N° |___|___|___|___|___|___|___|

CACHET DU POSTE	EMPLACEMENT DU TALON

IMPORTANT • TOUTES LES RUBRIQUES DOIVENT ÊTRE COMPLÉTÉES EN MAJUSCULES. EN CAS D'ERREUR OU D'OMISSION, IL NE POURRA ÊTRE DONNÉ SUITE À VOTRE DEMANDE. LE FORMULAIRE DOIT ÊTRE DATÉ ET SIGNÉ PAGE 2.
• LES MEMBRES DE FAMILLE DE RESSORTISSANTS COMMUNAUTAIRES AU SENS DU DÉCRET 94-211 DU 11 MARS 1994 MODIFIÉ N'ONT PAS À REMPLIR LES RUBRIQUES 12 À 25 À L'EXCEPTION DES POINTS 15,19,20,22 ET 23.

1. NOM

2. AUTRES NOMS (NOM À LA NAISSANCE, ALIAS, PSEUDONYME, NOMS PORTÉS ANTÉRIEUREMENT)

3. PRÉNOM(S)

4. SEXE(*) M   F

5. DATE ET LIEU DE NAISSANCE J J M M A A A

6. PAYS

7. NATIONALITÉ(S) ACTUELLE(S)

NATIONALITÉ D'ORIGINE

8. SITUATION DE FAMILLE : a)(*) CÉLIBATAIRE   MARIÉ(E)   SÉPARÉ(E)   DIVORCÉ(E)   VEUF(VE)

b) CONJOINT : NOM
AUTRES NOMS, PRÉNOM(S)
DATE ET LIEU
DE NAISSANCE J J M M A A A
NATIONALITÉ(S)

SI VOTRE CONJOINT VOYAGE AVEC VOUS ET EST INSCRIT SUR VOTRE DOCUMENT DE VOYAGE, COCHER LA CASE SUIVANTE

c) ENFANTS : NE REMPLIR LA RUBRIQUE "ENFANTS" QUE SI CEUX-CI VOYAGENT AVEC VOUS ET SONT INSCRITS SUR VOTRE DOCUMENT DE VOYAGE.

NOMS, PRÉNOMS	DATE DE NAISSANCE	LIEU DE NAISSANCE	NATIONALITÉ(S)
	J J M M A A		

d) NOM ET PRÉNOM(S) DES PARENTS

9. NATURE DU PASSEPORT OU DU DOCUMENT DE VOYAGE

(*)   PASSEPORT ORDINAIRE   AUTRE DOCUMENT (PRÉCISER LEQUEL)

NUMÉRO   ÉTAT OU ENTITÉ ÉMETTEUR DU DOCUMENT

DÉLIVRÉ LE J J M M A A A   EXPIRANT LE J J M M A A

10. ADRESSE PERMANENTE

✉

ACTUELLE SI VOUS ÊTES DE PASSAGE
OU RÉSIDENT TEMPORAIRE

11. LE CAS ÉCHÉANT AUTORISATION DE RETOUR VERS LE PAYS DE RÉSIDENCE

(*) TITRE DE SÉJOUR   NUMÉRO   FIN DE VALIDITÉ

VISA DE RETOUR   NUMÉRO   FIN DE VALIDITÉ

12. PROFESSION

13. EMPLOYEUR

14. ADRESSE PROFESSIONNELLE

✉   N° de télécopie

(*) Mettre une croix dans la rubrique correspondant à votre réponse.

15. DESTINATION PRINCIPALE

FRONTIÈRE DE PREMIÈRE ENTRÉE
sur le territoire du groupe Schengen

16. MOTIF DU SÉJOUR

17. RÉFÉRENCES dans le ou les pays du groupe Schengen. NOM OU RAISON SOCIALE

ADRESSE

NATIONALITÉ

18. ADRESSE(S) PENDANT LE SÉJOUR

19. VISA SOLLICITÉ POUR (*) UNE ENTRÉE | 2 ENTRÉES | PLUSIEURS ENTRÉES | DU | J M A | AU | J M A

20. EN CAS DE TRANSIT : pays de destination finale | Êtes-vous en possession d'une autorisation d'entrée pour ce pays ? (*) OUI | NON

SI OUI, TYPE | NUMÉRO

DURÉE DE VALIDITÉ | AUTORITÉ DE DÉLIVRANCE

21. MOYEN(S) D'EXISTENCE PENDANT LE SÉJOUR (espèces, chèques (de voyage), cartes de crédit, assurance et notamment assurance maladie, hébergement, prise en charge, billet de transport, ...)

22. DATES DES PRÉCÉDENTS SÉJOURS DANS DES PAYS DU GROUPE DE SCHENGEN

23. DATES ET LIEUX DES PRÉCÉDENTES DEMANDE DE VISA

24. MOYEN(S) DE TRANSPORT (en cas de transit)

25. AUTRES INDICATIONS

Fait à

le

Signature du demandeur
(ou du représentant légal pour les mineurs)

J'autorise la communication des données personnelles figurant dans le présent formulaire aux autorités compétentes des pays du groupe de Schengen dans le cadre de la délivrance des visas.
Je certifie que les déclarations ci-dessus ont été faites à bon escient et qu'elles sont exactes et complètes. Une fausse déclaration m'exposerait à un refus de visa ou à l'annulation du visa délivré, sans préjudice des poursuites éventuelles prévues par la législation des pays du groupe de Schengen.
Je m'engage à quitter le territoire des pays du groupe de Schengen à l'expiration du visa qui me sera éventuellement accordé.
Je suis informé(e) que la possession d'un visa ne constitue qu'une des conditions permettant l'entrée sur le territoire des pays du groupe de Schengen. En cas de refus d'entrée, je ne pourrai pas recevoir de dédommagement.
La loi n° 78-17 du 6 janvier 1978 relative à l'informatique et aux libertés me donne la possibilité d'obtenir communication des informations enregistrées concernant cette demande de visa afin de vérifier leur exactitude et de faire redresser toute anomalie constatée. Ce droit d'accès s'exerce auprès du chef de poste.

(*) Mettez une croix dans la rubrique correspondant à votre réponse.

Il paraît que je suis dérangée. Qu'une telle entrevue secrète, M. le Président/Mme Bâ, n'existera jamais que dans les espérances d'une folle. Dommage, dommage. Revenons au cher 13-0021.

Croyez-moi, j'aurais préféré vous économiser du temps et ne répondre que par trois mots maximum aux questions que, très légitimement, votre administration me pose. Mais comment puis-je vous faire comprendre la respectabilité de notre famille sans évoquer l'histoire du crocodile ? Or je consulte et reconsulte le début de votre beau formulaire gratuit et ne trouve aucune demande d'information concernant notre *tana*, notre animal interdit.

Sans cette connaissance primordiale, toutes les autres données que je pourrais scrupuleusement vous fournir, nom patronymique, prénoms, date et lieu de naissance, n'auraient pas plus de sens que des syllabes jetées au vent par quelque ivrogne amnésique.

Que sauriez-vous de moi si je me contentais de l'état civil et de sa maigre exactitude : je m'appelle Marguerite Dyumasi, épouse Bâ, née le 10 août 1947 à Médine, cercle de Kayes ?

Il vous manquerait l'essentiel, ma relation familiale avec le patriarche Abraham, les pouvoirs *nyama* de ma caste des Nomous, les folies incontrôlables de mon fleuve Sénégal et bien d'autres révélations propres à vous éclairer sur la nature véritable de cette Africaine qui se présente à vous, fille, femme, mère et grand-mère. Comment, sans me connaître, pouvez-vous décider de me fermer ou de m'ouvrir les portes de la France ?

Quant à mon sexe (rubrique n° 4), comment le résumer à une simple croix griffonnée dans le carré M ou F ? Comme la suite vous le prouvera, il garde en lui des mystères qui débordent largement ces classifications sommaires.

La vie est une, Monsieur le Président. Qui la découpe en trop petits morceaux n'en peut saisir le visage. Que sait du désert celui qui ne regarde qu'un grain de sable ?

Au fait, me répète mon avocat-scribe, au fait, madame Bâ, je vous en supplie ! Vous croyez que la République française n'a que cette seule préoccupation : prêter l'oreille aux plaintes d'une obscure demandeuse de visa ? Évidemment, il a raison. Je ne dois pas me laisser entraîner par le courant des mots. Il faut vous dire que je suis née sur les bords du Sénégal. Les habitants du fleuve n'ont pas de frein dans leur tête. Je vais faire mon possible. Je vous promets la brièveté. Enfin, toute la brièveté compatible avec la vérité soninkée, celle qui vient des oiseaux.

Première partie

Les leçons du fleuve

1. NOM	
2. AUTRES NOMS (NOM A LA NAISSANCE, ALIAS, PSEUDONYME, NOMS PORTÉS ANTÉRIEUREMENT)	
3. PRÉNOM(S)	4. SEXE(*) M F
5. DATE ET LIEU DE NAISSANCE J M A A	6. PAYS
7. NATIONALITÉ(S) ACTUELLE(S)	NATIONALITÉ D'ORIGINE

– Viens.

Peut-être, à l'heure de mourir, ne me souviendrai-je que de ce verbe impératif, la seule phrase utile prononcée par un homme ? Le reste de leurs mots n'est que bavardage, incessant palabre de paon. Viens, dit le père à sa fille. Il lui prend la main et l'emmène pour lui expliquer tel ou tel mystère du monde. Viens, dit le mari à sa femme. Il est sur elle ou elle sur lui et il veut l'entraîner au pays du plaisir immense.

– Viens, Marguerite.

C'est ainsi que commençaient les revanches d'Ousmane.

Une fois de plus, l'ingénieur en chef l'avait humilié. L'humiliation était le passe-temps favori des ingénieurs en chef français. Quand ils s'ennuyaient, quand la diarrhée les prenait ou le regret de leur femme restée à Nantes ou Orléans, quand les agitaient les premiers frissons du paludisme, ils humiliaient mon père : Ousmane, tu as encore oublié d'ouvrir la vanne de secours ! Ousmane, l'huile n'est pas faite pour les chiens ! Ousmane, où as-tu appris les chiffres ? Tu ne vois pas que l'aiguille du cadran B dépasse 75 ?

Ousmane, Ousmane, criaient-ils, d'une voix tantôt glapissante et tantôt tonitruante afin que la brousse entière, de Dakar à Bamako, n'ignore rien de la nullité du contremaître, mon père.

La brousse savait que nul être au monde ne connaissait plus intimement la centrale électrique qu'Ousmane. Puisque c'était son père, Abdoulaye Victor, qui l'avait construite. Puisque c'était lui, Ousmane, qui la reconstruisait, crue après crue. Alors vous pensez si la brousse se moquait de ces accusations ridicules et haineuses. Pourtant, mon père tremblait de rage.

Ces soirs-là, il arrivait tout suant et grinçant des dents. La fierté professionnelle de cet homme était un animal des plus ombrageux, qu'on ne défiait qu'à ses risques et périls. M. l'ingénieur Casabona, le plus cruel des humiliants, le vérifierait plus tard et je serais la dernière étonnée du drame.

Ces soirs-là, donc, mon père entrait dans notre maison et, sans saluer personne, me prenait (violemment) par la main, viens Marguerite, et m'entraînait. On a beau se savoir fille très chérie, cette marque éclatante de préférence me terrifiait : je prévoyais les représailles de mes onze frères et sœurs. Mais comment faire mauvaise figure ? Nous marchions vers notre refuge, une suite de rochers qui faisaient chaussée, « la chaussée des géants, Marguerite, quand nos ancêtres avaient la bonne taille, je veux dire qu'ils dominaient les Blancs, ils empruntaient ce passage pour traverser le fleuve à pied sec ». Le souvenir de cette époque glorieuse était son premier réconfort. L'étau de ses doigts peu à peu se desserrait. Ma main reprenait vie. Je ne pouvais m'empêcher de soupirer de soulagement.

— Tu as mal quelque part ?

— Au contraire, Papa, tout va très bien.

— Alors garde ce bonheur bien caché au fond de toi. Sinon, les jaloux te le feront payer cher. Notre bonheur doit être notre secret le mieux défendu. À propos de secret, je vais t'en confier un autre, Marguerite, le plus précieux de tous les secrets, le secret fondateur de notre famille. Tu me jures de ne jamais, jamais l'ébruiter ?

Je jurais sur ce que nous avions de plus précieux, lui et moi, notre cher fleuve Sénégal. Je jurais d'autant plus légèrement que je la connaissais par cœur, l'histoire flamboyante de notre famille : il me la rappelait chaque fois qu'il voulait se venger des affronts subis. Or j'avais depuis longtemps deviné que s'il appelait à l'aide notre légende, c'est qu'il en avait vraiment besoin. Car d'ordinaire il se voulait scientifique et « cent pour cent rationnel », comme tout bon serviteur de centrale hydroélectrique. « La magie est l'adversaire du savoir, mes enfants, et sans doute l'ennemie de l'Afrique. » Ne s'était-il pas inscrit au glorieux Conservatoire national des Arts et Métiers, 292, rue Saint-Martin, Paris IIIe ? Ne passait-il pas la moitié de ses nuits à préparer par correspondance le terrible concours ? « Moi aussi, je serai un ingénieur. Et ce jour-là, je vous le promets, mes enfants, la vie changera. » Je me souviens de ses devoirs impossibles, j'ai conservé les fascicules des travaux dirigés.

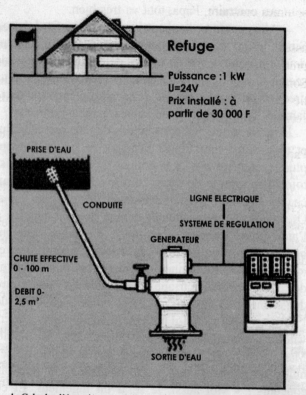

Microcentrale pour site isolé

Refuge

Puissance : 1 kW
U=24V
Prix installé : à
partir de 30 000 F

PRISE D'EAU

CONDUITE

LIGNE ELECTRIQUE

SYSTEME DE REGULATION

GENERATEUR

CHUTE EFFECTIVE
0 - 100 m

DEBIT 0-
2,5 m³

SORTIE D'EAU

1. Calculer l'énergie potentielle gravitationnelle pour chaque kilogramme d'eau stocké dans le lac de retenue 100 mètres au-dessus du générateur.

2. À quelle vitesse l'eau arrive-t-elle sur les pales des turbines ?

3. Déterminer l'énergie utilisable par la turbine chaque seconde si le débit est 2,5 litres par seconde.

4. En déduire le rendement global de la microcentrale.

Mais a-t-on jamais vu la science apaiser les brûlures de l'humiliation ? En fille aimante, pour ne pas le décevoir, je jouais donc mon impatiente, s'il te plaît, Papa, ça fait si longtemps que je voudrais savoir qui nous sommes vraiment...

— Puisque tu le demandes... Et maintenant, tu es assez grande pour comprendre ces choses-là. Tu es prête à m'écouter ? Bon. Nos ancêtres, les premiers des Soninkés, habitaient la Palestine et vivaient dans l'amitié du patriarche Abraham lui-même. Tu te rends compte, Marguerite ?

— De toute ma petite taille, je me rends compte, Papa.

Ainsi débutait la leçon de fierté.

La nuit tombait sur nous, assis l'un contre l'autre, père et fille, sur un rocher, au milieu du courant tumultueux. N'importe quelle autre enfant aurait claqué les dents de terreur, mais que pouvait redouter la descendante des amis d'un patriarche ?

— Qu'est-ce qu'un patriarche, Papa ?

— Quelqu'un d'immensément vieux, Marguerite. Quelqu'un, par conséquent, qui connaît les vérités cachées. Alors, tu imagines comme il est riche, celui qui possède ce savoir-là ! Comme il nous aimait, il nous avait beaucoup donné, des troupeaux, des champs, des maisons. Et pourtant, un beau jour, nous sommes partis vers l'Ouest.

J'avais bien appris mon rôle. À cet instant, je devais poser à mon père les questions qu'il attendait. J'ai toujours eu ce talent avec les hommes : poser au bon moment les questions qu'ils attendent. Il y a peu de meilleurs moyens pour se faire apprécier d'eux.

– Mais pourquoi avons-nous quitté tant de bonheur ? Et pourquoi vers l'Ouest ?

– Nos ennemis te raconteront n'importe quoi. Ils te diront que l'un d'entre nous avait commis une mauvaise action, qu'il avait succombé à la beauté d'Agar, la plus jeune des deux femmes d'Abraham. Ferme tes oreilles, Marguerite, à ces billevesées ! Malfaisantes suppositions ! La vérité, c'est que la maladie du départ nous avait atteints. Il faut que tu le saches, Marguerite, partir, c'est la maladie de notre famille. Quand elle frappe l'un d'entre nous, rien ni personne ne peut le retenir : il se met à courir après le soleil. Je regarde souvent tes pieds, Marguerite. De temps en temps, ils s'agitent sans raison, comme saisis par l'impatience. J'ai peur que tu ne sois des nôtres, ma fille. Oh, que Dieu prenne soin de toi !

C'est alors qu'arrivait généralement le reste de la famille, d'abord mes six frères, portant lanternes et d'autant plus ricaneurs que furieusement jaloux de nos apartés.

– Ah, ah, qui voilà au clair de lune ? Ne serait-ce pas notre père ? Oui, oui, c'est bien notre père, avec la plus aimée de ses enfants...

Ils nous avaient rejoints sur notre rocher et dansaient autour de nous comme des chiots rageurs encerclant des mules entravées. Mes cinq sœurs les suivaient, accompagnées de Mariama, notre mère. Dans un panier, elles apportaient le dîner.

– Nous vous attendions, balbutiait mon père. Le cœur de l'histoire allait commencer.

– Une histoire ? s'exclamait un frère. Quelle chance, nous adorons les histoires !

— S'agirait-il d'un caillou magique ? ironisait un autre.

— Serait-il, par hasard, question de forgerons ?

Mon père grimaçait un sourire.

— Asseyez-vous.

Il attendait patiemment que tout le monde se calme. Et réenfourchait le cheval de son récit.

— Un soir, après une longue journée de voyage, nos ancêtres s'arrêtèrent pour préparer leur nuit. Ils allumèrent le feu habituel au pied d'une haute pierre rouge qui protégeait du vent. Soudain, ils se regardèrent : pince-moi, mon frère, et dis-moi que je rêve. Mon frère, j'allais te demander la même chose, réveille-moi, s'il te plaît. Ils se blottirent les uns contre les autres, comme des gamins effrayés alors qu'ils avaient déjà traversé mille et mille périls. Ils frissonnaient. Car la haute pierre rouge fondait.

Pour faire plaisir à notre père, nous nous exclamions tous :

— Une pierre qui coule !

— Je n'y crois pas !

— Papa, tu jures de ne pas nous mentir ?

— Oui, mes enfants, Dieu – béni soit-Il jusqu'à la fin des temps – avait fait à notre famille cadeau du cuivre.

— Quel miracle !

— C'est ainsi que nos ancêtres sont devenus forgerons.

— Quelle chance nous avons !

— Oh la belle histoire !

Chacun y allait de ses commentaires émerveillés.

Pendant ce temps-là, ma mère souriait. Et je dois vous expliquer ce sourire, sinon vous n'allez rien comprendre à la suite des choses.

De naissance, elle était *gesere*, c'est-à-dire « traditionniste ». Les gens de cette caste sont chargés de connaître l'Histoire, les hauts faits du passé, et d'en tirer les leçons les plus utiles pour le présent. Ils occupent donc une place importante dans notre société.

Quand les obsessions hydroélectriques de son mari l'excédaient, Mariama se réfugiait, elle aussi, dans la gloire de ses aïeux. Des aïeux qui, soyons clairs, ne peuvent être comparés à ces forgerons, fidèles et travailleurs, certes, mais bêtement obsédés de feu, de fonte et d'engrenages...

« Les traditionnistes ont pour vrai métier de conseiller les rois, vous vous rendez compte, mes enfants ? Et aussi, ils portent la parole. La parole des sujets auprès du roi et la parole du roi auprès des sujets. Le roi est malin : il ne parle qu'à voix basse. C'est au *gesere*, ou à la *gesere*, de répéter plus fort, pour que chacun entende. Ainsi le roi peut toujours changer d'avis : il lui suffit de déclarer qu'on l'a mal interprété... »

Ces récits déclenchaient bien sûr des vocations. Tous mes frères voulaient inspirer des rois. Et moi, je rêvais d'un jour « porter la parole ». Je me voyais chargée de mots, traversant des pays pour aller les déposer aux pieds d'un puissant. Projet réalisé, puisque aujourd'hui je m'adresse à vous, Président, le plus puissant des puissants français. Mais ne traînons pas en chemin, autrement Mᵉ Fabiani sera furieux. Revenons au sourire de ma mère.

Il se cachait, ce sourire. Étirait juste la pointe extrême de ses lèvres. N'allumait que de brefs éclairs dans les très sombres yeux maternels. Imperceptibles traces d'ironie. Sentiment de supériorité, à peine décelable. Un chef-d'œuvre de sourire. Un sourire de femme qui dit silencieusement à son mari : en ce moment, tu es un peu ridicule, avec ton orgueil et ta naïveté d'homme, mais ça ne fait rien, je t'aime. Un forgeron a, lui aussi, le droit de raconter le passé, même s'il n'en a pas la totale connaissance.

Et moi, petite fille, je me promettais d'aimer, quand l'âge serait venu, d'aimer un homme de ce bel amour-là, et de devenir cette épouse capable de tels sourires.

Fête chez la glorieuse famille Dyumasi. On se passait le pain, les morceaux de mouton tièdes, les quartiers de mangue, les jus de gingembre et de bissape. Les poissons autour de nous sautaient pour exprimer leur admiration. Bientôt rejoints par les moustiques : qui aurait pu leur reprocher de vouloir sucer le sang d'une aussi prestigieuse lignée ? Les embrassades se changeaient en claques, puis en pugilat général avec l'air moite de la nuit.

Les yeux d'Ousmane brillaient dans le noir comme des étoiles descendues du ciel. Reléguées au fin fond de l'oubli, les humiliations de l'après-midi. Celui qui a reçu de ses ancêtres et de Dieu le pouvoir d'amollir les pierres ne va pas se laisser écraser par un misérable ingénieur hépatique.

– Dis, Papa, est-ce que veiller sur une centrale hydroélectrique est un métier de forgeron ?

– Le feu et la lumière sont cousins germains.

– Raconte-nous comment Grand-père l'a construite.

– Quand vous saurez tous vos tables de multiplication.

– Deux fois deux quatre, six fois sept quarante-deux...

Cédant à l'attente générale et porté par le sourire exemplaire de Mariama, mon père continuait son récit.

Année 1920.

Personne ne voulait travailler dans la future centrale électrique. Le recruteur corse chargé d'embaucher l'équipe s'arrachait les cheveux. Dans tous les villages, on lui faisait la même réponse : pas question.

Pourtant, entre les crises de paludisme, il ne ménageait pas sa peine, organisant des leçons de choses, grands schémas à l'appui dessinés sur un tableau noir et patientes explications traduites par un interprète assermenté :

– L'eau de la chute entraînera une turbine qui vous donnera la lumière.

À ce mot, « lumière », un assistant mettait en marche un groupe électrogène et, sur l'estrade où professait le recruteur, un lampadaire s'allumait. Succès nul. Aucun applaudissement. Aucune admiration devant la science blanche. Pas le moindre émerveillement dans le public. Seulement un mélange de plus en plus crispant d'ironie et d'agressivité. Car les rares questions posées n'évoquaient pas les habituels sujets de négociation, salaires, logement, jours de congé...

Dans l'assemblée réunie sous le fromager, un bras se levait.

— Et que dit le fleuve ?

Le recruteur s'étranglait.

— Le fleuve ? Parce qu'il parle, votre fleuve ?

Hilarité générale. Comme si le Sénégal n'avait pas la parole !

Une autre main, une autre interrogation :

— Le fleuve, en tombant dans votre machine turbine, il va se blesser ?

— Ça, c'est sûr, ta machine va découper le fleuve, comme une scie.

Éberlué, le Corse regardait sans comprendre les dizaines d'yeux fixés sur lui. Il balbutiait : le fleuve, souffrir ? Mais où suis-je, pauvre de moi ? Continent de fous. Il pliait bagage, refusant le repas qu'on lui offrait et l'eau fraîche (non filtrée), pauvre de moi, enfin merde, des emplois, ça ne se refuse pas, avec toute la misère qui règne ici, quand je pense que je croyais cette mission facile, une semaine de prospection, j'empoche la prime et adieu l'Afrique, retour peinard à Bastia. « Pauvre de moi », c'était devenu son surnom. Pauvre de moi a piqué une de ces colères ! Pauvre de moi a encore trop bu ! Pauvre de moi est venu chez nous, hier. Vous devriez l'apercevoir demain, si ses coliques lui laissent deux jambes pour marcher.

Les forgerons du cercle de Kayes tinrent conseil : puisque les Blancs l'ont décidé, la mauvaise centrale se fera, quoi qu'on dise, quoi qu'on fasse. On n'a jamais vu quelque chose ou quelqu'un s'opposer avec succès à la volonté française. Alors autant que l'un des nôtres se joigne à l'affaire pour informer la communauté de ce qui va se passer vraiment dans l'usine. Et aussi pour protéger le fleuve, dans toute la mesure du possible.

Il ne restait plus qu'à trouver un volontaire.

Mon grand-père Abdoulaye se présenta. Il revenait de la grande guerre mondiale 14-18. D'où son surnom de « Chemin des Dames ». Le métier de sa caste, la forge traditionnelle, l'accablait d'ennui : tout plutôt que continuer jusqu'au dernier jour à fabriquer des fers à cheval et réparer le timon des charrettes. Comme nous tous, les Soninkés, il souffrait de cette maladie grave qui contraint au voyage les plus casaniers et force au courage les plus couards. Oui, toutes les aventures, même les plus périlleuses, plutôt que d'assourdir sa vie en tapant du matin au soir sur du métal sans défense.

Abdoulaye était revenu changé de France. Son vieux fond de croyances animistes, que l'islam n'avait pas réussi à déraciner, n'avait pas résisté aux horreurs traversées. Pour lui, plus rien n'avait d'âme, ni les choses, ni les humains. Il tenait des discours très nouveaux au village, et choquants : si le baobab pelé guérit de l'impuissance, qu'on en gave Ahmadou, sa femme appellera moins fort la nuit. Et si notre fleuve Sénégal n'a pas envie d'usine à lumière, qu'il le dise.

En résumé, son cerveau, miraculeusement rescapé de l'enfer, était habité par un désir de science.

– Papa, tu crois que Grand-père aurait été capable de suivre, comme toi, les leçons si difficiles du Conservatoire de Paris ?

– Il n'avait pas eu ma chance d'apprendre à lire, Marguerite.

C'est donc d'un cœur léger et sans aucun état d'âme qu'à l'immense satisfaction du Corse recruteur (« Si tu passes par Bastia, Abdoulaye, demande le cabanon Mattei, il y aura toujours du rosé pour toi »), Abdoulaye-Chemin des Dames rejoignit l'équipe de la centrale avant même qu'on en pose la première pierre. Et c'est ainsi, grâce à notre famille, que l'électricité s'est mise à éclairer le nord-ouest du Mali.

Applaudissements ! Congratulations ! Bref intermède consacré au dessert (gâteaux de coco, chewing-gums Hollywood). Puis mon père reprenait :

– Mes enfants ! Vous avez dans votre sang la force qui permet d'ordonner aux rochers de fondre. Vous avez dans vos yeux l'autorité qui commande au feu. Quoi qu'il vous arrive, n'oubliez pas que vous êtes des forgerons. Vous aussi, mes filles, tu m'entends, Marguerite ? même si ce métier n'est pas autorisé aux femmes. Montrez-vous dignes de cette ascendance, la plus noble qui soit, et elle vous protégera envers et contre tout.

Sur ces mots, il se taisait et nous fixait l'un après l'autre, pour graver en nous cette certitude de noblesse. Puis il se levait :

– Il est l'heure, le sommeil réparateur nous attend.

Ce n'était plus le même homme. Il marchait en seigneur, droit comme le pouvoir, entouré de son escorte. Et c'est en seigneur qu'il toisait, sur le chemin du retour, la maison de l'ingénieur, encore allumée : « Si tu savais qui nous sommes... », chuchotait-il en passant, pour solde de tout compte. Conclusion sans appel que nous reprenions l'un après l'autre, jetée du bout des lèvres, comme on crache : « Petit ingénieur, si tu savais qui nous sommes ».

Les quatorze, douze enfants, deux parents, s'en revenaient chez eux, leur leçon de fierté bien acquise. Nos pieds ne touchaient plus le sol, ni le dos des rochers ni la crête du sable (ou je ne m'en souviens pas). La fierté nous portait. Une fois dans notre lit, la fierté nous berçait. La fierté nous endormait. Et c'est sans doute aussi cette fierté qui faisait rire mon père, de l'autre côté de la cloison, et glousser puis gémir ma mère.

De cette fierté, ma (mauvaise) photomaton ne vous dira rien. D'ailleurs, nous les Noirs ou Noires, à vos yeux paresseux de Blancs, nous nous ressemblons tous.

Écoutez-moi plutôt. Je me nomme, ainsi que vous l'avez appris, Dyumasi Marguerite, descendante des familiers du Patriarche, celui qui connaît les vérités cachées. J'appartiens à la première catégorie des castes, les Nyamakalas, de *nyama*, maléfice, et *kala*, antidote. En d'autres termes, les artisans, ceux qui vainquent par le travail les sorts mauvais. Parmi les Nyamakalas, nous sommes des Nomous, des forgerons, ceux qui savent donner des formes aux pierres ramollies par le feu.

Bien entendu, je résume. Je ne vous ai pas encore parlé ni du royaume Wagadou ni du crocodile. Vous commencez à comprendre pourquoi, consciencieuse comme je le suis, il ne m'était pas possible de rétrécir sur 3,4 centimètres carrés (j'ai calculé les espaces prévus par le formulaire 13-0021) les premières des informations qui vous sont nécessaires pour connaître cette Mme Bâ, née Dyumasi, qui sollicite le droit de pénétrer sur le prestigieux territoire français. Ses habitants ont beau être considérés par vous comme de grands enfants, l'Afrique n'est pas aussi sommaire que vous le croyez.

Continuons.

Auparavant, je dois saluer respectueusement le personnage le plus important du bureau de Me Fabiani. Il repose dans une boîte d'acajou rouge : un gros chronomètre anglais de marque John Poole (maker to the Admiralty). Benoît me l'a présenté, dès notre premier rendez-vous.

— N'est-ce pas qu'il est beau, avec son enveloppe de laiton miel et ses chiffres romains noirs ? Voyez-vous, madame Bâ, c'est mon collaborateur le plus précieux. Dès qu'un client franchit ma porte, j'appuie sur ce bouton. Ainsi, pas de contestation possible : je peux mesurer avec la plus grande exactitude le temps passé pour chaque affaire et facturer en conséquence.

J'avais apporté une enveloppe, avec toutes mes économies. Le chronomètre me fixait, de son énorme œil jaune, infiniment méprisant. Je faillis m'enfuir.

— Aïe, aïe, aïe ! Une institutrice malienne n'est pas riche, maître Fabiani. Comment vais-je vous payer ?

— Pour vous, je vais faire une exception, madame Bâ. Je ne vais pas réveiller John Poole.

J'ai failli lui demander la raison de cette générosité.

J'ai arrêté ma langue juste au moment où elle allait se montrer trop curieuse. Quand une femme de mon âge suscite l'intérêt d'un homme, elle doit accueillir ce cadeau, et le savourer, sans poser de question.

Seulement, dès ce jour, il faut que vous le sachiez, j'ai rebaptisé mon Benoît, Me Temps-Gratuit. Ce nouveau nom l'a fait sourire. Et il a piqué un fard. Comment peut-on être avocat et timide ? N'aurais-je pas dû choisir un défenseur sûr de lui, et vraiment méchant ?

– S'il vous plaît, n'ébruitez pas cette gratuité, madame Bâ, je dois gagner ma vie, je ne tiens pas à être assailli dès demain par une foule d'indigents et de radins. Et continuez votre histoire.

– Ne vous inquiétez pas, maître. Soyez remercié dans les siècles des siècles. Je continue, je continue.

Dès notre naissance, les noms nous ont entourés. Comme une autre famille, inépuisable. Comme une foule d'amis nouveaux qui n'auraient pas cessé d'arriver. Notre père baptisait tout ce qui se présentait : ceci est un timon de charrette, les enfants, ceci est un mors qui permet de conduire les chevaux, même les plus furieux, ceci est un soufflet pour réveiller les feux paresseux, ceci un poisson-chat, un engrenage, un disjoncteur, un palmier rônier, une chambre à air... Chaque fois, il fallait répéter après lui. Jusqu'à prononciation parfaite.

— Maintenant que vous avez acquis ce mot, vous ne vous sentez pas plus riche ?

— Oh si, Papa !

— Vous voyez, les enfants, appeler a un double sens : j'appelle quelqu'un pour lui demander de venir, j'appelle quelqu'un quand je lui donne son nom, je m'appelle Ousmane. Ce qui n'est pas appelé n'existe pas tout à fait. Comme une femme dont aucun homme n'a voulu.

— Ou l'inverse, complétait, farouche, notre mère.

Comme un homme trop laid pour intéresser une femme.

Sur cette affaire-là, la lutte entre les hommes et les femmes, elle ne baissait jamais la garde. Mais elle ne participait que de loin à nos apprentissages verbaux. Je sais maintenant qu'elle se dissimulait. Devinant ce qui s'ensuivrait, inéluctablement, si elle dévoilait sa vraie nature. La marée des *qui suis-je ?* n'allait plus tarder à déferler sur nous. À cette époque, elle nous laissait encore en paix.

Ces longues séances nous amusaient plutôt : le monde était un jeu. Une immense collection de boîtes. Il suffisait de placer dans la bonne boîte chaque être ou chaque chose rencontrés.

Mais nommer les oiseaux offrait un plaisir autrement plus vif. À cause peut-être de l'angoisse qui le précédait toujours : serai-je là quand ils surgiront, serai-je capable de les reconnaître, ils vont si vite et se moquent si bien de nous, les humains, à tous se ressembler ? Saurai-je saisir en plein vol et en un instant une forme, quelques couleurs, puis m'exclamer : c'est un coucal ! Et celui-ci ? Cette tache verte dans le ciel, ne serait-ce pas un guêpier ? Bravo, Marguerite ! Cette sorte de chasse me semblait aussi difficile que retenir de la musique, ou du temps, ou l'eau du fleuve. Me souvenant de ces moments, la voix d'Ousmane me revient : « Regarde, un vanneau armé » « Oh, un aigle pêcheur... »

Souvent, encore aujourd'hui, si longtemps après, je regarde le fond de ma paume et il me semble y voir planer, longues ailes de plus en plus pâles, l'amour de mon père.

Un soir, au retour de la petite ville voisine, Médine, s'éleva, devant le capot bleu de notre 203 Peugeot, un nuage. Assez sombre pour en saisir les contours. Assez clair pour distinguer au travers le rouge du soleil finissant.

– C'est un djinn, murmura Mariama.

Elle tremblait.

Mes frères et sœurs se jetèrent en hurlant sur le plancher rouillé de la voiture au risque de l'effondrer, une bonne fois, sur la route. Moi, plus curieuse encore que peureuse (trait de caractère qui m'est resté et rend si forte l'envie de visiter votre France, pays de la plus grande diversité, d'après ce qu'on dit), demeurai à mon poste, à droite d'Ousmane, ma tempe contre son épaule, mon menton bien calé sur la banquette avant.

On aurait dit une fumée, jouet d'un courant d'air. Mais aucun mouvement, pas le moindre, n'agitait alentour les feuilles menues des acacias. La drôle de fumée bougeait toute seule. Elle s'étirait, se courbait, se tordait, partait en vrille, disparaissait pour revenir l'instant d'après. Capricieuse, ivre d'elle-même. Une danseuse sans maître, uniquement occupée de sa fantaisie, d'enchaîner les formes, les figures. Voyez comme je suis. Telle et telle, et encore autre si je veux. Une musique lancinante accompagnait le ballet, des piaillements brefs, aujourd'hui je dirais des cris de plaisir.

Quand la fumée finit par s'évanouir, Mariama revint à la vie.

– Rendons grâces à Dieu, le djinn nous a épargnés.

45

En bonne cuisinière, elle n'avait pas sa pareille pour mélanger les religions. Allah, les esprits, la Vierge Marie catholique...

Mon père ralluma le moteur. Je ne le quittais pas des yeux. Il se tut un long moment, tout à sa conduite. Et puis, sa bouche s'ouvrit. On aurait dit qu'il hésitait encore à parler.

– Bien sûr, vous aurez tous reconnu les tisserins. On distingue les tisserins minulle, les fronts blancs, les orangés, les gendarmes, les noirs de vieillot... Et je ne les connais pas tous. Ils se réunissent à mille, ou plus, pour voler ensemble. Cette espèce aime s'amuser avant la nuit.

– Mais alors, demanda la toute petite voix de ma plus jeune sœur, Awa, il n'y avait pas de djinn ?

Dans le rétroviseur, mon père se contenta de nous sourire. Ma mère se mordait les lèvres et regardait ailleurs.

C'est peu après que, prise de vertige par tous ces noms, je demandai :

– Pourquoi existe-t-il beaucoup plus d'oiseaux que d'humains ? Et nous, pourquoi nous appelons-nous Dyumasi, seulement Dyumasi, et pas Chemin des Dames, comme notre grand-père ?

Abdoulaye Omar Victor, dit Chemin des Dames, père d'Ousmane, occupait dans notre concession une case éloignée, près de l'enclos des chevaux. Son habillement me fascinait, toujours le même : un boubou bleu piqué d'une décoration étincelante et une chéchia rouge vissée sur sa couronne de cheveux blancs, si bien qu'on l'appelait aussi « le Tricolore ».

Entouré du plus profond respect auquel son âge lui donnait droit, il vivait à l'écart. Tôt le matin, il s'asseyait sous le cailcedrat, le plus souvent solitaire. Avec un vieux tissu, il passait sa journée à polir sa Médaille militaire, puis la contemplait des heures, comme s'il pouvait y suivre des spectacles somptueux, avant de recommencer son travail d'astiquage. Tandis que ses lèvres marmonnaient. J'avais beau tendre l'oreille, je ne pouvais rien comprendre de l'histoire qu'inlassablement elles racontaient.

Car à nous, les enfants, il était interdit d'approcher : ne le dérangez pas, vous voyez bien qu'il prie. Cette explication ne nous convainquait pas. Tu crois qu'il s'adresse vraiment à Dieu ? Nous n'en étions pas sûrs. Persuadés plutôt qu'on nous cachait la vérité, une vérité dangereuse...

Seuls ses collègues – de très « anciens » comme lui – venaient lui rendre visite. Ils s'asseyaient près de lui, sous le cailcedrat habité par les tourterelles et les fameux tisserins. Mais les amis ne demeuraient jamais longtemps. Le ton montait vite. Ils se levaient et s'en allaient furieux, lançant des malédictions qui ajoutaient au mystère : puisque c'est comme ça, reste dans ta boue ! Tu aimes trop la mort, Abdoulaye, elle va t'engloutir sans tarder !

De temps en temps, à intervalles réguliers, autre énigme : le village entier, soudain métamorphosé, faisait fête à mon grand-père. On l'entourait, on lui souriait, lui proposait mille cadeaux et autant de services : tu ne peux plus rien voir dans tes lunettes, tu en veux de nouvelles ? Ça te ferait plaisir, une radio qui entend la France ? À ton âge, on est encore vert, tu veux te marier avec ma fille ? Sous l'avalanche de générosité, il ne bronchait pas, toujours à polir et marmonner.

Un vieux cousin (vingt-deux ans) m'expliqua la raison de ces brutaux changements d'atmosphère.

– C'est à cause de l'enveloppe. Elle arrive à la fin de chaque trimestre. Tu verras.

De ce moment je comptai les jours, découvrant des tortures et des délices inédites, accueillant en moi l'amie secrète qui n'allait plus jamais me quitter : l'attente. La nuit, l'enveloppe volait dans mes rêves, drôle d'oiseau blanc carré. Je demandais à mon père : quelle est donc cette espèce, ni aigrette, ni héron, ni spatule malgré l'aplatissement de son bec ? Il mettait son doigt sur sa bouche, sois patiente, Marguerite, tu le sauras bientôt.

Un matin, le vieux cousin se présenta. Il sentait le savon. Ou un parfum. Ou les deux. En tout cas, il écœurait mon nez.

– J'ai des nouvelles. Qu'est-ce que tu me donnes en échange ?

Je lui fis cent propositions inutiles. Je savais qu'une seule pourrait l'intéresser.

– Si tu n'acceptes pas de rompre la solitude avec moi, Marguerite, tu ne sauras rien. Et décide-toi vite, on va tout manquer.

– Mais je n'ai que onze ans !

– Je t'ai vue quand tu nages. Tu es déjà une femme entière.

Comment refuser ? Si j'en crois mon existence, et

contrairement au proverbe, c'est la curiosité, bien plus que l'oisiveté, qui est mère de tous les vices.

Peut-être avaient-ils deviné notre pacte ; mes parents s'inquiétèrent :

– Où vas-tu, Marguerite ?

Nous courûmes. Une microscopique camionnette jaune arrivait. On aurait dit une barque sur une mer démontée, tant elle disparaissait corps et biens dans les fondrières de la route avant de resurgir, vaillante, déjà prête à replonger.

Elle s'arrêta devant Chemin des Dames. Un uniforme bleu foncé en sortit et marcha sans hésitation, manifestement un habitué, vers le cailcedrat. Mon grand-père l'attendait comme je ne l'avais jamais vu, garde-à-vous et salut militaire.

– Monsieur Dyumasi Abdoulaye Omar Victor ?

Mon grand-père hocha la tête, mais sans quitter sa posture.

L'uniforme finit par s'impatienter.

– Très honoré, monsieur Dyumasi. Mais je n'ai pas que ça à faire. Vous la voulez ou non ?

Lentement, à regret, la main qui saluait, la droite, retomba tandis qu'une autre main, la gauche, sortait du boubou et se tendait. Un épais morceau de papier blanc y fut déposé.

À peine l'uniforme eut-il tourné le dos et la barque jaune repris la mer sablonneuse (toujours aussi démontée) que le village s'avança, le village entier, sourires immenses sur toutes les lèvres, celles des neuf frères de mon père, celles de leurs innombrables épouses, celles de ses onze sœurs, aussi joyeuses que leurs maris, et d'autres voisins dont j'ignorais la parenté avec notre famille, tous saisis d'amour subit pour Chemin des Dames.

– Qu'y a-t-il dans l'enveloppe ?

– Avant de le savoir, tu dois tenir ta promesse.

Dois-je conserver, dans ma maigre, trop maigre liste d'inconduites, cette première rupture de solitude ? Je vous laisse juge. Sitôt allongé près de moi, mon cousin, pourtant âgé, vingt-deux années, je vous l'ai dit, s'est mis à trembler. À ce jour, c'est le seul Africain que j'aie connu terrorisé par les femmes.

– Marguerite, tu voudrais bien me parler ?

J'ai approché ma bouche de son oreille. Cinq minutes plus tard, il dormait.

Les tambours nous ont réveillés, les koras, les balafons, des chants joyeux. Quelques mauvais musulmans avaient sans doute cédé à l'appel du vin de palme. Contre moi, le cousin s'agitait.

– Marguerite, tu me promets de raconter l'inverse ?

– L'inverse ?

– Le total contraire de ce qui s'est passé. Par exemple que je l'ai grosse et tendue et que tu en garderas le souvenir toute ta vie ? Et que je suis infatigable ? Et que pourtant je sais respecter une femme ? Mais que toi, tu as dû lutter pour te conserver intacte avant le mariage, lutter contre l'armée de désirs incontrôlables qui avait pris possession de toi ?

– D'accord, je le raconterai. Maintenant, tu dois tenir ta promesse. Quels sont tous ces bruits ?

– Le village célèbre l'enveloppe. Tu as deviné : elle contient la pension d'ancien combattant. Pauvre Chemin des Dames ! À cette heure, il ne doit plus lui rester un franc.

50

Je connais votre administration : sa mémoire est aussi méticuleuse et indestructible que celle de nos éléphants. Alors, puisque de toute façon, dans l'un de vos classeurs implacables, vous retrouverez ma lettre, même vieille de trente-neuf ans, autant vous l'avouer, j'ai déjà écrit à un Président de la République française. Il s'appelait Charles de Gaulle. Et je voulais lui demander de se réconcilier avec Chemin des Dames, mon grand-père. Le dossier doit comporter le récit de cette impudence typiquement margueritienne. J'en assume les pleines conséquences, même si mon nez seul est, comme toujours, responsable de tout.

Ce jeudi de 1960, je me souviens du jour car je n'avais pas classe, vers dix-sept heures, le vent tourna. Il se mit à souffler d'une direction tout à fait inhabituelle, le plein Est. Mes narines palpitèrent, mes sourcils se froncèrent : pourquoi l'air, soudain, sentait-il la mer ? D'après nos leçons de géographie, et le sens du courant de notre cher fleuve Sénégal, l'Atlantique se trouvait de l'autre côté. Quant à l'océan Indien, ses parfums devaient traverser tout notre continent, ses forêts et ses déserts, avant d'atteindre notre Nord-Ouest du Mali : autant dire qu'ils n'avaient aucune chance de parvenir jusqu'à nous. Je résolus de marcher vers la source de cette énigme, traversai le village et me trouvai bientôt devant la concession qu'on avait attribuée à Abdoulaye, une habitation isolée car plus personne, pas même mon père, son fils, ne supportait ses récits monocordes de la Grande Guerre française. Dans ce

51

lieu isolé, les souvenirs de 14-18 ne gênaient que les baobabs et ses trois épouses, cadeaux du village, trop jeunes pour protester.

Il se tenait là, devant le seuil de sa maison, assis bien droit sur un étrange fauteuil, tubes d'acier noir et lanières de plastique jaune, celui-là même qu'on offrirait à l'ambassadeur, presque trente ans plus tard, pour entendre la longue litanie des dernières volontés. Et il pleurait. Sa main droite tenait une feuille de papier blanc. À ses pieds, un chien jouait avec une babouche.

Mon nez ne m'avait pas trompée. C'était le chagrin de mon grand-père, le sel de ses larmes qui sentait la mer.

Il rangea la feuille, du revers de la manche s'essuya les yeux.

– Qui es-tu ?

Il me considérait sans beaucoup d'intérêt. Après tout, je n'étais que l'un de ses, j'ai tenté de compter depuis, mille trois cents descendants directs. Calculez vous-même : neuf femmes, soixante-douze enfants, une moitié de garçons, chacun marié quatre fois, chaque femme engendrant huit fois, soit neuf cent quatre-vingt-douze, une autre moitié de filles, trente-six, chacune engendrant aussi huit fois (en moyenne), soit deux cent soixante-huit.

– Je m'appelle Marguerite, je suis la première fille d'Ousmane et Mariama.

– Alors, Marguerite, puisque Marguerite il y a, comment va l'école ?

De retour chez moi, j'interrogeai mon père : pourquoi cette détresse chez notre ancêtre ?

– La guerre est simple, Marguerite. Simple et triste.

Les morts pourrissent. Les blessés saignent. Les survivants pleurent. Tu n'y peux rien. Et si ton nez continue à faire des siennes, on le coupera. Maintenant, dors.

De ce jour, je lui rendis visite. Le plus souvent possible. Chaque fois que soufflait le vent salé et que j'avais une heure de liberté. Nous parlions de tout sauf du plus important pour lui. Il tournait et retournait autour de son secret comme un oiseau timide qui se demande s'il va oser plonger son bec dans un cadavre. Il s'approchait, peu à peu : un jour, Marguerite, je te dirai.

Je suis une femme patiente. J'attendais le moment. Il me confiait ses autres soucis, ses épouses trop avides et toujours à se battre. Quel besoin avais-je de remplacer les décédées ? Je sais ce qu'elles espèrent de moi, l'augmentation de ma pension militaire. Les pauvres, elles vont être déçues ! Ah, ah ! Tu les entends se chamailler ? Il riait de bon cœur. Cette gaieté lui redonnait des forces.

Un soir, nous parlions du métier de forgeron : avait-il encore sa place dans le monde moderne ? Au beau milieu d'une phrase, il s'interrompit net, me posa la main sur l'épaule.

— Tu as déjà entendu parler du général de Gaulle ?

Fièrement, je répondis tout ce que je savais : c'est un Français géant qui vient de donner à l'Afrique entière son indépendance.

— Magnifique ! Eh bien, lui et moi, nous avons été

amis, une amitié de combattants. Elle a duré quarante-trois ans, tu te rends compte ?

Je lui dis que je me rendais compte, moi qui venais d'être trahie par Lucie que je connaissais depuis ma naissance, et pour un garçon même pas beau. Les yeux du père de mon père brillaient de larmes. Je ne savais pas que les enfants, en plus du travail à l'école et des corvées de la maison (surtout le bois et l'eau), devaient aussi consoler les adultes. Je lui ai secoué le bras.

– Allez, depuis le temps que j'attends. Cette fois, raconte. Qu'est-ce qui s'est passé ? Le général et toi, vous aviez la même fiancée ?

– J'ai dû faire quelque chose de mal. Viens.

Il prit sa canne et m'entraîna jusqu'à l'école.

– Tu vois le double mètre, là, collé contre le mur ?

Je hochai la tête.

– Ça sert à mesurer les enfants. Et ce trait blanc, tout en haut, suivi d'un petit drapeau bleu, blanc, rouge ? C'est notre taille, celle du général de Gaulle et la mienne, Marguerite, exactement la mienne. Pourquoi ne répond-il pas à mes lettres ? Deux géants se doivent le respect, quelle que soit la couleur de leur peau. Tu veux rester coucher à la maison ?

Je n'ai pas pu en apprendre davantage ce soir-là. Les trois épouses nous appelaient pour le dîner. Elles s'étaient réconciliées. Elles me traitèrent comme une reine, tu veux un Coca, Marguerite, prends cette mangue, c'est la plus mûre. Je ne suis pas une imbécile. Je connais les manœuvres des filles. Je voyais bien qu'elles ne s'intéressaient qu'à lui. Elles jouaient de l'œil, elles balançaient leur cul. Hélas, j'étais trop fatiguée. Laquelle l'entraîna dans sa chambre ? Je me suis endormie avant d'assister à la fin du match.

Le lendemain, Chemin des Dames semblait désemparé comme jamais, seul sous le cailcedrat. Sa nuit s'était-elle mal passée ? Je me suis approchée à pas prudents et, sagement, j'ai préféré le questionner sur l'autre raison possible de son chagrin : son collègue géant, le général de Gaulle.

– Je ne peux pas vous réconcilier ?

– Hélas, je ne crois pas. Va chercher le dossier vert, sur la table.

C'était une chemise épaisse, bourrée de papiers. Il en sortit un, couvert de chiffres, et me le tendit.

– Regarde ma pension : elle est gelée.

Je connaissais la glace. L'ingénieur de la chute d'eau avait un réfrigérateur. Rien de commun entre ces cubes blanchâtres et brûlants et la feuille que je tenais entre mes doigts.

– C'est vrai que tu es une petite fille. Tu ne connais pas encore toutes les formes du froid. Je vais t'expliquer.

Il voulut commencer par le tout premier jour, son arrachement du village, son entraînement à la guerre dans la si jolie ville au bord de l'eau, Saint-Raphaël, et son terrible mois d'avril 1917 au nord-est de Paris, au Chemin des Dames. Les trente mille morts, dès le premier matin, dont vingt mille Africains.

Je me permis de l'interrompre. Tout le monde dans la famille, même les derniers-nés, avait fini par connaître, quart d'heure par quart d'heure, le récit de sa bataille, celle qui lui avait valu son surnom. C'est après que débutait l'inconnu.

– J'avais une pension, Marguerite, comme tous les anciens militaires. Chaque année, la France l'augmentait pour effacer la hausse des prix. Le 2 janvier 1960, j'ai reçu une lettre du général. Tu veux que je te la lise, Marguerite ?

Les trois épouses s'étaient rapprochées et, pour une fois d'accord, lui demandèrent d'arrêter là : « C'est une enfant, Abdoulaye, elle ne va rien comprendre. »

– Il faut qu'elle sache.

– « Monsieur (tu te rends compte, appeler "monsieur" un camarade de combat), en application de l'article 71 de la loi de finances n° 59-1454, les pensions, rentes et allocations viagères, imputées sur le budget de l'État français, dont sont titulaires les nationaux des pays ou territoires ayant appartenu à l'Union française, ou à la Communauté, sont remplacées par des indemnités annuelles calculées sur les bases des tarifs en vigueur pour lesdites pensions ou allocations à la date de leur transformation. Veuillez croire, Monsieur, en nos sentiments distingués. »

– Ça veut dire quoi ?

– Tu n'as pas à avoir honte, Marguerite. Moi non plus, je ne comprenais rien. Je suis allé à Kayes pour me faire traduire. Ça m'a coûté mille francs.

– S'il te plaît, réponds-moi. Que te disait ton général de Gaulle ?

– Il gelait ma pension. Elle n'augmenterait plus jamais. Malgré les prix qui grimpent plus vite que les

56

singes. Pourquoi m'a-t-il fait ça ? À moi, son ami combattant ?

– Peut-être qu'il rétrécit, ton général ?

Les épouses gloussèrent :

– Elle a raison, cette Marguerite. Arrête de nous ennuyer avec ce général. Accepte la vérité : ton géant devient petit, mesquin, radin, minuscule. Reviens quand tu veux, Marguerite, pour nettoyer le cerveau de ton grand-père. La tristesse, c'est comme la poussière, Marguerite, il suffit de balayer l'intérieur de la tête.

De retour à la maison, près de la chute d'eau, je me suis assise à la table commune. J'ai trempé mon porte-plume dans l'encre, la langue entre les lèvres pour me concentrer mieux. Et j'ai commencé par l'enveloppe :

Général de Gaulle
France

Je me disais que s'il était vraiment grand, il dépassait les maisons. Le facteur n'aurait qu'à lever la tête. Il le verrait forcément, au-dessus des toits. Donc « France » suffit, pas besoin d'autre adresse. Je lui demandais, à ce de Gaulle, de ne pas désoler mon grand-père. Les généraux français ont certainement du feu chez eux. Rien de plus facile, pour un général français, que de dégeler une pension.

C'était, avant celle que je vous écris en ce moment, la première de mes lettres à un Président de la République française. Il ne m'a jamais répondu.

Quand je viendrai en France, j'irai dans son village,

à Colombey, je trouverai le fabricant de son cercueil. Lui me dira la vérité, le nombre exact de centimètres qu'il possédait encore au jour de sa mort. Je connais sa taille officielle, égale à celle de mon grand-père. Je n'aurai qu'à poser la soustraction. Je saurai combien lui a fait perdre sa lettre du 2 janvier 1960, cette fameuse lettre à l'odeur de sel.

Et puis je me rendrai là-bas, j'ai consulté la carte, au pied du fameux chemin où tant des nôtres reposent, et où naissent et renaissent sans cesse les cauchemars d'Abdoulaye.

— Papa, tu ne crois pas qu'on devrait ajouter Chemin des Dames à notre nom de forgeron africain Dyumasi ?

— Marguerite, un bon conseil : abandonne cette manie du passé. Notre continent a besoin d'avenir. De rien d'autre.

Heureusement que Mariama, la *gesere*, n'avait pas entendu. Je crois qu'elle aurait débarrassé la terre de ce mari et père si néfaste et imbécile : qu'est-ce qu'un fleuve sans sa source ?

— Madame Bâ, vous tenez vraiment à évoquer cette douloureuse affaire des pensions gelées des anciens combattants ?

— Devinez, maître Fabiani !

— Vous ne craignez pas, je ne sais pas, moi, que les

autorités françaises, dont on sait la susceptibilité, en prennent quelque ombrage ?

Cher avocat ! Il avance à pas légers, précautionneux, comme une aigrette sur la berge. Il ne me connaît pas encore. Mais il devine déjà la violence cachée du caractère de sa cliente. Ce réservoir de colères terribles, qui peuvent se déclencher à tout moment.

– Maître Fabiani, nous n'en sommes qu'au début de notre collaboration. Alors, autant mettre les choses au point. D'après vous, qu'attend de moi le Président de la République française, avant de décider s'il doit m'ouvrir ou non la porte de son pays ? De la dissimulation ou de la franchise ? Marguerite Bâ, née Dyumasi, fille d'un forgeron élève de votre Conservatoire National des Arts et Métiers, a, depuis sa naissance, choisi la route de la vérité. Elle s'y tiendra. Et qu'importent les conséquences.

À ce propos, je ne peux mieux faire que citer le très révéré grand-oncle de mon mari, maître Hampâté Bâ : « La naissance d'un enfant est considérée comme la preuve palpable qu'une parcelle de l'existence anonyme s'est détachée en vue d'accomplir une mission sur notre terre. Une importance toute particulière sera accordée à la cérémonie du baptême au cours de laquelle on donne un *togo* ou prénom au nouveau-né. Le togo définit le petit individu. Il le situe dans la grande communauté. »

Hélas, comme il sera raconté plus tard, en réponse à la question 5 du 13-0021, mon père, confiant en certains signes irréfutables, attendait un fils. Tout était prêt pour son arrivée glorieuse, à commencer par le prénom de Gustave. Le cher héritier n'aurait qu'à s'y installer et se laisser porter, travail aidant, vers les plus hautes destinées, à l'image de son saint patron, le plus grand ingénieur de tous les temps, Gustave Eiffel, 1832-1923, divinité favorite d'Ousmane.

Pour une fille, le désert. Rien n'était prévu. Quand il fallut se rendre à la triste évidence – Mariama n'avait pas engendré le mâle tant espéré –, mon père ne resta pas longtemps dépourvu.

– Nous l'appellerons Marie.

– Pourquoi donc un prénom chrétien ?

– Ignorante épouse ! Marie, comme Marie Curie, 1867-1934, la grande savante, deux fois prix Nobel. Un jour, tu comprendras que la Science ne se préoccupe pas des sexes. Si notre fille devient ingénieur, et tel est mon souhait, elle sera en même temps un garçon.

– Qu'ai-je fait à Dieu pour entendre de telles bêtises ?

– La Science est aussi supérieure à la religion.

– Cette fois, je me bouche les oreilles. Maudite soit la femme dont le mari blasphème. Notre fille se prénommera Adamé.

– Femme inconséquente et rétive ! Pourquoi Adamé ? Rien que pour me contredire ? Ou c'est le mot qui t'est venu d'abord parce qu'il commence par A...

– Homme ignare ! Adamé Aïské Thiam, mère glorieuse du prophète El Hadj Omar Tall (1795-1864), celui qui a tenté de défendre notre région contre la griffe avide de tes chers Français. Notre fille, tu n'as même pas remarqué comme elle te ressemble, s'appelle Adamé, un point c'est tout.

Telle fut, à mon propos, alors que je venais à peine de pénétrer dans ce monde, l'une des innombrables joutes, aussi violentes qu'érudites, qui devaient, quarante années durant, égayer la vie commune de mes parents. Nul armistice en perspective : la même folie de l'obstination les habitaient.

– Marie !

– Non, Adamé !

Un mois après ma naissance, j'étais toujours écartelée entre mes deux appellations. Et pas encore baptisée.

Notre entourage s'inquiétait : Dieu ne va pas tarder

à gronder. Qui sont ces gens-là, Se dira-t-Il, ces incapables ? Que va devenir Ma création si les humains ne prennent pas Mon relais en nommant les choses et les êtres ? Il va Me falloir les punir.

Pour éviter cette colère, on demanda l'arbitrage du chef du village, vieillard édenté, déjà plus qu'à moitié locataire de la mort. Sans hésitation, quatre syllabes, dont une muette, sortirent de ses gencives grises :

– Mar-gue-ri-te.

Et l'éclair d'une formidable gaieté illumina son visage. Sa famille applaudit : depuis vingt ans, on n'avait plus vu sourire l'ancêtre, perclus qu'il était de maladies et la plupart du temps éloigné de lui-même par d'innombrables absences.

Je n'ai jamais eu l'occasion de remercier ce parrain : trois mois après son cadeau, il avait quitté ce monde. Sans doute pressé de rejoindre cette mystérieuse Marguerite dont personne n'avait entendu parler jusqu'alors, selon toute probabilité une femme rencontrée en France, où il avait été emmené combattre, comme tous ceux de sa génération, et que j'allais dorénavant être chargée d'incarner.

Le désir engendrant parfois, sinon la sagesse, du moins la diplomatie, mon père, une fois ce jugement rendu, s'adressa en ces termes à ma mère :

– Si j'accepte qu'après Marguerite, sur le papier officiel, s'inscrive le prénom d'Adamé, tu reviendras partager ma couche ?

– Dans ce cas, Adamé sera suivie de Marie.

Et c'est ainsi que, l'après-midi même, fut conçu mon premier frère, Salif.

Soudain, sans que rien ne laisse prévoir la crise, ma mère criait :

– Je ne vous vois plus ! Qu'êtes-vous devenus ?

Elle se mettait à trembler. Un rictus de terreur lui déformait le visage. Dans un grand froissement de boubou, elle courait vers le fleuve. Et, sous le regard furieux des martins-pêcheurs – un tel vacarme ne pouvait qu'importuner les poissons –, elle commençait sa litanie.

– Awa, où es-tu ? Fatou, réponds-moi ! Salif, reviens immédiatement ! Youssouf, Henriette, Jeneba, Djibril, Marguerite, Seydou, Bintu, Aminata, Joseph...

Les lavandières tentaient de la raisonner.

– Calme-toi, Mariama, le fleuve n'a jamais été aussi calme et tes enfants s'amusent comme les nôtres. Regarde-les, là-bas. Qu'est-ce que tu crains pour eux ? Ah, les crocodiles ? Mais enfin ! Tu sais bien que ces gros animaux méchants se sont tous, et depuis longtemps, changés en chaussures et sacs à main ! Tu frissonnes devant les sacs à main, aujourd'hui ?

Aucune parole ne pouvait l'apaiser. Tant qu'elle ne tenait pas fermement enlacés les douze fruits de ses entrailles, l'angoisse ne l'abandonnait pas.

– J'ai eu si peur, mes petits, si peur, si vous saviez...

– On sait, Maman.

Elle serrait autour de nous des bras immenses, comme si la panique les avait changés en lianes.

C'est à ce moment-là, averti par quelque voisin, que surgissait généralement Ousmane, lui aussi affolé. Son cauchemar à lui était qu'un de ses rejetons soit entraîné par le courant et avalé par sa chère centrale. Le spectacle de sa famille intacte lui rappelait l'infinie bonté de Dieu envers les hydroélectriciens.

– Que se passe-t-il encore ?

Comme souvent chez les hommes, son inquiétude, à peine évanouie, s'était immédiatement muée en colère.

– Et c'est pour cette bêtise, Mariama, que tu m'as dérangé ? Tu veux me faire renvoyer par M. l'ingénieur, c'est ça que tu veux ? Que nous n'ayons plus rien à manger, à cause de tes lubies ? C'est notre misère que tu es en train d'organiser !

Peu à peu, apprivoisée par les sourires de ses filles, son irritation s'éteignait. Et de nouveau il lui fallait raconter à notre mère l'histoire rassurante du crocodile tutélaire, celle qui nous faisait vomir tant nous la connaissions par cœur.

Il était une fois un ancêtre. Pour fuir ses ennemis, il se jette dans le fleuve et se change en crocodile. Forcément, de tels événements rapprochent. Une amitié naît, indéfectible, entre les Dyumasi et les crocodiles.

– Nous n'avons rien à craindre d'eux, Mariama, je te le jure, ni eux de nous.

– Mais tout cela s'est passé il y a si longtemps, murmurait-elle d'une voix de petite fille réveillée par un mauvais rêve. Ils ont peut-être oublié... Les crocodiles n'ont peut-être pas une aussi bonne mémoire que les éléphants.

Mon père se redressait, solennel :

– Les alliances entre humains et animaux sont inscrites dans le livre éternel de la Terre. Avec de l'encre in-dé-lé-bi-le.

– Bon, grommelaient mes frères, le football nous attend.

– Bon, ricanaient mes sœurs, on peut continuer à baigner nos poupées ?

– L'affaire est close, disait mon père.

Après treize baisers, il s'en retournait vers ses turbines. Mais moi je partageais les mêmes terreurs que Mariama, je devinais bien que notre famille n'en avait pas fini avec les crocodiles.

Suis-je moi-même un crocodile ?

Le formulaire 13-0021, par ailleurs si précis, voire méticuleux dans l'indiscrétion, n'aborde pas ce problème. Étrange omission. Comment connaître une personne sans savoir les liens intimes qu'elle entretient avec la bestialité ? Il est vrai qu'au Nord, même si vous adorez les animaux, comme en témoignent les sommes énormes que vous leur consacrez (chaque année, deux fois la richesse nationale du Mali, d'après le magazine *Ça m'intéresse*), vous les gardez soigneusement hors de vous, vous les tenez à distance, au bout d'une laisse, dans une cage ou un bocal. En Afrique, ils font partie de nous.

Soucieuse de vous informer sur moi aussi complètement et honnêtement qu'il est possible, je repose donc la question : Mme Bâ abrite-t-elle dans son vaste corps un crocodile ? Vous devez, sur cette matière délicate, savoir à quoi vous en tenir. Qui se propose d'accueillir une femme chez lui a le droit de savoir quelle ménagerie elle transporte en elle.

Marguerite, tu ne veux pas aller chercher de l'eau ? Marguerite, occupe-toi de ton petit frère. Marguerite, joue avec moi ! Marguerite, imite la poule ! Marguerite, tu as oublié le mil !... Marguerite par-ci, Marguerite par-là.

Du matin au soir, la fille aînée d'une grande famille se fait dévorer par une meute de demandes. Lesquelles sont pires que les fourmis. Elles mordent autant mais personne ne peut les écraser du pied ni les faire rissoler dans une bonne flaque d'alcool à brûler. Comme elle est gentille, la fille aînée répond « oui », « oui à tout », « oui, tout de suite », « oui, bien sûr », elle court d'une tâche à l'autre. Peu à peu, il lui semble maigrir, maigrir, peu à peu disparaître. Morceau par morceau, on la grignote, la déchiquette.

Quand je n'en pouvais plus, quand je devenais squelette, toute ma chair rongée et tout mon cerveau pillé par les sollicitations innombrables, je m'enfuyais dans mon refuge, une hutte de pêcheurs, juste au bas de la chute d'eau. Enfin seule, je me pinçais le bras, le ventre, les cuisses. C'était ma manière de me rassurer : ils ne m'ont pas tout entière dévorée ; les Dyumasi sont des ogres mais, grâce à Dieu, j'existe encore. Sous les nasses, j'avais caché un miroir, un doux compagnon.

Il me réconfortait : tout va bien, tu es toujours Marguerite et tu n'es pas la plus laide du village.

Ce jour-là, le visage de la fille aînée rayonnait comme jamais. Je venais de comprendre la concordance des temps et l'instituteur m'avait longuement félicitée. Une confiance nouvelle m'habitait, je me sentais la reine du monde. Quelqu'un qui sait tracer son chemin dans les labyrinthes de la grammaire, quelqu'un qui connaît la bonne manière d'accorder le présent, le passé, le plus-que-parfait ne pourra jamais se perdre dans ses amours, Marguerite ! Bravo à toi. Et je m'envoyais dans la glace mille petits baisers de félicitation.

– Oh, oh, je savais bien que tu étais une coquette !

Une forme humaine se dressait là, debout derrière moi, me cachant la lumière. La forme s'est approchée.

– Tais-toi.

J'avais reconnu, même chuchotée, la voix du nouveau patron de mon père, débarqué récemment de France. Je n'aime pas dénoncer, je garderai son nom haï bien au fond de ma mémoire. Depuis son arrivée, une drôle de blessure lui mangeait la figure dès qu'il m'apercevait, une grimace hideuse qu'il devait prendre pour un sourire.

– Ousmane veut garder son travail ? Alors tu te tais. Les grandes filles intelligentes se taisent.

Il s'est approché plus près. J'avais douze ans et depuis deux mois, j'étais entrée dans la lune. Maudits soient ces saignements ! Je suis sûre que c'est leur odeur qui l'avait attiré. Il m'a caressé le crâne et puis ses doigts se sont promenés plus bas.

– Pourquoi moi ?

– Tais-toi.

C'est à ce moment-là que les os de ma bouche se sont mis à grandir. Une force inconnue prenait possession de ma mâchoire et allongeait mes dents. J'ai eu le temps de penser : eh bien, Marguerite, que va dire le miroir ? Tu dois avoir une drôle de tête. Et j'ai mordu. Il a hurlé. L'instant d'après, il avait disparu. J'ai posé mes mains sur mes joues. Ma tête, peu à peu, en craquant, reprenait sa forme normale. Je suis quelqu'un de poli. J'ai remercié l'animal avant qu'il m'ait quittée tout à fait.

Le lendemain, l'ingénieur fut évacué vers Dakar. Son bras gauche s'arrêtait à la hauteur du coude. Le reste avait disparu.

– J'ai été happé par un engrenage, a-t-il balbutié plusieurs fois avant d'être emporté par l'ambulance.

C'est ainsi que je me suis réconciliée avec le crocodile familial. Il faut vous dire que, quelques années auparavant, il m'avait honteusement trahie.

– Vous les Dyumasi, vous n'êtes pas de vrais forgerons !

De plus en plus souvent, mes six frères devaient faire le coup de poing. À l'école ou au village, on n'arrêtait pas de nous insulter. Quand, après avoir frappé, nous demandions la raison de ces attaques, la même réponse fusait : comme si vous ne le saviez pas ! Les Dyumasi ne respectent pas la tradition.

– D'ailleurs, ta mère n'est pas une bonne Soninkée !

Cette injure-là m'était plus mystérieuse.

– Qu'est-ce qu'ils veulent dire, Maman ?

– Je t'expliquerai quand tu seras plus grande.

– C'est parce que tu t'évanouis quand on égorge un mouton ?

– Tu le sauras bien assez tôt !

– Les femmes surtout, depuis quelque temps, me regardent d'un drôle d'air. Qu'ai-je fait de mal ?

– Laisse-les à leur jalousie, tu travailles trop bien à l'école !

Une semaine avant la trahison du crocodile, un groupe de voisines était venu rendre à ma mère une visite solennelle. Leurs mines étaient sévères. Je me suis cachée pour entendre, derrière un camion rouillé.

– Mariama, nous ne sommes pas contentes de toi.

– Mariama, pour que Dieu – que Son nom soit célébré dans les siècles des siècles ! – soit heureux, chaque homme doit exercer le métier de sa caste, et son épouse doit l'accompagner dans sa tâche.

On aurait dit un tribunal. Ma mère ne répondait pas. Ou sa voix était trop faible pour parvenir à mes oreilles.

– Mariama, ton Ousmane est forgeron.

– Tu es donc forgeronne.

– Tu connais parfaitement le devoir des forgeronnes.

Enfin, j'entendis Mariama :

– C'est Ousmane qui ne veut pas.

– Nous en étions sûres. Cette sorcière Électricité lui a dérangé la tête.

– Et depuis quand une femme obéit à son mari pour des affaires de femme ?

– Agis selon notre loi.

– Autrement, le malheur va s'abattre sur le village.

– Dieu – béni soit-Il – ne supporte pas qu'on Lui dérègle Sa création.

– Au revoir, Mariama, nous comptons sur toi.

– Au revoir, Mariama.

– Au revoir, Mariama.

Août était venu. J'avais oublié ces menaces.

Il pleuvait. La centrale grondait, comme chaque fois que commençait la crue. La famille s'en était allée à la grande ville de Kayes pour un mariage. J'avais obtenu d'échapper à la cérémonie pour mieux préparer un devoir.

– Nous sommes si nombreux, les Dyumasi. Treize ou quatorze, la noce ne verra pas la différence.

Mon père jubilait.

– Peut-être, à force de tant travailler, notre fille deviendra-t-elle la première ingénieur du Mali ?

La solitude est rare en Afrique. Je la goûtais minute après minute, comme autant de gorgées d'eau fraîche. Et puis les voisines sont arrivées.

– Bonjour, Marguerite.

Je m'étonnai. Il faut avoir une raison grave pour circuler sous l'orage.

– Bonjour, que puis-je pour vous ?

Des femmes nombreuses, avec toutes le même mauvais sourire, un peu semblable à la grimace de l'ingénieur avant qu'il ne perde son demi-bras.

– L'heure n'a que trop tardé, Marguerite.

Elles m'ont entraînée. Pour la suite, je ne sais plus, j'ai perdu la mémoire. Je ne me souviens que d'un crocodile invisible : il m'a emporté un morceau de ventre.

J'ai dû m'évanouir. À mon réveil, les femmes semblaient satisfaites.

– Puisque ta mère n'a pas fait son travail, il fallait bien que quelqu'un s'en charge.

Déjà, la vie quotidienne les avait reprises, elles bavardaient du prix du riz et de la vigueur déclinante de leurs maris. Elles m'ont reconduite à la maison. La pluie continuait de tomber.

Je me rappelle aussi qu'à son retour, me trouvant allongée, ce qui n'était pas dans mes habitudes, Mariama s'est précipitée sur moi et m'a entraînée dans une case minuscule, au fond de la concession, qui servait de grenier. Et là, dans l'odeur tiède des grains, elle m'a bercée jusqu'au matin, ma petite fille, bientôt tu n'auras plus mal, ma petite fille, te voilà devenue femme, Marguerite, ô soleil de ma vie, tu nous as rejointes, nous vivons ainsi depuis la nuit des temps, ô pardonne-moi, ma petite fille.

Formulaire 13-0021.

4. SEXE(*)	M	F

* Mettre une croix dans la rubrique correspondant à votre état.

Que puis-je répondre ?

Le carré blanc, à droite de la lettre M, restera vide, bien sûr. L'opération ne m'a pas changée en homme.

Mais que dois-je inscrire après le F ? « 50 % », puisque ce jour-là, en haut de mes cuisses, mon sexe s'est trouvé réduit de moitié ? Ou « 30 % », ou « 75 % », tout dépend de la valeur qu'on accorde à ce qu'on m'a ôté.

Vous le devinez, Me Fabiani me déconseillait fortement d'évoquer cette mutilation. Ne livrez pas toutes les guerres en même temps, madame Bâ. Mais son attitude en la matière n'est pas très claire. J'ai surpris plus d'une fois son regard captivé par cette région de moi. Je la connais, la curiosité des Blancs. Ils aimeraient apercevoir, ne serait-ce qu'une seconde, cette bizarrerie physique, cette persistance d'une barbarie millénaire : une femme coupée.

Voilà le dossier.

Ces deux épisodes exceptés, jamais plus les crocodiles ne m'ont rendu visite. Un accès est toujours possible. Mais plus de trente-cinq années s'étant écoulées, on peut raisonnablement estimer que le pouvoir de la métamorphose s'est éteint chez les Dyumasi. Désolée !

Je connais les hommes. Rien ne les intéresse vraiment chez une femme que, comment dire ?, son intimité avec la nature. Une intimité qu'ils ont depuis longtemps perdue. Allons plus loin. Je crois que nous sommes toujours pour eux des sortes d'animaux : nous sommes la jungle où, de temps à autre, ils s'en viennent frissonner.

5. DATE ET LIEU DE NAISSANCE	J	M	A	A	

Début août 1947.

Encore habitante du ventre maternel, le monde extérieur ne me disait rien qui vaille. Comment vivre dans un tel vacarme ? À dix mètres de la maison, le fleuve démesurément gonflé par la crue livrait une bataille tumultueuse aux rochers. La centrale grondait, comme un volcan près d'exploser. Le ciel tonnait. Vingt heures par jour, la pluie tambourinait sur la tôle ondulée qui nous servait de toiture. Et les humains, s'il était dans leur intention de se faire entendre, étaient contraints de hurler toutes leurs phrases, même les plus douces, les plus intimes, les plus caressantes : je te chéris, Mariama, tu es le soleil de ma vie, tu m'as compris ? Ne t'inquiète pas, Ousmane, moi aussi, je t'aime !

Peine perdue ! Douceurs inutiles. Le tintamarre recouvrait tout.

Quoique protégés par la peau d'un ventre et le tiède liquide qu'il contenait, mes tendres tympans souffraient. Je n'avais pas eu le temps d'apprendre à mes mains microscopiques le geste simple qui consiste à boucher deux oreilles agressées. Dans ces conditions, on comprend que nulle hâte ne me poussait dehors. Je

73

résistais plutôt de toutes mes jeunes forces, terrorisée à l'idée d'affronter ce très pénible raffut.

– Toujours rien ? criait mon père au retour de l'usine.

– Regarde toi-même, répondait ma mère de la même voix tonitruante.

– Et pourtant, tu continues de grossir. Tu dois être en crue, toi aussi !

Il approchait une lampe-tempête de la baleine qu'était devenue sa femme et, pour moitié effrayé et pour l'autre fasciné, il y promenait sa large main de mécanicien jusqu'aux premières heures du matin.

– Réjouis-toi, le rassuraient ses amis. Une chose est sûre. Puisque ton enfant met tout ce temps à sortir, c'est qu'il se prépare avec soin. Un *nyanguan* va t'arriver, un « longtemps ventre », un être exceptionnel.

– Et, bien sûr, un garçon.

– Et de la race des géants.

– Personne n'a jamais vu une fille atteindre cette ampleur exorbitante.

Cette prophétie sembla vérifiée la semaine suivante. Lors de son habituelle exploration nocturne, mon père sentit sous sa paume, aux abords du nombril de sa Mariama tant aimée, quelque chose qui pointait, une protubérance tout à fait nette et bientôt repérée visuellement grâce à la lampe-tempête, l'alliée fidèle de ses préparations aux examens si difficiles du Conservatoire National.

Trois minutes après, tant il est vrai qu'au village aucun secret ne survit jamais, puisque chacun sait voir dans la nuit et entendre dans le silence, une foule se pressait autour du ventre Dyumasi pour commenter l'événement.

– C'est un coude.

– Non, un genou.

– Moi, je dis un talon.

– En tout cas, il sera gigantesque.

– Félicitations, Ousmane.

Trois matrones, dans un coin, ricanaient. Pressées de questions, elles finirent par avouer la raison de leur bonne humeur :

– Cette bosse...

– Oui, et alors ?

– Innocents que vous êtes, vous n'avez pas deviné ?

– Vous croyez ?

– Il s'agit d'un garçon, non ? Qu'ont-ils de pointu, les vrais garçons, que les autres bébés n'ont pas ?

Alors les rugissements de rire et les applaudissements s'ajoutèrent aux fracas de l'hivernage. Bientôt rejoints par le roulement des tam-tams et les ritournelles ô combien exaspérantes de trois aigrelettes guitares koras. On peut accuser de tout l'Afrique, sauf de ne pas savoir célébrer. Tout célébrer, le mensonge comme la vérité, et le mensonge plus bruyamment encore que la vérité.

– Gloire à la famille Dyumasi qui a engendré cette virilité magnifique !

– Et gloire au village qui a engendré les Dyumasi !

Vous l'avez compris, et mon interrogatoire vous en a informé, la fameuse bosse, apparue au beau milieu de ma déjà si distendue Maman, n'était pas celle que croyaient ces obsédés.

C'est à cet instant que je devins sourde. Ou plutôt

75

que je décidai de ne plus me préoccuper de l'ouïe : l'oreille, décidément, n'avait été créée que pour le malheur des humains et leur tromperie. Depuis quelque temps, empêchée de rien voir par l'obscurité de mon séjour et torturée par tous ces bruits malfaisants mais néanmoins curieuse infiniment de ce qui m'attendait au-dehors, j'avais fortement développé le seul sens à ma disposition, l'odorat. N'écoutez pas certains savants autoproclamés : ils vous diront qu'un fœtus ne sent rien. Les imbéciles ! Ce ne sont que des jaloux, des nostalgiques haineux de leur première jeunesse.

Le peuple inépuisable des odeurs, de ses bas-fonds (la puanteur) jusqu'à son aristocratie (les parfums), me semblait des plus civilisés. Au lieu de m'envahir, sans respect ni le moindre savoir-vivre, les senteurs attendaient timidement, poliment, à la porte de mes narines minuscules. Je les convoquais l'une après l'autre : le fumet du poisson séché, l'exhalaison de la terre après l'averse, les vapeurs d'encens lorsque ma mère avait décidé de raviver l'envoûtement de son époux, la fraîcheur râpeuse du gingembre, les lourdes bouffées, cadeau des deux moteurs Diesel de la centrale, l'haleine anisée du directeur après son apéritif... Comparée à l'agressivité des sons, permanente et indifférenciée, même la plus rebutante des émanations, tel le remugle des pieds de l'oncle Djibril, jamais lavés et toujours engoncés dans de vieilles chaussettes de tennis (pour quelle raison, quel rêve secret de gloire sportive ?), gardait de la douceur, une sorte de courtoisie bien reposante.

Un à un je rangeais ces effluves dans ma mémoire, comme les pierres très précieuses d'un trésor. Et c'est ainsi qu'après ma naissance, lorsque mes yeux finirent par s'ouvrir, je pris le plus grand des plaisirs à reconstituer les couples : une odeur/une cause visible.

Flatté par tant d'attention et de sollicitations, mon nez avait poussé et c'est lui que tous ces agités prenaient pour quelque chose d'autre et fêtaient abusivement.

Ce savoir olfactif prénatal ne m'a pas quittée. Tout au contraire. D'année en année, malheurs et félicités de l'existence aidant, je dois à la vérité (laquelle doit toujours être préférée à la modestie) de dire que je l'ai considérablement enrichi. Si bien qu'en m'accueillant en France, vous pourriez m'utiliser à certaines enquêtes discrètes, certaines explorations d'affaires pas très saines, ainsi qu'il en existe dans tous les pays : Marguerite Bâ, née Dyumasi, repère comme personne le nauséabond.

Jamais, de mémoire humaine, on n'avait rencontré un tel phénomène. De toute la région, maintenant, on venait visiter ma baleine de mère et féliciter mon père.

— Huit mois, neuf mois, dix mois ? On dirait que le temps s'est déréglé, chez les Dyumasi.

— Bravo, Ousmane, et n'oublie pas de remercier Dieu au moins cinq fois par jour. Pour un coup d'essai, c'est un résultat de maître. Dès ton premier fils, te voilà protégé pour toujours ! Qui osera affronter sa force incomparable ? Ta vieillesse sera paisible à l'ombre de ce miracle...

Le géniteur se rengorgeait. D'autant que de plus en

plus de femmes, ivres de curiosité et abandonnant toute vergogne, se campaient soudain devant lui :

– Dis-moi, Ousmane, si ton fils l'a si longue, tu ne dois pas non plus manquer de taille !

Mais son amour conjugal, toujours aussi passionné, l'empêchait de céder. Pour la première fois de sa vie, il avait pris des vacances, délaissé sa chère centrale et ne quittait pas ce ventre dont il exauçait les moindres désirs. Car ma mère s'était soudain changée, à la stupéfaction générale (elle si vaillante dans le travail, oublieuse d'elle-même, économe jusqu'à la folie), en épouse exigeante et capricieuse.

– Ousmane, je sens que j'ai besoin d'artichauts.

Et mon père courait la grande ville voisine de Kayes pour satisfaire sa femelle. D'un cheminot breton, en échange de quelques réparations sur sa 11 Citroën, il recevait une botte du légume poilu demandé. À peine avait-il déposé cette rareté aux pieds de sa princesse distendue qu'elle en réclamait d'autres : un catalogue, récent s'il te plaît, des Armes et Cycles de Saint-Étienne, une chaise de cuisine en plastique jaune, un crucifix phosphorescent, du buis et de l'eau bénite. Ma mère, sitôt constatée l'absence de règles, avait changé de religion : pardonne-moi, Ousmane, ce n'est pas pour critiquer le Dieu de nos ancêtres, mais j'aime l'histoire de la colombe du Saint-Esprit. Quand tu es venu en moi, tu as dû réveiller un oiseau qui dormait, j'ai entendu un grand bruissement d'ailes, j'ai senti que je m'envolais, et c'est à ce moment-là que mon ventre a commencé de palpiter. Si tu me trouves des tourterelles dans le Coran, je redeviens musulmane.

Plus tard, Mariama devait aimer raconter ainsi à ses

enfants, avec la plus innocente placidité, les épisodes intimes de son existence. Elle croyait, et comment lui donner tort?, que la multiplication de ces allégories ornithologiques protégeait sa pudeur. De cette belle habitude familiale, nous avons, tous les douze enfants, gardé un goût et un profond respect des oiseaux, professeurs personnels des Dyumasi dans la recherche du plaisir et de la liberté. Plus tard naîtraient nos envies de voyages : sans doute n'ont-elles pas d'autre origine.

La dernière demande de ma mère fut la plus difficile à satisfaire.

– Ousmane, il fait si chaud, je n'ai plus d'air. Il me semble que mon ventre a dévoré mes poumons. Pour les derniers jours, ne pourrais-tu pas m'installer en quelque endroit frais ? Frais et surélevé. Ne crois-tu pas qu'il serait bon pour notre fils de recevoir en cadeau les plus larges horizons ? Ici, il n'aurait pour première vision que notre éternelle étendue d'eau.

Mon père ravala sans rien dire son projet (que son fils naisse au cœur même de sa centrale tant aimée, fabrique de toutes les lumières du voisinage). Mais l'homme rêvasse, la femme décide. Il cria : « Oh, la bonne idée ! » et s'en fut illico chercher le nid adéquat. Il revint le soir, l'œil illuminé :

– J'ai trouvé.

Je devine qu'il fut remercié comme il faut. En tout cas, les gémissements qui suivirent son retour n'avaient rien de douloureux. Une nuit calme précéda le cauchemar du déménagement.

Parcourir en marchant les cinq kilomètres, il n'y fallait pas songer, le ventre l'interdisait. Et comme l'ingénieur, de peur de tacher ses coussins, avait refusé de prêter sa Juva 4 flambant neuve, mon père avait emprunté une charrette. Comment y faire monter la baleine ? Après de nombreux essais infructueux et deux chaises écrasées, un treuil fut approché, des cordes passées sous les aisselles de Mariama.

Et c'est ainsi, millimètre par millimètre, dans les gémissements maternels (« Vous m'assassinez ! Vous me déchirez ! Le bas de mon corps se détache ! ») et les émanations pestilentielles (exaspérée par l'attente, la mule chiait et pissait généreusement comme si elle avait voulu punir mon nez, une bonne fois pour toutes, de sa scandaleuse avidité), que nous fûmes hissées.

Le pire commençait.

Parce qu'ils font résonner en vous de très lointains échos, parce qu'ils vous installent dans la lenteur du temps, parce qu'ils jouent de vous comme d'un instrument et vous emplissent d'une musique muette, parce qu'en un mot ils s'adressent directement à votre âme sans prêter attention à tous vos masques et déguisements, il est des lieux amis qui vous réconfortent mieux qu'aucun humain ne saurait le faire.

Cent fois je suis venue ici, longer le fleuve Sénégal. Cent fois, après chaque trahison de mon mari, après la mort dramatique de mes parents, après la disparition de mon petit enfant, j'ai suivi le sentier, de notre chute d'eau de Felou jusqu'à Médine. J'avais perdu la force de vivre. Le lieu m'a posé la main sur l'épaule, le fleuve m'a prise dans son allure, les oiseaux m'ont épouillée de toutes mes idées noires, et je suis repartie à l'assaut des jours.

Rien n'annonçait pourtant la douceur de cette amitié future. Le chemin nous agressait, ma mère et moi, avec une rare violence. D'ornières en ravines, de plaques de roc où l'on dérape en plages de sable où les roues se noient, il faisait comprendre à la malheureuse charrette, de plus en plus grinçante sous les coups, et démantibulée, que ses passagères n'étaient pas bienvenues.

Pauvre Mariama ! Malmenée, cahotée, bringuebalée ! Et pauvre Marguerite ! Projetée sans cesse d'une paroi à l'autre de l'énorme ventre ! Comment ne pas blesser Maman ? Je m'étais roulée en boule, mains sur la tête et pieds repliés sous les fesses, mais je sentais bien qu'à chaque secousse je lui démolissais les entrailles.

Après l'ascension, mètre par mètre, du raidillon qui s'élève à travers la petite ville jusqu'au sommet de la colline, notre attelage s'arrêta. Aussitôt entouré par une nuée d'enfants goguenards : Qui c'est, ce monstre ? Tu as vu cette montagne ? Combien sont-ils dedans ? Et celui-là, le squelette. C'est son mari ? Ses os doivent la piquer quand il lui monte dessus... Je serrai les poings et jurai de punir au plus vite ces malotrus. Méfiez-vous, les gamins, j'ai la mémoire des voix ! Laissez-moi seulement le temps de naître et je vous ferai regretter vos insultes !

Cette colère me révélait un trait peu recommandable mais central de mon caractère (la passion de la vengeance) et me rendit à l'instant la santé. Je m'étirai.

— Oh, s'il te plaît, me murmura ma mère, arrête de grandir. Où sommes-nous ?

La force lui manquait pour même entrouvrir les yeux. Elle haletait. Mon père versa sur ses lèvres desséchées de l'eau fraîche (Oh la torture, pour moi, d'entendre ce frêle ruissellement et de n'en pas recevoir une goutte !) et posa la main sur son front.

— Encore un effort, Mariama, je t'ai préparé une surprise, le meilleur endroit pour accoucher d'un garçon. Tu verras : un carrefour, un belvédère, un site bien supérieur à la centrale, tu avais raison. Dès sa première seconde, notre fils aura le monde à ses pieds... Encore quelques marches. Fais-le pour moi, pour notre famille. Un avenir garanti heureux cent pour cent nous attend au bout de l'escalier...

L'émotion avait changé Ousmane en un autre homme, infiniment bavard, soudain, et lyrique, lui qui s'était toujours acharné, jusque-là, à jouer au scientifique pour imiter ses ingénieurs successifs. Un mari doté d'une force invraisemblable, herculéenne, incompatible avec la maigreur de ses bras, sois-en remercié, Dieu de l'amour et des gymnases, dans les siècles des siècles ! C'est tout à fait seul, sans l'aide de personne, et sous les applaudissements, qu'il nous hissa vers cette chambre magique, prêtée, en contravention de tous les règlements de l'administration ferroviaire, par l'ami cheminot breton, celui des artichauts : un appentis dressé sur le toit même de la gare de Médine.

– S'il te plaît : maintenant, sors !

Dix fois par jour, mon père approchait sa bouche du ventre énorme et, sur tous les tons, tendre, impatienté ou franchement menaçant, conjurait le locataire de quitter au plus vite ces lieux indûment occupés, bien au-delà de la fin du bail.

– Qu'est-ce que tu attends, mon fils ? Pourquoi ce retard ? Je peux comprendre que tu aimes ta demeure. Ce n'est pas moi qui te jetterai la pierre. D'après ce que je connais de l'intimité de ta mère... Mais, justement, tu ne vois pas les souffrances que tu lui fais endurer en continuant à croître ? J'espère que tu n'appartiens pas à la race méprisable des égoïstes. Je te guérirai de cette maladie, crois-moi ! Tu ne réponds pas ? Tu veux que j'aille te chercher par la peau du cou, c'est ça ? Tu veux qu'on ouvre ta mère en deux ; je vais t'apprendre un nouveau mot, la césarienne : c'est ça que tu souhaites ?

Ces discours me laissaient froide : qui était donc ce fameux « fils » dont je n'apercevais nulle trace à mes côtés dans ma bulle aquatique ? En outre, comme je vous l'ai dit, j'avais pris mes distances avec les bruits, quels qu'ils soient, paroles ou autres. Avec délices je me concentrais sur l'odorat. Sur notre terrasse arrivaient tous les parfums de ma future Afrique, et mon nez démesuré n'en manquait pas un. Sitôt écartés les effluves de ma mère, il est vrai de plus en plus fatiguée et par là même sentant fort (la toilette n'est pas simple, sur le toit d'une gare), je découvrais, éblouie, les arômes de la mangue encore un peu verte, du jeune

83

oignon qu'on vient de couper ou de la papaye trop mûre, les fumets un rien charbonneux du capitaine grillé et des brochettes de mouton, la fraîcheur miraculeuse de la menthe, la bouffée d'huile chaude d'un camion qui rend l'âme, la fétidité légère, presque timide, d'un crottin d'âne desséché ou la franche puanteur d'un égout à ciel ouvert... Une foule (qui paraissait intarissable) de senteurs sans cesse renouvelées... Avec, en arrière-plan, comme une note continue, toujours la même odeur, celle d'une terre du matin jusqu'au soir calcinée par le soleil, l'odeur de la dureté de vivre, l'odeur du continent entier, peut-être l'ancêtre et la génitrice de toutes les odeurs.

– Écoute, mon fils, maintenant ça suffit. Non seulement tu déchires ta mère, mais tu la déshonores. J'ai demandé à un photographe de prendre un cliché de son ventre. Tu verras ta protubérance. On ricane sur notre famille. Et ça, je ne le supporterai pas. Alors tu sors. Immédiatement !

On s'en doute, ces colères paternelles m'indifféraient. S'il n'avait tenu qu'à elles, je nagerais peut-être encore dans mon placenta et ne vous importunerais pas aujourd'hui avec ma demande de visa. Mon avocat Benoît confirmera sûrement que de telles requêtes, émanant de fœtus, même âgés, ne sont pas juridiquement recevables.

C'est à mon nez et à lui seul que je dois d'être née. D'avoir fini par accepter de naître. Le 10 août, peu après sept heures, ses ailes palpitèrent. Il venait de recevoir une senteur nouvelle. Forte, salée, ample comme le vent et comme lui souveraine, manifestement dédaigneuse de la foule des petites émanations locales. Comment résister à ce souffle, qui sonnait comme un appel ? Cinq minutes après, j'avais quitté le domicile maternel, accueillie par un mot qui aurait pu me blesser si je n'avais habitué mes oreilles à se méfier de tout ce qu'elles pêchaient.

– Malédiction ! cria mon père.

Je me sentis tournée sur le ventre, retournée sur le dos, suspendue par les pieds.

– Ce n'est pas possible ! On a dû t'envoûter ! Malédiction, c'est une fille ! Et pas une jolie, encore ! D'où lui vient cet éperon rocheux au milieu du visage ?

Jusqu'à sa mort, mon père tenterait de se faire pardonner cette injure originelle. Bien sûr, je n'ai jamais refusé le flux permanent de sa gentillesse. Mais il aurait pu économiser ses efforts. Sa déception ne me touchait pas. Une seule obsession m'occupait : identifier cette senteur qui m'avait fait plonger dans la vie. Cette recherche-là me prit seize ans.

Comme, une fois de plus, je tendais le doigt, je montrai l'air :

– Là, cette rafale chargée de sel, elle vient d'où ?

– Mais de la mer, Marguerite ! Elle nous sait, nous autres Maliens, prisonniers au milieu de nos sables. Alors, de temps en temps, elle nous envoie un signe.

– Ce n'est pas ça qui va nous libérer.

– Qui sait ?

Sans doute vous demandez-vous, rationnel et classificateur que vous êtes, comme tous les Français, par quel miracle une infime Marguerite encore dans les limbes peut se montrer si clairement consciente des réalités qui l'entourent. C'est que ce 10 août est devenu quasi mythique dans la région de Médine et Kayes. On n'accouche pas tous les jours sur le toit d'une gare, transportée là par l'amour fou de son mari forgeron-électricien. Mille fois on m'a relaté les faits, dans les moindres détails. On n'a pas de « crèche » en Afrique, on ne confie pas ses enfants à d'autres. Les parents se gardent pour eux ce plus délectable de tous les plaisirs.

Et c'est ainsi que peu à peu je me suis enrichie de ma propre légende. On ne grandit pas seulement par la taille, on n'a pas besoin que d'os pour tenir debout. Moi, on m'a nourrie de ma naissance. Encore aujourd'hui, à plus de cinquante ans, mon repas continue. À chaque rencontre d'un quelconque des Dyumasi, on me rappelle tel ou tel épisode, tel ou tel élément du décor. La tour, par exemple, à deux pas de la gare, où la Banque de France, de 1940 à 1945, avait entreposé une partie de son or. Tu seras riche un jour, Marguerite, Dieu a envoyé ce signe. Ou le gardien du cimetière qui me raconte, chaque fois que je reviens, la tragédie des Français assiégés cinq mois dans le fort de Médine par les troupes d'El Hadj Omar Tall. Toi aussi, tu es une indomptable, Marguerite. Comment pourrait-il en être autrement ? La géographie et l'Histoire l'ont décidé. Au besoin les Dyumasi imaginent, et je suis faite aussi de ces imaginations-là. Vous-même, Monsieur le Président, avouez, vous-même, pour atteindre ce sommet où vous régnez, pour vous construire en président, n'avez-vous pas fait vôtres beaucoup d'inventions ? Quelque chose me dit que votre biographie vraie ne ressemble pas en tout point à celle qui ravit les journaux. Je me trompe ?

Je m'égare. Revenons au formulaire.

Comment en vouloir à votre dame consule de Bamako ?

Question n° 5. Date de naissance ? 10.08.1947. Que pouvaient donc lui dire ces indications minimales, jugées suffisantes par le 13-0021 ? Ne la grondez surtout pas. Abandonnés à eux-mêmes, les chiffres sont muets, les chiffres sont de petits morceaux de mort. Sans cesse il faut les éclairer par des mots. Sinon ils vous entraînent dans leur silence.

Pour ce qui est de mon nez, ne vous inquiétez pas : je ne suis pas monstrueuse. Je ne déclencherai pas les rires, les quolibets, les débuts d'émeute en marchant dans les rues de Paris. Mon appendice, un beau jour, a fini par s'arrêter de pousser, quand il a compris qu'accroître sa longueur n'augmentait pas le plaisir qu'il retirait du monde. Peu à peu, le reste de mon corps a rattrapé son retard. De sorte qu'aujourd'hui, et ce n'est pas le cher Benoît, si j'en juge par la concupiscence touchante de ses coups d'œil, qui dira le contraire, je passe pour une femme tout à fait bien proportionnée, quoique de haute taille.

Me Fabiani hoche la tête.

– Merci, madame Bâ, vous m'avez appris des choses sur l'Afrique. Tout cela n'est décidément pas très juridique, et un peu longuet, peut-être, pour un Président de la République surmené. Mais c'est instructif, si, si, instructif, je vous assure.

John Poole, le gros chronomètre miel, a l'air d'acquiescer : on dirait que ses longues aiguilles noires m'applaudissent. Nous nous sourions tous les trois. Bref moment de grâce. Saccagé par l'intrusion de la cerbère, une Roxane aux ongles violets. Je vous reparlerai de ce personnage.

– Monsieur, votre rendez-vous de neuf heures et demie attend déjà depuis quatre-vingt-dix-sept minutes.

Face à ce genre d'argument, comment résister ?

– À demain, Maître.

– À demain, madame Bâ.

6. PAYS

Qu'est-ce qu'un pays ?

Comme toujours, en cas de détresse, j'ouvre mon fidèle compagnon. Un Robert de mai 1993, numéro d'impression 40415P (j'aime bien connaître les dates de naissance des gens qui me sont proches : ils acquièrent ainsi pour moi une réalité et une fragilité, qui me font les apprécier davantage). Dans mon amitié pour le gros livre, j'ai des rivaux : les termites. Semaine après semaine, ils forent et rongent. Je ne résiste pas comme il faudrait. Un scrupule d'enseignante m'en empêche. Comment interdire aux insectes la découverte du langage ? Ma faiblesse a des conséquences : certains mots ont déjà disparu, remplacés par des vides dentelés. Par chance, celui que je cherche demeure intact, bien calé entre « payeur » et « paysage ».

« **Pays** – apparu vers 1360, dérivé du latin *pagensis*, habitant d'un *pagus*, bourg ou canton. Territoire habité par une collectivité et constituant une réalité géographique dénommée. »

Définition des plus utiles. D'autant que la question suivante (n° 7) de votre formulaire traite de la nationalité. Entre pays et nation, où passe la frontière ?

89

Le très charmant Benoît, particulièrement mignon aujourd'hui dans sa chemise bleu pâle à pointes de col boutonnées, lève les mains et m'agite sous le nez ses paumes roses.

– Je vous arrête tout de suite, madame Bâ ! Vous ne rédigez pas une thèse. Je lirai plus tard, et avec intérêt, un grand ouvrage de vous sur le concept d'identité au sud du Sahara. Pour l'instant, vous remplissez une demande de visa. S'il vous plaît, revenez sur terre !

– Avouez que le 13-0021 est un bien étrange document. Il se renseigne avec insistance sur mon pays. Et pas la moindre curiosité sur mes parents.

– S'il vous plaît, madame Bâ. J'ai déjà un peu de mal à vous suivre. Ne mélangez pas tout.

– Parce que, pour vous, votre père n'a pas été un pays ? Vous n'avez pas plongé vos premières racines dans sa tendresse, vous ne vous êtes pas nourri de ses histoires, vous ne l'avez pas senti vous faire cadeau de couleurs, de perspectives, d'animaux, d'horizons, de levers du jour, puis de mots pour raconter tout ça ? Et votre mère ? Vous n'avez jamais couru vous réfugier dans ses bras quand un danger ou quelque ennemi vous menaçaient ? Elle ne vous a jamais rien murmuré à l'oreille, si bas qu'on aurait dit le silence et pourtant vous compreniez tout ? Vous ne vous sentez pas lié à elle par des liens que rien ne pourra rompre, surtout pas la mort ? Je vous plains, maître Fabiani.

– Vous avez raison, madame Bâ.

– Combien de pays un être humain a-t-il en lui, de vrais pays au sens du dictionnaire : « territoire habité », « réalités dénommées » ? Deux, trois, cinq ? Est-ce ma faute si la vie est riche ? Ou le formulaire français ne sert à rien, ou il devrait en tenir compte.

Mon joli conseil rend les armes. Il téléphone à sa redoutable (annulez les rendez-vous, oui, toute la matinée, peut-être même la journée, le problème est plus complexe que nous ne le pensions, merci, Roxane), saisit son stylo, ouvre le grand bloc quadrillé où, façonnés par ses longs doigts manucurés, mes mots vont bientôt s'aligner. Il relève la tête. Me sourit.

— Je vous écoute, madame Bâ.

6₁ Le pays de Wagadou

— Bienheureuse petite Marguerite !

On peut comprendre que Dieu, soucieux de répartir équitablement Ses grâces entre Ses créatures, ait noté dans Son grand carnet : dès sa première année d'existence, cette demoiselle Dyumasi a épuisé son capital de bonheur. Nous pouvons Nous désintéresser de son sort, elle a suffisamment reçu.

Comment Lui reprocher mes épreuves futures ? Il, que Son nom soit sanctifié dans les siècles des siècles, avait raison.

J'étais l'incarnation même de la félicité. Tantôt mes lèvres tétaient. Tantôt mes très jeunes yeux suivaient, écarquillés, le lent passage bleu du fleuve. Et toujours l'une ou l'autre de mes oreilles était bercée par un récit fondateur de ma *gesere*, traditionniste personnelle, Mariama.

Il faut s'aventurer loin, très loin dans le passé pour retrouver traces de notre ancien royaume, Marguerite, la terre dont nous avons été chassés. Il faut s'arrêter dans les villages, demander la case du plus vieux, s'approcher au plus près de sa bouche pour recueillir sa parole qui est plus mince et fragile qu'un ruisseau de saison sèche. Il faut lui prendre la main pour l'aider à cheminer pas à pas jusqu'à la source de sa mémoire :

le tombeau d'un autre vieux, mort depuis le siècle précédent. Là, il faut attendre un jour sans vent, s'arrêter de respirer et faire silence, car les récits des morts sont encore plus ténus que ceux des vivants. Et ainsi, de tombeau en tombeau, on escalade le cours du temps, on remonte la lente, très lente cascade des siècles. Il faut s'oublier soi-même, pour un tel voyage, abandonner sa chair et ses mots, devenir aussi léger qu'un oiseau planeur, car l'air est rare dans ces contrées des origines. Il faut apprendre à naviguer entre les légendes sans jamais quitter le cap. Alors, si tu es jugée digne, une lueur finit par se lever à l'horizon. C'est celle de notre gloire oubliée. Bienvenue dans notre royaume, le Wagadou.

Un beau jour, premier de notre calendrier, quelque part avant l'an mil de l'ère chrétienne, un homme surgit de l'Orient. Il avait été l'ami d'Abraham. Il s'appelait Dinga. Une longue file de compagnons le suivait. Trouvant une mare à son goût, il s'arrêta. On dressa le camp, on alluma le feu. De l'horizon, la file continuait d'arriver, si longue que la nuit tomba et qu'une aube se leva sans qu'on en voie la fin : tous les Soninkés du monde s'étaient joints au voyage. Un monstre régnait alors sur la mare et tous ses environs, aidé par une armée de djinns. On livra bataille. Dinga tua le monstre, puis épousa ses trois filles. Le voyage était fini. Les Soninkés avaient trouvé leur terre. Il ne restait plus qu'à choisir un lieu pour y bâtir la capitale. Les marabouts décidèrent.

À l'endroit indiqué vivait déjà quelqu'un, Bida, un serpent noir. Vu sa taille, gigantesque, et sa force, infinie, nos ancêtres négocièrent. Avec habileté. Prouvant déjà ce génie du commerce qui, plus tard, après le drame, leur sauverait la vie. En échange d'une vierge, sélectionnée chaque année avec soin et livrée ponctuellement, le serpent accepta l'installation chez lui des Soninkés. Et, en guise de bienvenue, ajouta une promesse : cinq fois l'an, le ciel s'ouvrirait pour laisser tomber de l'or et de la pluie. Notre partenaire serpent tint parole. Baigné par cette double pluie, le Wagadou vécut longtemps dans le bonheur. Aucun marché d'Afrique n'était aussi florissant. Les Arabes apportaient du Nord les productions du Maghreb et le sel du Sahara. En échange, ils recevaient des tribus du Sud l'or et les esclaves.

En même temps que reviennent ces heures enchantées, blottie contre ma mère et emportée par son récit, je songe à vous, Monsieur le Président de la République française. De par votre logement dans un palais cadenassé, et vos moyens de transport, un véhicule blindé, cerné de motards menaçants, rares sont vos occasions, j'en ai conscience, Monsieur le Président, de rencontrer un Soninké. Si le hasard de l'existence (panne du véhicule blindé vous contraignant au métro, visite incognito à une fiancée de Montreuil) vous rapproche néanmoins de l'un d'entre nous, contentez-vous de lui murmurer « Wagadou ». Vous verrez, sous son air épuisé de marcheur perpétuel, naître un sourire radieux, celui de la fierté, de l'orgueil retrouvés : oui, vous avez bien vu, le pauvre immigré que voilà devant vous descend d'un empire !

Hélas, très vite cette joie va s'évanouir, remplacée par une tristesse insondable : le Soninké repense à la fin de ce paradis terrestre. Alors détournez-vous pour respecter sa dignité, car il arrive souvent qu'au souvenir de cette catastrophe, cause de son exil éternel, le Soninké pleure.

Quand elle abordait la fin de son histoire, de notre histoire, ma mère se crispait. Je sentais contre ma peau ses muscles se tendre l'un après l'autre comme autant d'arcs qui se seraient préparés à me lancer au loin. Une insupportable angoisse m'étreignait : Mariama allait m'abandonner. Je commençais à sangloter.

C'est ainsi, dans l'affliction générale, que l'illustre Wagadou marchait vers sa perte.

Un sombre jour, qu'il soit maudit, au moment où le serpent noir Bida, sortant de son trou, s'apprêtait à se saisir de son loyer, selon la clause du contrat scrupuleusement respectée depuis des siècles, au lieu de la vierge attendue, prénommée Asya cette année-là, il trouva le fiancé de celle-ci, Mamadi le taciturne. Lequel tira son sabre et trancha sept fois la tête du monstre (car sept fois elle avait repoussé). La tête ensanglantée s'éleva dans les airs et tint au peuple soninké ce langage : « Vous avez voulu ma mort, vous aurez la misère. Dorénavant, il ne pleuvra plus sur vous ni eau ni or. » Puis la tête nous abandonna et s'en fut vers le Sud où elle tomba chez des gens qui, encore aujourd'hui, n'arrêtent pas de trouver des paillettes jaunes dans leurs ruisseaux.

Mamadi s'enfuit, poursuivi par les Soninkés. Sa fatigue était si grande que ses pieds se fendaient en deux. Le fleuve Niger lui barra bientôt la route. Les Soninkés hésitèrent : allaient-ils punir de mort l'un de leurs frères, incontestablement coupable mais par amour ? Un à un, sans se consulter, ils abaissèrent leurs armes et se dispersèrent aux quatre coins de l'horizon. Ils savaient que leur Wagadou ne survivrait pas à la malédiction du serpent noir. Nous avions perdu notre protecteur, Marguerite. Nous serions deux fois submergés. Par des armées maures, jalouses de notre richesse. Et par les sables du Sahara, cette lente marée sèche qui s'avance année après année vers le Sud et ronge toujours plus l'Afrique.

Depuis, la seule place sur terre du royaume soinké est dans notre mémoire, une mémoire qui s'éloigne à mesure que meurent les plus vieux des vieux, et se dissout dans des lointains que nul ne pourra plus jamais atteindre.

Tandis qu'au souvenir du glorieux paradis soinké Wagadou s'embuaient les yeux de sa cliente, Me Benoît, que Dieu l'ait en Sa sainte garde, ne consulta pas une seule fois John Poole. Il se contenta, grand seigneur, de tendre un morceau de papier Kleenex accompagné d'un sourire enjôleur. Ceux de leurs épouses exceptés, les hommes chérissent le chagrin des femmes. À ce spectacle, généralement leur regard brille. Ils s'imaginent volontiers remonter en pirogue ce si charmant cours d'eau salé jusqu'à sa source, un cœur qui, bientôt (ces pagayeurs-là ne manquent pas de fatuité), ne battra plus que pour eux.

– Belle histoire, madame Bâ, sincèrement. Cette

légende mérite d'être connue. Bon. Maintenant que nous avons réglé le dossier « pays », nous pouvons passer à la ligne suivante, question n° 8, situation de famille ?

Je ne réponds pas. Accablé par tant de bêtise, mon corps aussi se tait : ni haussement d'épaules ni index pointé sur la tempe, rien. S'il veut un jour « régler mon dossier pays », cet avocat, décidément, doit apprendre la vie. Le mieux est donc de continuer sans tenir le moindre compte de son impatience. Si je lui annonce dès maintenant que le « dossier pays » comporte encore quatre sous-chemises, comme on dit dans l'administration (« Fleuve », « Forge », « Forêt » et « Boussole »), il va me faire une crise cardiaque et me mourir dans les bras, là, sous le climatiseur.

6₁₁ Le fleuve

Pendant que de mes deux poings minuscules je séchais mes larmes et que, le temps aidant, je me consolais, le Sénégal continuait de couler, insensible à nos malheurs.

Cette indifférence me mettait en fureur :

– Regarde-le, il n'a pas d'âme, rien ne le touche. C'est incroyable, quand même ! Il peut nous arriver n'importe quoi de joyeux ou de dramatique, aucune émotion ! Il se contente de passer.

– Arrête de t'énerver, Marguerite. Tu comprendras plus tard.

Mariama avait raison. L'amitié du fleuve entrerait en moi à son rythme, à la manière exacte qu'il avait d'enfler vers juillet, août, à la saison des crues. Lente, douce. Inexorable. Un beau jour, on se réveillait : il occupait toute la vallée. Dès l'âge de cinq, six ans, je ne pouvais déjà plus me passer du Sénégal. À toute heure du jour, j'avais besoin de vérifier, d'un coup d'œil, sa présence. Et souvent, la nuit, sortant d'un cauchemar, je me glissais à petits pas jusqu'à lui : tu es là ?, parfait, je peux me rendormir. Chaque fois, je me laissais envoûter par le long trait bleu. Croyant y voir tantôt un sourire géant, commencé bien avant moi et qui n'aurait pas de fin, tantôt la ligne de mes cahiers sur laquelle je devais dérouler mon écriture. Fermant les yeux, j'entendais sa musique, une seule note infiniment tenue.

Cette passion suscitait l'irritation familiale.

– Marguerite, cesse d'embêter le fleuve, ou il va s'en aller couler ailleurs.

– Marguerite, tu crois peut-être que c'est dans le fleuve que tu vas apprendre à lire ?

– Marguerite, si tu continues, on t'envoie chez nos cousins sans eau, dans le désert, à Yélimané.

Mais ce n'étaient que des colères feintes. Mes parents savaient qu'ils ne pouvaient rêver pour leur fille meilleur éducateur qu'un fleuve. Ils protestaient donc pour la forme, et pour le voisinage. Puis venaient s'asseoir près de moi, tantôt l'un, tantôt l'autre, et complétaient l'enseignement.

– Bien sûr, me disait mon père, rien de ce que je vais te raconter n'est vrai. Les savants ont dressé la liste de tout ce qui vit *vraiment* dans le Sénégal, je te la montrerai si tu veux, tous les animaux et toutes les plantes. Mais...

Il avait l'air si malheureux que je posais ma main sur son genou. Pauvres pères africains ! Ils doivent apprendre à leurs enfants des choses tellement contradictoires, la science et la magie, par exemple. Comment éviter que leurs têtes éclatent en mille morceaux, bientôt ramassés par les vautours ? Je lui souriais, de toutes mes forces, pour lui donner le courage de poursuivre.

– Hélas, je suis forgeron, gardien des savoirs secrets. Je suis obligé de te transmettre ce que les ancêtres m'ont appris. Sans commentaire. Et sans y croire, comme tu sais, puisque je suis un rigoureux, voire, si Dieu le veut, un futur ingénieur.

– Ne crains rien, Papa. Je te jure que je n'écoute pas. Et si, par mégarde, il arrive qu'une de mes oreilles avale un mot, n'aie pas peur, ma mémoire l'oubliera aussi vite.

Alors il me parlait des génies de l'eau, les Ghimbala, plus souvent repérés dans le Niger mais également présents dans notre Sénégal : Awa, leur princesse, plus belle qu'aucune autre femme ; Moussa, le combattant le plus farouche ; Mayé, le plus dangereux, bègue et colérique ; Baana, qui surgit par temps d'orage...

– Papa, que fait la centrale des arêtes ?

– Quelles arêtes, Marguerite ?

– Celles des poissons qu'elle avale.

– Mais elle n'avale personne, voyons ! Une grille filtre les eaux à l'entrée du canal de dérivation.

– Et les djinns ? Tu crois qu'une grille arrête les djinns ? Moi, je crois qu'un jour ils se vengeront.

– Comment veux-tu que quelqu'un qui n'existe pas se venge ?

– Premièrement, s'ils n'existent pas, pourquoi ont-ils un nom ? Deuxièmement, qu'est-ce qu'on parie ? Un aquarium de cent cinquante litres, catalogue des *Armes et Cycles*, page 27, si je gagne ?

– Réveille-toi, Marguerite.

Joignant le geste à la parole, quelqu'un m'arrachait l'épaule. J'ouvris les yeux. Ma mère, pour une fois, avait perdu son calme légendaire.

– Qu'est-ce que tu attends, paresseuse ? Ton père a besoin de toi.

– Et nous, il n'a pas besoin de nous ?

– Rendormez-vous, les enfants.

Une fois de plus, la jalousie de mes frères et sœurs allait déferler. Je me dressai, m'habillai en trois secondes et, sautant entre les corps qui commençaient à s'agiter, quittai notre dortoir, saluée par les habituels noms d'oiseaux : oh la sorcière, oh la coqueluche à son papa...

Déplaisante litanie, vite remplacée par un bien pire vacarme. Je m'étais souvent demandé ce qu'il y avait derrière la nuit. Je rêvais d'y percer un petit trou pour y coller mon œil. Quelqu'un m'avait précédé. Sans ma délicatesse. À grands coups de couteau, il avait dû taillader le noir. Ma curiosité était satisfaite. Derrière la nuit était un océan. Et il se précipitait sur nous. Une pluie comme je n'en avais jamais vu me tombait sur la tête, me fouettait le visage, montait sous mes pieds.

J'avançais tant bien que mal, deux pas en avant, une longue glissade en arrière. Je finis par agripper le bras de mon père, venu à ma rencontre. Je relevai les yeux vers la mare lumineuse, derrière nous, frappée par les embruns. Je venais de finir *Les Travailleurs de la mer* de Victor Hugo. Jamais la centrale ne m'avait paru aussi semblable à un paquebot : par temps calme, ils font les fiers, toutes cheminées dehors. Mais, sitôt que le ciel se fâche, plus personne, ils tremblent de tous leurs os.

– Ah, Marguerite, enfin ! Nous courons à la catastrophe ! Et, comme tu vois, je suis seul à la barre.

Du menton, il me montrait l'ingénieur. Raide et digne, oscillant plus que la passerelle sur laquelle il était dressé, le Français parlait lentement à la tempête, en articulant chaque mot, comme s'il s'adressait à un fou qu'il cherchait à raisonner.

– Qu'est-ce que tu veux, le fleuve ? Priver toute l'Afrique d'électricité, c'est ça que tu veux ?

Dans sa main droite, il tenait une bouteille vide. À intervalles réguliers, il la collait contre son oreille. Peut-être, au début de l'ouragan, avait-il appelé à l'aide son cher whisky ? Maintenant que l'on se rapprochait du drame, il aurait bien voulu recevoir une réponse. Mon père n'était pas loin de partager cet état d'esprit, avec encore quelques degrés supplémentaires d'angoisse, puisque le fraternel réconfort de l'alcool lui était interdit. Il m'avait entraînée dans le cœur de la centrale.

– Marguerite, la pression des eaux est telle que tout risque d'exploser.

Il courait d'un cadran à l'autre.

– Tu as vu les aiguilles ? Ô mon Dieu, comment sommes-nous encore vivants ?

– Papa, arrête de t'agiter comme ça ! Tu m'as fait venir. Je fais quoi, maintenant ?

– Elle a raison ! J'ai attiré ma fille au cœur du danger. Toute ma vie, je me le reprocherai.

Il me fixait, tétanisé.

– Papa, tu perds du temps.

– Elle a raison. Ma fille a toujours raison. Même dans les catastrophes.

– Empêchons qu'elle se produise.

– Marguerite, je suis si fier de toi !

– À quoi te servira ta fierté si nous mourons tous ? Alors, quel est ton plan ?

– Marguerite...

On aurait dit qu'il s'accrochait à mon prénom comme à une bouée. Il m'avait prise dans ses bras. Moins pour me serrer, j'imagine, que pour m'éviter le spectacle de sa honte.

– Marguerite. L'ingénieur et moi, nous avons suivi à la lettre le manuel des cas d'urgence. Je t'assure, à la lettre. Cette fois, la science est dépassée.

– Et quand la science est dépassée, tu appelles ta fille ? Normal.

Sous les coups du fleuve, les murs de la centrale tremblaient. Les machines achetées à Grenoble, département de l'Isère, s'affolaient, les grondements s'étaient changés en hurlements. Je ne suis pas plus courageuse qu'une machine grenobloise. La terreur m'avait envahie, moi aussi, je claquais des dents.

– Ma petite fille, ma petite fille, il ne fait pas froid, pourtant. J'ai pensé, les djinns du fleuve, tu les connais, toi, puisque je te les ai présentés... Tu pourrais leur parler.

– Pourquoi moi ?

– Parce que tu n'es pas encore fâchée avec eux. Moi, ils savent que je ne crois pas en eux.

Je n'ai pas réfléchi. J'aime parler aux gens. Comme je le prouve en m'adressant à vous.

– Très bien, je vais essayer. Sans garantie.

Je me suis avancée sur la passerelle. Mon père m'avait entouré une corde autour de la taille. Il la tenait à bout de bras. Il ne pouvait pas venir avec moi. À cause des djinns, ils l'auraient reconnu. Peut-être aussi qu'il avait peur, comme tout le monde.

J'ai bonne mémoire, je les ai tous nommés. Princesse Awa ! Tout-puissant Moussa ! Irascible Mayé ! Baana, maître des orages ! Ayez pitié de nous ! Je crois n'en avoir oublié aucun. Sinon, la tempête se serait-elle calmée ? On connaît la susceptibilité maladive des démons.

Gloire à la crue ! Non seulement elle abreuvait de vie notre vieille terre desséchée, mais elle avait offert des vacances à mon père, les secondes de son existence ô combien laborieuse, après celles de ma naissance sur le toit de la gare. Chaque matin de cette saison bénie, il montait sur la colline, considérant la pointe d'un toit perdu au milieu du fleuve, dernière partie émergente de sa centrale. Il soupirait, retenait ses larmes, qu'il soit fait selon la volonté de Dieu. Autre visite rituelle pour notre école, elle aussi noyée :

– Je me méfie de vous, les enfants. Vous me jurez qu'elle se trouvait bien là ?

– Enfin, Papa, tu ne vois pas flotter les livres ?

– Bon, vous prenez vos responsabilités, je vérifierai.

Alors il nous entraînait tous les douze dans de méticuleuses promenades. Il avait pris avec lui son vieux *Guide Delachaux du naturaliste*. Sans doute pour se faire pardonner son piteux accès de faiblesse, notre scandaleux recours à la magie, il nommait tout ce qu'il voyait.

Mes amis djinns avaient bel et bien rengainé leurs colères. Oubliée, la tempête. La nuit terrible, en pliant bagage, avait emporté ses maudits nuages. À chaque aube se levait un grand ciel uniforme, d'abord rouge, puis bleu. Le peuple des oiseaux fêtait, à sa manière acrobatique et gazouillante, le retour du soleil. L'air du matin était strié de becs jaunes, orange ou noirs, de gorges lilas (« Tiens, un rolle africain »), saphir (« Voilà le rollier d'Abyssinie ») ou carmin (« Vous avez reconnu le guêpier ? »). Les martins-pêcheurs s'empiffraient, les hérons paradaient, les râles et les grébifoulques barbotaient (« Je sais que ce mot-là est difficile, les enfants, entraînez-vous, gré-bi-foulques, ça n'est pas doux à dire ? Ça ne vous chatouille pas la bouche comme un bonbon ? Regardez, il a de longs sourcils blancs et des pattes rouges »).

Moi, je n'aimais rien tant que m'accroupir à l'extrême bord de l'eau, cette frontière frémissante où le liquide caresse le solide. Je vous conseille ce spectacle, Monsieur le Président. Regardez. Et humez. C'est une région chérie par les insectes. Le ballet désordonné des mouches, faucheuses et libellules accaparera votre attention. Puis vous passerez à plus sérieux, la fameuse odeur. D'abord, une bouffée de fraîcheur humide comme celle qui vous vient en pénétrant dans une cave. Tout de suite après, des relents sucrés et fades, écœurants, semblables à ceux que dégagent les fruits gâtés. Et, pour finir, une vertigineuse sensation de forêt au matin. Mes narines palpitaient, je manquais défaillir. Comme vous l'imaginez, je gardais secrètes ces observations. Je vérifiais longuement, avant de rejoindre le fleuve, que personne ne m'avait suivie. Il me semblait avoir rendez-vous avec quelque chose d'inavouable.

Ce trouble, je n'en apprendrais la clef que bien plus tard. Lorsque, allongée contre mon premier homme, épuisée, souveraine, monteraient vers les ailes de mon nez – elles battaient au même rythme que mon ventre – les senteurs connues.

Les eaux de mon fleuve chéri n'ont pas reconquis le Sahara. Vous l'auriez appris. Elles ont fini par redescendre, à contrecœur. À certains mouvements, de brutales remontées, on sentait qu'elles renâclaient. Telles des armées sur le point de vaincre et qu'un général craintif fait reculer, le Sénégal a regagné son lit. L'ogre est redevenu chaton. Mais personne n'était dupe. Il avait beau faire patte de velours, jouer à la rivière tranquille, chacun savait à quoi s'en tenir avec lui, de quels débordements il était capable.

Je suis sûre de n'être pas la seule à rêver qu'un jour il reparte à l'assaut des collines et prenne possession des sables. Après tout, le Mali, jadis, était bien plus vaste. Nous étions les sujets d'un empire. L'ONU nous ligote dans nos maigres frontières terrestres. Mais que peut l'ONU contre une inondation ? Voter une résolution qui condamne la très lâche agression aquatique ? Pour le meilleur ou pour le pire, nous appartenons à l'eau.

Voilà pourquoi, née citoyenne du fleuve, je le demeurerai. Qu'importe si cette nationalité-là n'est pas officiellement reconnue. Quand je vois Monaco inscrit sur la liste officielle des pays recensés... Qu'est-ce qu'un rocher ?

L'odeur des berges continuait de m'enivrer. Je promenais des heures mon grand nez au bord de notre Sénégal, m'interrogeant sans relâche sur les mystères de la Création.

— Papa, je voudrais comprendre ce qui se passe avec le fleuve.

— Parle, Marguerite. Lui et moi, on se connaît bien. On ne doit pas avoir beaucoup de secrets l'un pour l'autre.

— Pourquoi, quand il monte, le sable devient-il vert ? Et pourquoi, quand il descend, le sable redevient jaune ?

Le front d'Ousmane se plissa. Il se mordit les lèvres.

— Je crois qu'il vaut mieux aller trouver l'ingénieur.

Les patrons blancs de mon père ne se ressemblaient pas. Celui qui occupait le grand bureau, à cette époque, M. Jean-Baptiste C., laissait toujours sa porte ouverte. Comme si personne, pas même les oiseaux, pas même les iguanes, ne pouvait jamais le déranger : je suis là pour apprendre, répétait-il, apprendre l'Afrique comme, les années précédentes, j'ai appris l'Indochine. Que puis-je pour vous ?

J'avais toujours cru qu'apprendre était la tâche des seuls enfants. Alors je cherchais naïvement où se cachait l'enfant, derrière les lunettes rondes, sous la haute brosse déjà grisonnante. Je répétai ma double question. Un grand sourire me répondit d'abord.

– Au fond, tu me demandes pourquoi l'eau apporte la vie. Rien de plus facile, Marguerite.

Il se lança dans une série de phrases où il entassait rapidement, comme dans un sac au moment de partir, des mots incompréhensibles : molécule, membrane, conductivité. Et il ne devait pas être satisfait de lui-même, car il n'arrêtait pas de bougonner. Non. L'eau, c'est encore autre chose. Non. Je dois être plus clair. Et plus direct.

Après quelque temps de cette fureur, il s'arrêta net :

– Bon, je n'y arriverai pas sans réfléchir. Tu me donnes jusqu'à demain ?

– Pardon, monsieur. Je ne croyais pas vous déranger tellement.

Sous le regard ravi d'Ousmane, il me caressa la joue.

– C'est toi qui dois être remerciée, Marguerite. Nous savons trop de choses : le savoir nous cache la vérité ! Ma tête est encombrée comme un grenier. Je vais déblayer.

La nuit venue, je n'arrivais pas à m'endormir. Quelqu'un qui va bientôt faire connaissance avec le principal mystère de l'univers peut-il sombrer bêtement dans l'inconscience comme ses frères et sœurs ? Je me levai.

Mon père se trouvait là, dehors, assis sur sa souche d'arbre préférée. Il ne s'étonna pas de ma présence. Il tendit l'index :

– Tu vois la fenêtre allumée ? C'est sa lumière. Il travaille pour toi.

Combien de temps sommes-nous restés côte à côte, sans bouger, la fille blottie contre son père, leurs yeux tournés vers un ingénieur invisible ?

Au matin, nous reprîmes le chemin de la centrale. M. Jean-Baptiste C. finissait son café sur la passerelle.

– Déjà réveillés ? Je ne serais pas étonné que Marguerite soit une petite impatiente. Écoute. Voilà ce que j'ai trouvé. Tu me diras si ça te parle. Dans de la terre sèche, la graine est seule. Seule et prisonnière. Des richesses l'entourent, des nourritures, tout ce dont elle aurait besoin pour se développer. Ces richesses, ces nourritures, on les appelle sels minéraux, inutile d'en savoir plus à ton âge. Sache seulement qu'elles demeurent hors d'atteinte. La graine n'a pas de bras pour les atteindre. Ou plutôt ses bras sont enfermés dans une peau qu'elle ne peut déchirer. Imagine le supplice de la graine, si proche de la vie et toujours écartée. Arrive l'eau. L'eau n'aime que les voyages en groupe. Elle accueille tous les passagers possibles, elle entraîne avec elle tous ceux qu'elle rencontre, et notamment les fameux sels. L'eau a une autre originalité : rien ne lui résiste. Aucune barrière, aucune muraille, aucun verrou. Elle s'approche de la graine. Elle se glisse sous sa peau, dépose ses cadeaux et continue sa route vers une autre graine. Et voilà ! À la fin du jour, le désert a changé de couleur. Le vert a triomphé du jaune.

L'ingénieur se resservit du café. Je voyais ses yeux. Il guettait notre réaction. Une réaction qui fut longue à venir. Les Dyumasi demeuraient muets, abasourdis par la simplicité de l'affaire.

Mon père retrouva sa langue le premier.

– L'eau relie donc entre eux les morceaux séparés du monde.

– Exactement.

– Et c'est de ce contact que naît la vie ?

L'ingénieur approuva. Évidemment, l'eau avait d'autres fonctions, mais l'essentiel était là.

Comme ils m'avaient oubliée, petite fille incapable d'intelligence, je décidai de prendre à mon tour la parole.

– Moi aussi j'ai compris : l'eau guérit de la solitude.

– Tu ne crois pas si bien dire. Sans eau, tu ne serais qu'un amas de miettes, et non cette personne unique, cette brillante Marguerite, fierté de ses parents.

– Alors je vais boire beaucoup plus qu'avant.

Je me souviens qu'après avoir très poliment remercié, nous avons quitté la centrale, mon père et moi, hochant tous les deux la tête, mais chacun de son côté, chacun dans ses pensées, comme si la vérité offerte par l'ingénieur nous conduisait vers des pays différents.

Je courus directement vers ma mère et lui annonçai les dernières nouvelles. Elle réfléchit. En ces moments d'intense concentration, on aurait dit qu'un étonnement presque douloureux s'emparait d'elle, ses yeux s'écarquillaient et elle entrouvrait la bouche.

– La parole est comme l'eau, Marguerite. Elle aussi rompt notre solitude. Elle aussi transporte toutes les richesses possibles et se faufile sous les carapaces les plus fermées.

– Il y a des saisons, dans la parole ?

– Bien sûr, il y a des crues. Et des sécheresses. L'eau et la parole : nous sommes de ces deux pays.

6III La forge

Chaque année, vers janvier, tous les quatorze nous prenions la route sur deux charrettes pour aller saluer une autre branche de notre famille Dyumasi. L'oncle Moussa habitait Diamou, vers l'autre chute d'eau, Gouina, paradis des hippopotames. À la différence d'Ousmane, il était demeuré dans le métier de notre caste.

Avant d'arriver, notre père nous mettait en garde :

– Je vous préviens : je ne veux pas entendre la moindre moquerie. S'il n'aime pas la modernité, c'est son affaire. Et n'oubliez jamais que, quoi qu'il arrive, nous sommes, comme lui, des...

Et nous d'ânonner :

– For-ge-rons !

La journée passait vite à regarder les flammes, à les nourrir de bois quand elles avaient faim, à tenter de soulever l'enclume (impossible), à taper et retaper sur des morceaux de fer rouge pour se faire des lances, des épées ou des boucles d'oreilles. Vous connaissez mon père : il n'allait pas manquer une aussi belle occasion de poursuivre son enseignement.

– Qu'est-ce qu'un forgeron, les enfants ?

– Le maître des quatre éléments : le feu, la terre, l'eau... j'en oublie un...

– Awa, tu nous fais honte ! Tu n'es qu'une imbécile ! Tu oublies toujours l'air.

– Parfait, Djibril ! Ce n'est pas une raison pour parler mal à ta sœur. Quel rôle Dieu a-t-Il confié au forgeron ?

– Achever le monde. C'est l'artisan universel.

– Très bien. Continuez à vous exercer. Même si vous préférez une autre profession, vous devez apprendre les techniques de vos ancêtres.

Aidée par ma grande taille, j'avais tout de suite trouvé ma place : suspendue à la poignée du soufflet que j'actionnais avec frénésie du matin au soir.

– Oh, oh, tu as choisi le rôle principal, Marguerite !

– Et pourquoi donc, mon oncle ?

– Dans le grand silence des commencements, les premiers mots sur terre n'étaient que soupirs. Auxquels le forgeron donna un rythme grâce à un soufflet semblable au tien.

– Nous sommes aussi maîtres de la parole ?

– Exactement, Marguerite. C'est nous qui avons inventé la palabre. Autour de la forge, le village entier se réunissait, gloire à l'ancien temps !, la conversation suivait son chemin, accompagnée par nos instruments de musique à nous. Notre tambour, c'est l'enclume, notre kora c'est le soufflet.

– Je comprends maintenant pourquoi j'aime tant parler ! Pourquoi, en parlant, j'ai l'impression, comment dire ?, de me réunir au monde, tu sais, comme lorsqu'on tisse deux morceaux d'étoffe ensemble. Et aussi... Je peux te confier un secret ? Et pardon si je suis folle...

– Je t'écoute. Un forgeron doit avoir une grande oreille.

– Il me semble... Oui, quand je ne parle pas, il me

semble que le monde se déchire. Les morceaux s'en vont chacun de son côté. Et moi je tombe au milieu.

– Oh, là, là, c'est plus grave que je ne pensais ! Ça, je plains ton mari ! Peut-être devras-tu le choisir sourd. Car tu seras bavarde, ma nièce, infiniment volubile, je peux te le prédire !

Sur le chemin du retour, nous commencions par chanter, à tue-tête, notre gloire : vive les Dyumasi ! Vive la famille la plus importante de la caste la plus importante ! Un à un, vaincus par la fatigue de cette belle journée, mes frères et sœurs s'endormaient. Bientôt, moi seule veillais. Je m'étais arrangée pour me blottir contre mon père.

– Que se passe-t-il en Afrique ? C'est le grand désordre. Tout le monde régente la parole, on dirait : le forgeron, les traditionnistes, les griots...

– S'il te plaît, ne mélange pas tout, Marguerite ! Les forgerons font remonter du cœur de la terre les secrets. Les traditionnistes racontent les plus anciennes des histoires des hommes. Et les griots ne sont que des brodeurs, la vérité n'est pas leur souci.

Pour se montrer si cruelle envers moi, plus tard, bien plus tard, la griotte Sakoné avait-elle entendu le mépris d'Ousmane envers sa corporation et résolu de se venger ? Sur tout autre continent, cette hypothèse ne mériterait même pas d'être envisagée. Qui posséderait une oreille assez fine pour surprendre, à des centaines de kilomètres, ce qu'un père murmure à sa fille, dans la nuit, le long du fleuve Sénégal ? Mais, en Afrique, ce genre d'impossibilité est monnaie courante.

6$_{IV}$ Une forêt

Nos mères sont des ventres, et des bras, et des sourires, et des histoires : le premier de tous nos pays. Pour cet inestimable cadeau, louées soient-elles !

Ma mère à moi mérite d'être mieux célébrée encore, car elle n'est pas seulement une mère. Quand elle a fini par mourir et qu'ils sont arrivés, les fossoyeurs, avec leur sourire hypocrite, quand ils ont voulu l'enfermer dans leur caisse minuscule, j'ai ricané : comment réussiraient-ils à y caser le personnage interminable qu'était Mariama ? Et quand ils se sont relevés, l'air satisfait d'avoir si bien cloué et la main tendue pour le salaire, j'ai cessé de pleurer. Décidément, ce n'était pas ma mère, le cadavre chétif qui se trouvait là entre quatre planches. Oui, ma mère était une interminable. Quelqu'un qui connaît tout du passé. Donc qui peut prédire tout l'avenir.

Ma mère n'était pas qu'une mère. Ma mère ne s'arrêtait pas où s'arrêtent les autres mères. Ma mère n'avait pas de limites. Ma mère pouvait dessiner l'écheveau géant de toutes nos racines, démêler patiemment nos frondaisons les plus enchevêtrées. Ma mère portait en elle tous les arbres généalogiques. Ma mère était une forêt. Et c'est dans cette forêt que j'ai vécu.

Tout le monde, y compris mon père, ignorait cette

nature forestière. Sa lointaine appartenance à la caste *gesere*, celle des traditionnistes, avait été oubliée aussitôt connue. Dès son mariage, Mariama, née Cissokho, s'était fondue dans l'univers Dyumasi, épouse parfaite et discrète d'un faux forgeron, chef adjoint de la chute d'eau.

Un jour, j'avais dix ans, dix ans de bonheur, c'est-à-dire de mère partagée avec mes frères et sœurs, un jour bien caché parmi les jours – rien n'annonçait les bouleversements qu'il allait engendrer, ce jour banal –, un homme se présenta. De loin, on voyait sa fierté, même s'il marchait seul, sans compagnon ni monture. Au fur et à mesure qu'il approchait, tous nous le guettions et nous interrogions : quel était donc ce personnage, roi, fils d'empereur ou plus encore, pour justifier un tel air d'arrogance ? Arrivé sur la place, il demanda le chef de village :

– Je m'appelle Umaaru Doucouré. J'espère que dans votre ignorance, vous savez ce que cela veut dire.

Case la plus belle, repas fastueux, cadeaux, il fut reçu comme le méritait son rang de noble. Mais vers le soir, ses exigences grandirent. Il avait repéré Haliima, une cousine de douze ans, bien sûr déjà fiancée, et voulait avec elle rompre la solitude. J'ai évoqué cette coutume de chez nous. On l'appelle le *xiidifate* (de *xiide* : solitude, et *fate* : coupure). On autorise deux jeunes célibataires à passer une nuit ensemble. Ils restent libres de leurs jeux pourvu que la fille, au matin, soit demeurée vierge.

La cousine n'avait que haine pour le hautain. Elle refusa. Il leva la main. Une bataille scandaleuse allait s'engager quand retentirent ensemble la voix de ma mère et cette phrase mystérieuse qui allait pourrir notre vie :

– Doucouré ? Tu ne serais pas plutôt de Janmu Bérété, c'est-à-dire de la sous-famille Khourabinné ?

Le visiteur se figea, baissa les yeux, courba le dos. De seconde en seconde, il semblait rapetisser. Et bientôt, sous les rires et les huées, il prit ses jambes à son cou et disparut, poursuivi par les chiens. Bon débarras !

On entoura Mariama, on la félicita, la pressa de questions : que lui as-tu dit ? Tu es une sorcière ? Tu sais raccourcir et puis évaporer qui tu veux ? S'il te plaît, ne t'en prends pas aux sexes de nos hommes, ils ne sont déjà pas si longs... Allez, explique !

Après avoir demandé à mon père la permission de répondre, elle parla. Parla des heures et des heures durant, sans effort ni la moindre hésitation, tant lui était familière l'aventure des nobles Doucouré, anciens maîtres du Wagadou. Et comme l'aube pointait vers Médine, elle parlait encore, tant cette histoire est sinueuse et embrouillée, déborde de guerres, de meurtres et de réconciliations ô combien précaires et provisoires.

Impossible pour moi de rivaliser avec le prodigieux savoir de ma mère. Si vous voulez en avoir une idée, écoutez sa conclusion, ce matin-là. Elle m'est entrée mot après mot dans la tête :

« Les Doucouré sont presque aussi nombreux que les oiseaux du ciel. Il ne faut pas se tromper de Doucouré. Celui qui prend un Doucouré pour un autre Doucouré l'injurie, et l'injure peut se payer de mort. Les Doucouré Gantchayaba, les Doucouré Kouranko, les Doucouré Tanqaliba, les Doucouré Ballané sont tous nobles et fils de Yaté. Les Doucouré Tambagallé sont fils de Mamadou et tous marabouts. Mais les Doucouré Khourabinné ne sont pas de vrais Doucouré : ils sont Bérété, fils de guerriers mercenaires. On les a baptisés Doucouré pour les remercier. Mais il ne suffit pas d'un remerciement pour changer de nom.

– Heureusement, tu l'as démasqué, dit le chef de village.

Ma mère demanda un peu d'eau. Elle avait fini. Quelqu'un approcha le canari. En buvant, elle me regardait. Elle me souriait et m'offrait ses yeux pour que j'y lise ce qu'elle ne pouvait me dire à cause de tout ce monde qui l'entourait, qui l'admirait. Il y avait de l'étonnement : c'est bien moi qui sais tout ça ? Il y avait de la fierté : tu vois, Marguerite, moi aussi, je connais des choses. Il y avait de la fatigue : après la nuit que je viens de passer, si tu pouvais m'aider aujourd'hui, ma grande fille, à m'occuper de tes frères et sœurs... Et il y avait presque de la sévérité, la gravité d'une leçon : l'Afrique, ton continent, est un livre immense et compliqué, Marguerite. Ne tarde pas trop. Apprends vite à le lire !

De ce jour-là, de cette longue leçon sur les Doucouré, des gens arrivèrent de la savane entière. Toutes sortes de gens, jeunes ou vieux, hommes ou femmes, tous alertés par la même rumeur : il y a, près de Médine, au bord de la chute d'eau, une soi-disant forgeronne infiniment savante de l'ancien temps. Tous différents et pourtant tous ressemblants, même air égaré, mêmes gestes empruntés à d'autres, même démarche en dedans, toujours la même question posée, derrière les excuses, les dérobades :

– Madame Dyumasi, qui suis-je ?

C'est à ce moment-là que ma mère se changeait en arbre généalogique. Elle menait une enquête rapide :

– Tu t'appelles Bathily Sempera ? Il m'en faut plus. Ton père habitait le long de la rivière Falémé ? Je m'en doutais. Aux abords du fleuve Sénégal ? Non ? Plus en amont, vers le Fouta ? Alors je peux compléter ton nom. Je connais ta famille, les Bathily Sempera Soun-toukara. Tu as des cousins qui sont retournés vivre chez les descendants du mari peul de ta grand-mère...

Elle remontait les âges. Les branches s'ajoutaient aux branches. Le visiteur au nom incomplet se redressait peu à peu. Il considérait ses voisins avec de plus en plus d'assurance. Il embrassait ma mère : tu m'as fait cadeau de moi-même. Il repartait ravi. Et, suite à des louanges, chantées et rechantées de Tambacounda à Ségou (« Allez la consulter, cette femme nous connaît tous depuis Adam et Ève »), une foule toujours plus nombreuse se pressait sur les bords de notre chute d'eau.

– Madame Dyumasi, pour ma famille de Dakar, je suis N'Diaye, et pour celle de Kayes, je suis Kanouté. Je voudrais choisir une bonne fois.

– Impossible. Ces Janmu, c'est-à-dire ces noms de famille, sont équivalents.

– Madame Dyumasi, je suis Bullayi Sakho. Quel est mon animal totem ?

– Et tu as marché jusqu'ici pour cette question facile ? L'aigrette, voyons.

– Madame Dyumasi, je m'appelle Moyi Sylla. Mes

parents sont morts avant de m'apprendre avec qui je devais entretenir une parenté à plaisanterie.

– Pauvre petit ! Avec les Touré, voyons ! Avec aucun Touré tu n'entreras jamais en conflit. Mais n'oublie pas, chaque fois que tu en rencontreras un, au lieu de le saluer, tu te dois de te moquer de lui et même de l'injurier.

– Madame, s'il vous plaît, ne me prenez pas pour plus bête que je ne suis. Je sais ce que c'est, quand même, qu'une parenté à plaisanterie.

Et ainsi de suite du matin au soir. Les consultations se succédaient. Les arbres s'ajoutaient aux arbres. Notre mère n'avait plus un instant pour s'occuper de nous. A-t-on jamais vu une forêt jouer à la poupée avec ses enfants ou leur apprendre à piler correctement le mil ? Cette accumulation de noms donnait le vertige ; cet inextricable enchevêtrement nous étouffait. Quand l'air devenait irrespirable autour de Maman, nous montions jusqu'à la centrale. M. Jean-Baptiste C., l'ingénieur, sortait le premier de son bureau.

– Ousmane, voici vos petits guetteurs !

Il avait raison. Nous nous précipitions sur la passerelle qui dominait le fleuve. Sa vue seule nous apaisait, cette simple ligne d'eau bleue après tant d'arabesques. Notre père venait nous rejoindre. Sans nous retourner, nous sentions derrière nous sa rassurante présence. Il nous laissait regarder passer le Sénégal, nous emplir peu à peu de ce calme. Puis, chaque fois, en bon éducateur, il tentait de tirer une conclusion.

– Vous voyez, la vie est simple. Ce sont les hommes qui la compliquent.

– Alors, pourquoi Maman complique la vie ?

– Ce n'est pas elle, voyons. Elle se contente de raconter.

– Comment connaît-elle toutes ces histoires ?

– Les traditionnistes sont élevés dans la mémoire.

– Ce n'est pas suffisant !

– Bintu a raison : Maman est une sorcière.

– Djibril ! Retire ça tout de suite.

– Alors, Maman est la première femme du monde.

– Oui, oui, elle est née tout au début, c'est pourquoi elle sait tout.

Cette idée-là nous enchantait.

– Papa, n'est-ce pas que la première femme du monde est africaine ?

– Donc Maman est la première femme du monde ?

– Oh, dis oui, Papa, s'il te plaît, et nous garderons le secret !

– D'ailleurs, j'ai bien vu : Maman ne vieillit pas.

– Donc, elle ne mourra jamais.

– Allez plutôt l'embrasser. Le soir, elle est si fatiguée.

6ᵥ La boussole

Le jour de ses dix ans, chaque enfant du forgeron, fille ou garçon, recevait en cadeau un œil. Pour ceux qui ne connaissent pas la philosophie forgeronne, une telle phrase, j'en suis consciente, mérite explication.

Tout être humain, d'après mon père, possède trois yeux. Les deux que nous connaissons et qui, l'âge venant, se couvrent souvent de lunettes. Et l'autre, le plus mystérieux, paresseusement endormi chez la plupart de nos contemporains. Ce troisième œil, chacun d'entre nous peut finir, à force de travail et d'obstination, par le réveiller en soi. C'est un œil bien plus puissant que les deux autres, car, au-delà du visible, il permet de voir les secrets du monde et son ordre. C'est l'œil du Savoir. « Mes enfants, je ne vous demande pas de devenir des savants professionnels. J'espère seulement que vous aurez désormais à cœur d'utiliser TOUS vos yeux. Bon anniversaire, ma chérie (ou mon chéri). »

Et, d'un geste solennel, il nous tendait l'objet susceptible de faire naître en nous la vocation scientifique. Je me souviens. Un microscope pour Djibril. Un coffret du parfait petit chimiste pour Awa. Un livre de botanique pour Aminata. Un moteur électrique pour Seydou, avec une famille d'engrenages...

Mon cadeau à moi était une boîte ronde. À peine avais-je eu le temps de remercier et de l'ouvrir, à peine avais-je pu distinguer une sorte de montre déjà cassée puisqu'il lui manquait une aiguille (pauvre Papa, toujours à courir après l'argent ! À cause de cette imperfection, on avait dû lui faire un rabais), que ma mère me l'arrachait des mains et, grondant de colère, courait la jeter dans le fleuve. Quel insecte néfaste et mystérieux, ennemi des anniversaires, avait piqué notre mère ?

Sa promenade n'avait pas calmé Mariama. Elle s'était arrêtée devant mon père. J'ai cru qu'elle allait le frapper. Se contenta de le toiser de sa haute taille.

– Que veux-tu exactement ? Donner à notre fille la maladie du voyage ? Pas question ! Trouve un autre cadeau.

Et, sans plus nous regarder, elle reprit son travail.

La curiosité me torturait. Je rongeai mon frein jusqu'au soir, dans l'obscurité me glissai jusqu'à l'usine, trouvai mon père et le secouai sans ménagement : à cette heure, immobile devant ses chères turbines, il les remerciait silencieusement d'avoir si bien servi. Cet hommage pouvait durer la moitié de la nuit.

– C'était quoi, mon cadeau ?

– On dit : « Quel était mon cadeau ? »

– Quel était mon cadeau ? Allez, réponds.

– Une boussole.

– Jamais entendu parler ! Heureusement que je l'ai perdue, finalement. J'aime les surprises, mais pas celles que je ne connais pas. À quoi ça sert ?

– À donner la route.

122

— Alors c'est vrai, comme a dit Maman, tu veux que je m'en aille ?

— Idiote ! Une boussole indique. Elle ne commande pas. Je me suis trompé. L'affaire est close. Oublie tout ça. Demain, je t'offrirai autre chose. Maintenant, va te coucher.

Le forgeron croyait en avoir fini avec cette histoire ridicule, cet anniversaire un peu manqué. C'était compter sans mon entêtement. Cette boussole, à peine entrevue et déjà perdue, était devenue ma meilleure amie. Je ne pensais qu'à elle, ne rêvais que d'elle, ne voulais jouer et parler qu'avec elle. Marguerite fixait en pleurant le Sénégal. Marguerite s'humiliait jusqu'à demander aux garçons s'ils ne voudraient pas aller sous l'eau repêcher le cadeau énigmatique. Et je vous donnerai tout ce que j'ai. Et même tout ce que j'aurai plus tard, puisque, pour le moment, je n'ai rien. Je peux vous signer un papier, si vous ne me faites pas confiance !

Passaient les jours et la fureur de Mariama ne déclinait pas. Elle ne cessait d'accabler le malheureux forgeron : avec tes billevesées scientifiques, tu as détraqué le cerveau de notre fille !

Moi, presque chaque soir, je continuais mon enquête à la centrale : Papa, qui a inventé la boussole ? Les Chinois, ma chérie. Quand ? Au XIe siècle, ma chérie. On peut voyager sans boussole ? Bien sûr, ma grande, en suivant les étoiles, en se laissant pousser par le vent. Donc, la boussole ne sert à rien ? Réfléchis un peu. Si le vent se met à changer, si les nuages couvrent le ciel, que restera-t-il à celui qui ne veut pas se perdre ? Décidément, cette boussole était la compagne la plus utile qui soit au monde. La famille Dyumasi était criminelle de l'avoir noyée au fond de l'eau comme une vulgaire chaussure trouée. Un jour, la boussole se vengerait. Rien de plus sûr.

Un soir qu'Ousmane, épuisé, avait déclaré forfait, j'osai, faute parmi les fautes, pousser la porte du bureau le plus interdit du monde et déranger le directeur en personne.

— Monsieur Jean-Baptiste, mon père ne veut pas me répondre. Ou peut-être il ne sait pas. Vous qui êtes un véritable ingénieur, vous accepteriez de m'expliquer pourquoi l'aiguille noire de la boussole pointe toujours vers le Nord ? Qu'y a-t-il là-bas qui l'attire tant ? Nous n'avons rien de bien, nous autres, au Sud, qui puisse l'intéresser ? Sommes-nous comme la boussole, condamnés à regarder vers le Nord ? Monsieur Jean-Baptiste, répondez-moi franchement : le Nord est-il notre seule vraie destination ? Devons-nous déménager ? Nous autres Soninkés, le Nord est-il notre nouveau Wagadou ?

Lorsque fut présenté mon cadeau de remplacement, une poupée habillée à la dernière mode de Bamako, on aurait pu croire, aux yeux brillants et aux cris de joie de Marguerite, que son obsession de la boussole était finie. Rien de plus illusoire. Les maladies sérieuses, comme les amours véritables, acceptent de rester longtemps tapies, silencieuses, invisibles, dans leur coin. Mais c'est pour mieux revenir quand on s'y attend le moins, et lancer leurs assauts destructeurs.

8. SITUATION DE FAMILLE : a) (*)	CÉLIBATAIRE	MARIÉ(E)	SÉPARÉ(E)	DIVORCÉ(E)	VEUF(VE)

b) CONJOINT : NOM
AUTRE(S) NOM(S), PRÉNOM(S)

DATE ET LIEU   J   M   A
DE NAISSANCE   A   NATIONALITÉ(S)

SI VOTRE CONJOINT VOYAGE AVEC VOUS ET EST INSCRIT SUR VOTRE DOCUMENT DE VOYAGE, COCHER LA CASE SUIVANTE

c) ENFANTS : NE REMPLIR LA RUBRIQUE "ENFANTS" QUE SI CEUX-CI VOYAGENT AVEC VOUS ET SONT INSCRITS SUR VOTRE DOCUMENT DE VOYAGE.

NOMS, PRÉNOMS	DATE DE NAISSANCE			LIEU DE NAISSANCE	NATIONALITÉ(S)
	J	M	A		

« **Nation** – groupe humain, généralement assez vaste, qui se caractérise par la conscience de son unité. »

Me voilà de nouveau penchée sur le Robert rongé par les termites.

– Nationalité(s) actuelle(s), nationalité d'origine... Comment voulez-vous que je réponde avec franchise en quelques mots ?

– Madame Bâ, vous n'allez pas recommencer !

Cette fois, mon adorable avocat ne proteste pas longtemps. Il me suffit de lui envoyer d'un ton très doux, par-dessus la table poussiéreuse qui nous sépare, deux petites questions gênantes :

Question n° 1 : Je suis venue au monde dans l'Afrique occidentale française. Quelle est la vraie nationalité d'une ancienne colonisée ?

Question n° 2 : J'ai présentement le passeport du Mali. Est-ce un pays véritable, celui que tous les habitants valides veulent au plus vite abandonner à son triste sort ?

Me Fabiani fronce les sourcils ; manifestation physique fréquente chez l'homme quand une femme ose lui poser un problème. N'ont-elles pas été créées d'abord pour lui faciliter l'existence ? Mais, peu à peu, mon Benoît se détend, preuve que la bonne foi, en lui, a gagné la bataille contre toutes les tentations mauvaises (mépris, énervement...).

– Pauvre madame Bâ ! Et, plus généralement, pauvres Africains ! Il est vrai que vous ne devez plus trop savoir qui vous êtes.

– Oh, s'il vous plaît, je peux venir avec vous ?

– Si tu ne parles pas, Marguerite, si tu ne renifles pas, si tu ne gigotes pas...

C'est ainsi que, le 20 juillet 1960, j'accompagnai Ousmane et Abdoulaye, mes père et grand-père, pour la visite historique. Ils s'étaient faits beaux, l'un portait ses médailles, celles qu'il avait gagnées au fameux Chemin des Dames ; l'autre s'était déguisé en ingénieur, cravate bleue et chaussures garanties noires bien cirées sous la couche de poussière. Beaux et touchants comme jamais, chacun dans sa légende. Jusqu'au dernier de mes jours je garderai cette image : les deux hommes dont je descends marchant, silencieux, le long du fleuve Sénégal. Je jurerais qu'une foule d'oiseaux leur voletait autour de la tête pour leur souhaiter bonne chance.

Notre cortège intriguait. À notre passage, les habitants de Médine interrompaient leurs préparatifs de fête :

— Oh, oh, voici les Dyumasi !

— Ils ont l'air solennel et triste.

— Vous venez pour un enterrement ?

Le ton montait.

— Ce qui arrive n'a pas l'air de vous réjouir.

— Vive l'indépendance !

— Répétez avec nous : vive l'indépendance !

Nous pénétrâmes juste à temps dans le fort de Médine. Un groupe nous suivait, de plus en plus près, de plus en plus menaçant. La famille Dyumasi était bien connue du commandant français. Souvent, il convoquait Abdoulaye. Et ensemble, dans la nuit, ils replongeaient longuement dans l'horreur glorieuse de 14-18. Quant à mon père, il admirait son goût pour le savoir et son acharnement : au fond, Ousmane, le Conservatoire des Arts et Métiers, c'est ton impossible amour ! Il nous reçut immédiatement, mais sans interrompre ses travaux ménagers.

— Pardonnez-moi, les amis. Comme vous pouvez imaginer, j'ai beaucoup à faire, aujourd'hui.

Des caisses et des malles ouvertes l'entouraient. Il répartissait entre elles le flux continu d'objets les plus divers que lui apportaient ses soldats : des livres, des cartes géographiques, des masques de cérémonie, des trophées de chasse, des assiettes, des bouteilles de vin (dont j'apprendrais plus tard qu'elles sont les gris-gris des Français), des cannes à pêche, des hamacs, deux photos d'une femme blonde grimaçant sous le soleil, d'autres de rois de chez nous assis à une table, devant une rangée de militaires blancs et signant gravement des documents mystérieux, des bocaux de verre débordant de médicaments, une horloge à balancier, des lunettes noires, des moustiquaires, des chasse-mouches, des caleçons longs...

– Vous voyez, je déménage. Que puis-je pour vous ?

Mon père et mon grand-père s'entre-regardèrent. Abdoulaye se mit au garde-à-vous et prit la parole :

– Mon commandant, nous avons l'honneur de vous demander...

Comme il s'était arrêté, la bouche ouverte sur les deux dents qui lui restaient, Ousmane prit le relais :

– Si vous partez, nous demeurons quand même français ?

Le commandant se redressa.

– Ça, mes amis, il fallait y penser plus tôt. L'indépendance est l'indépendance. La France s'en va. À partir de demain matin, chacun chez soi.

Devant l'air désolé de mes ancêtres, il ajouta :

– Allez, allez, ne pleurez pas ! Un traité ne peut déchirer des relations que plus d'un siècle a tissées entre nous. Je suis très touché par votre visite. Mais, maintenant, une cérémonie un peu désagréable m'attend. Je dois me concentrer. À tout de suite ! Adjudant ! Conduisez mes amis à une bonne place.

À leur sortie du fort, les trois Dyumasi furent accueillis par des quolibets et des cris hostiles :

– Alors, on a léché la main du maître une dernière fois ?

– L'Afrique nouvelle n'a pas besoin de traîtres !

Le bataillon français s'alignait, au garde-à-vous. La foule agitait des mouchoirs, adieu, les colonisateurs, ne revenez plus jamais, bon voyage ! Hé, les Dyumasi, ne retenez plus vos larmes, nous avons de quoi les sécher ! Quand le drapeau bleu, blanc, rouge a dégringolé le long du mât, j'ai senti les doigts longs et osseux de Chemin des Dames qui cherchaient ma main droite. Je lui en ai fait cadeau. Quand le drapeau vert, jaune, rouge s'est mis à grimper, d'autres doigts, plus frais, plus charnus, ceux d'Ousmane, ont demandé à ma main gauche si elle acceptait d'être saisie par eux. Je lui ai donné l'ordre de répondre favorablement.

Voilà comment j'ai changé de nationalité, encadrée par deux chagrins. À cent mètres de l'endroit, le toit de la gare, où de fœtus je m'étais transformée en bébé. J'avais jeté un coup d'œil à ma montre, cadeau de mon dernier anniversaire. L'opération qui avait annulé une Française et créé une Malienne n'avait pas duré deux minutes. En moi-même, je saluai l'Histoire pour son efficacité.

La foule ne s'intéressait plus à nous. C'est ce qui nous a sauvés. Elle fixait, bouleversée, le pavillon du nouveau pays qui ondulait doucement dans le ciel voilé de notre saison des pluies. Au-delà, elle scrutait l'avenir, forcément riche et glorieux, vive l'Afrique libre, vive le continent noir enfin débarrassé de ses chaînes !

Nous avons profité de cet enthousiasme pour nous échapper.

Quelle était cette forme dressée, immobile, au milieu du chemin ? Un rocher décroché de la colline, comme tant d'autres avant lui, et consolé par des centaines d'oiseaux ? Un morceau d'arc-en-ciel retombé sur terre ? Un fantôme déguisé ? Un acteur de théâtre ?

La première, je reconnus ma mère et courus vers elle.

– Malheureuse !

J'avais beau m'agripper, elle me refusait ses bras. Et, m'ignorant, d'une voix que je ne lui connaissais pas, aiguë, criarde, glapissante, elle commença d'insulter les deux hommes qui arrivaient.

– Honte sur vous ! Ennemis de la dignité humaine ! Âmes de valets ! Comment ai-je pu m'unir à cette famille de rampants ?

Je regardais et j'écoutais, éberluée. Quel démon avait pris possession de ma mère ? De bonnes amies avaient dû l'informer de notre voyage à Médine. Elle donnait des détails.

– Et vous avez pris les mains du commandant dans les vôtres ! Et vous vous êtes embrassés ! Et vous avez laissé ses lèvres moustachues griffer les joues de ma fille ! Ô Abdoulaye, ô Ousmane, complices de l'oppresseur, hommes sans orgueil ni vergogne !

C'est ainsi que la famille Dyumasi vécut à sa manière la journée historique d'indépendance, espérée depuis si longtemps et tant célébrée depuis. Tandis qu'autour de nous on faisait bombance, on dansait, on chantait, chez nous, une femme invectivait ses mâles, s'absentait quelques minutes pour se joindre à la fête – on entendait, par-dessus les murs, sa voix, plus forte, plus enthousiaste que les autres, vive l'Afrique, oh, comme je suis heureuse –, avant de revenir à son domicile pour reprendre sa colère à l'endroit même où elle l'avait laissée.

Cette litanie des insultes maternelles ne s'interrompit qu'au milieu de la nuit. Pour se changer en un silence plus pénible encore. Mariama s'était déclarée muette : parler à des hommes sans fierté et à leur petite complice, c'est leur faire trop d'honneur. Évidemment, les frères et sœurs profitèrent de la situation pour torturer leur aînée : tu te croyais la préférée, Marguerite ? Mais c'est fini ! Notre mère ne t'aime plus. Ces choses-là arrivent. Il faudra t'y faire.

Notre guerre intime ne s'apaisa pas vite. Mariama avait en elle, quelque part près du cœur, deux lacs aussi vastes et profonds l'un que l'autre : le lac bleu de la bienveillance, une générosité innée, une ivresse de donner quand elle se sentait en confiance ; et le lac noir de la rancune, où elle pouvait puiser et repuiser sans relâche quand elle estimait avoir été trahie. Il fallut, des mois plus tard, que la mort s'approche pour que les Dyumasi, affrontés à l'ennemi commun, retrouvent leur unité.

Entre-temps, notre éphémère Fédération avec le Sénégal avait vécu. Ceux qui avaient lutté pour l'indépendance voulaient un pays bien à eux. Même s'il fallait, pour cela, couper en deux notre communauté soninkée désormais déchirée par la frontière. Le Mali était né, vive le Mali !, et j'étais devenue sa fille.

Qu'est-ce qu'une femme ?

I

Je suis une femme.

Qu'est-ce qu'une femme ?

Je suis sûre que j'ai touché juste. Vos yeux brillent, Monsieur le Président. Ce chapitre, soudain, les passionne. Et pas la peine de présenter pour eux des excuses, ils ont le droit de briller. Je vous offre une récréation bien méritée au milieu de ce pénible dossier. Comme tous les présidents, vous aimez les femmes, et comme tous les présidents, vos malheureux collègues américains exceptés (ceux-là, comme je les plains, la vigilance des ligues de vertu ne les lâche jamais), du Gabon au Venezuela, de la Chine à l'Allemagne, vous profitez de votre prestige pour n'arrêter pas d'en consommer.

« Qu'est-ce, au fond, qu'une femme ? »

Comme tous les présidents, vous êtes un ogre, vous dévorez vos proies sans leur prêter l'attention suffisante, le rendez-vous suivant vous attend, votre agenda vous persécute, ce n'est pas votre faute, vous manquez de la durée nécessaire. Et pourtant, je le sais, « qu'est-ce qu'une femme ? » est la seule question qui vous intéresse vraiment après « serai-je réélu ? ».

En vous racontant ma vie, je vais vous faire le cadeau de vous répondre. Car une femme africaine est sept fois une femme :

1. Elle descend en droite ligne de la première d'entre elles, Lucy.

2. Le bas de son ventre excisé et infibulé résume

135

toutes les tortures infligées aux femmes depuis le fond des âges par la meute des hommes.

3. De l'aube jusqu'à la nuit, sans cesse elle travaille tandis que son époux assis sous l'arbre palabre.

4. Plus qu'aucune autre au monde, elle enfante. À croire que son utérus est la meilleure demeure pour la semence masculine.

5. Plus qu'aucune autre au monde, elle jalouse. Sans cesser, bien sûr, de sourire hypocritement à ses rivales concubines.

6. Plus qu'aucune autre au monde, son cul, l'âge venant, atteint des records de circonférence. Déesse souveraine de la graisse, ridiculisant pour toujours les régimes perpétuels de vos maigrelettes compagnes.

7. Plus qu'aucun être humain au monde, les catastrophes l'accablent sans jamais, jamais l'abattre.

La sept fois femme Marguerite vous offre ses secrets.

De ce continent qu'est la femme, aussi vaste que profond, aussi divers que mystérieux, vos délicieuses Françaises n'habitent qu'une région, la minuscule partie tempérée. Et encore, elles n'en effleurent que la surface bitumée, leurs petits pieds mignons bien calfeutrés dans des escarpins hors de prix.

Si de cet univers infini vous voulez connaître l'entièreté, de l'Est à l'Ouest et du ciel à l'enfer, suivez une Africaine. Par exemple, Marguerite, épouse Bâ, née Dyumasi.

Elle va maintenant vous entraîner dans son intimité la plus secrète.

Deuxième partie

Un amour ferroviaire

| 8. SITUATION DE FAMILLE : a) (*) | CÉLIBATAIRE | MARIÉ(E) | SÉPARÉ(E) | DIVORCÉE(E) | VEUF(VE) |

b) CONJOINT : NOM
AUTRE(S) NOM(S), PRÉNOM(S)

DATE ET LIEU DE NAISSANCE J M A A NATIONALITÉ(S)

SI VOTRE CONJOINT VOYAGE AVEC VOUS ET EST INSCRIT SUR VOTRE DOCUMENT DE VOYAGE, COCHER LA CASE SUIVANTE

c) ENFANTS : NE REMPLIR LA RUBRIQUE "ENFANTS" QUE SI CEUX-CI VOYAGENT AVEC VOUS ET SONT INSCRITS SUR VOTRE DOCUMENT DE VOYAGE.

NOMS, PRÉNOMS	DATE DE NAISSANCE			LIEU DE NAISSANCE	NATIONALITÉ(S)
	J	M	A		

Janti-Janti ! Hedanam fa.

Récit, récit ! Prête-moi l'oreille.

Ainsi les Peuls invoquent les forces qui gardent le trésor général de tous les récits. C'est dans ce trésor que le conteur puise l'histoire qu'il va dire.

Après usage, il remet le récit dans le trésor. « Mi wattii do wonnoo » (je remets où c'était).

La conquête

Veuve, si vous voulez savoir.

Humblement, africainement veuve.

Je sais que déjà, sous le sourcil broussailleux, votre regard s'allume. Je l'ai cent fois vérifié : l'homme, quelle que soit sa couleur, s'intéresse aux veuves. Il ne peut rencontrer l'une de nous sans qu'aussitôt se réveille en lui un animal profondément enfoui et tout excité de curiosité malsaine. Je vois tout de suite dans l'œil du monsieur amateur de veuves défiler les questions obscènes qu'il n'ose me poser : comment a-t-elle occis son mari, celle-là ? L'a-t-elle épuisé par trop d'avidité amoureuse ? Connaît-elle des gymnastiques à vous faire rendre l'âme ? A-t-elle couché avec son amant dès le soir du meurtre et dans sa chambre même ? Je passe sous silence les habituelles vulgarités financières : a-t-elle capté le magot du mort ? L'a-t-elle fait allégrement fructifier ? Etc.

Veuve, donc. Et Noire.

Ce qui ne simplifie pas le dossier.

Si j'en crois mon expérience, la veuve africaine trouble plus que sa consœur du Nord. Sous le vêtement de deuil, la peau de celle-ci demeure blanche. Le Français, qui aime les frontières précisément dessinées, s'en voit rassuré. Mais vous, les Noires, me demande-t-il, tourneboulé, je ne comprends pas : où commence et où s'arrête votre chagrin ? Naissez-vous avec de la tristesse incarnée ?

De telle sorte que Me Benoît peut entonner ses jérémiades rituelles sur mon incapacité, sans doute ethnique, à faire bref, un éclaircissement s'impose, c'est-à-dire un retour en arrière. Au temps lointain où, n'ayant pas encore épousé celui qui me rendrait veuve, je vivais joyeuse et pourtant atteinte par la pire des maladies ayant jamais frappé une Africaine : le célibat.

Ce matin-là, double bonheur. Mon pays jouissait encore de son indépendance toute neuve. (« Vive le Mali ! » criaient les gens à tout bout de champ. « Taxi ! À la gare ! Et vive le Mali ! » « Donnez-moi donc un kilo d'oranges, vive le Mali ! Et ce tube de dentifrice, vive le Mali ! ») Et moi, quatorze ans depuis peu, je savourais, sans le savoir, mes ultimes instants de paix. Un cataclysme n'allait pas tarder à se produire ; très bientôt, une fièvre ardente envahirait mon corps jusque dans ses plis et recoins les plus intimes, pour ne plus jamais les quitter. Mais comment aurais-je pu prévoir ce terrible et si proche avenir ? Le monde semblait si calme.

En classe, le maître finissait tranquillement sa leçon sur les équations du premier degré : $y = ax + b$. Je ne vous donne pas de devoir. Contentez-vous pour le moment de les apprivoiser dans votre tête.

De l'autre côté de la fenêtre ouverte, des femmes, cassées en deux, piquaient et repiquaient des oignons.

On aurait dit qu'elles leur chuchotaient à l'oreille des secrets inavouables. Plus bas, sur le fleuve, les pirogues habituelles allaient, venaient comme les très longues navettes d'un immense métier à tisser. Invisibles, des bêtes passaient de l'autre côté du mur de l'école. On entendait leur souffle rauque et le heurt des sabots contre les cailloux de la route. De plus en plus souvent, chassés du Nord par la sécheresse, des troupeaux moribonds venaient échouer chez nous.

Soudain, silence. Le piétinement avait cessé. « Monsieur Cissé ! » La voix du directeur appelait notre maître. Il sortit.

– Vous verrez qu'on va hériter une vache, dit quelqu'un.

Rires.

Derrière la porte, les conciliabules duraient. Enfin M. Cissé revint, suivi d'un long et frêle jeune homme peul, plus joli que tout ce que j'avais vu sur terre à ce jour, photo de l'acteur américain James Dean comprise. Un chef-d'œuvre du Créateur (qu'Il soit loué et maudit dans les siècles des siècles !). Teint clair, hautes pommettes, regard doux, si doux, et tout le reste long, si long (les cils, les bras, les doigts, sans compter, selon toute probabilité, les autres trésors cachés par le boubou).

Dehors, le troupeau avait repris sa marche. Il s'éloignait vers le fleuve où ne manqueraient pas d'éclater les batailles habituelles avec l'un ou l'autre de nos paysans, soucieux de défendre leurs cultures, fragiles, si fragiles.

– Je vous présente Balewell, votre nouveau camarade. C'est le fils d'un ami cher de notre directeur. Il nous le confie. Vous connaissez tous les graves difficultés de l'élevage aujourd'hui. Le métier de bouvier n'a plus d'avenir. Balewell est plus âgé que vous. Il n'a pas eu la chance de commencer tôt ses études. Mais nous allons l'aider à prendre un autre départ. Souleymane, fais-lui une place.

Avouons que le chef-d'œuvre de la Création ne m'avait pas, jusqu'à la fin du cours, prêté la moindre attention, malgré la tendresse et l'intelligence de mes sourires. (« Je connais les nomades, j'ai tout compris à ta détresse, accepte mon amitié désintéressée. ») Avouons que, dans la cour, il n'avait pas eu l'air de remarquer ce signal des dieux : ô merci ma haute taille, si souvent et longtemps détestée ! J'étais la seule fille qui pouvait, sans ridicule, marcher à ses côtés.

Ces rebuffades ne m'inquiétaient pas. Au contraire, j'y voyais – ô l'inconscience de la jeunesse, ô la prétention de Marguerite ! –, la preuve irréfutable de sa passion pour moi, immédiate et définitive.

Sur le chemin du retour à Felou, le long du bon vieux Sénégal, je volais au-dessus du sable plus que je ne marchais, saluée par les tisserins, les rolles et les bagadais, dont les chants joyeux se mêlaient à mes sifflotements. Une certitude m'avait prise dans le creux de sa paume et me soulevait dans les airs :

– J'ai trouvé, j'ai trouvé l'homme de ma vie.

La nuit venue, je me tournai et retournai dans mon lit. Mes frères et sœurs m'insultaient : qu'as-tu à tant t'agiter, ma pauvre fille ? Pas la peine de faire semblant d'être possédée. Les démons ont de trop bons yeux pour te choisir !

N'y tenant plus, je me levai et courus voir mon père pour régler certains détails de mon existence future. Une fois de plus, il s'était réfugié près de sa chute d'eau. Comme les femmes qui s'ennuient dans le lit conjugal inventent des maladies à leur bébé pour rester jusqu'au jour à son chevet, soudain il se dressait :

– Que se passe-t-il ? balbutiait ma mère, encore dans le sommeil.

– La turbine n° 4 grince.

ou

– Ça, c'est une courroie qui ripe.

D'un bond, il quittait la couche commune. Et partait retrouver son peuple de machines. Si quelqu'un de la famille osait venir le déranger, il se composait à l'instant un air accablé : tu vois l'heure qu'il est ? Ces Français me tueront, à force de me faire tant travailler. Mais il ne pouvait masquer la joie qui l'habitait. Il devait se croire seul aux manettes du continent Afrique endormi, maître après Dieu de l'électricité, précurseur de la lumière de l'aube, sinon son artisan même.

– Papa !

Il releva la tête de ses cadrans rouges et verts.

– Quelle sorte de nouvelle m'apportes-tu, ma fille ? Les nouvelles sont de trois races : les vraiment bonnes, les vraiment mauvaises et les dangereuses, celles qui paraissent bonnes et pourtant annoncent des drames, aussi sûr que $\sqrt{25} = 5$.

– J'ai trouvé mon mari.

– J'avais deviné.

D'une voix précipitée, je lui décrivis mon promis.

– Qu'est-ce que je te disais ? Pauvre Marguerite !

– Papa, j'ai besoin de toi.

– Ça, je m'en doute !

Pourquoi mon père se donna-t-il tant, corps, âme et le reste, rage et minutie, à l'accomplissement de ma folie ? Peut-être portait-il, au plus profond de lui-même, un regret, un amour impossible ? M'utilisait-il, moi, sa fille, comme soldat de sa revanche ? Jamais je n'osai l'interroger. Jamais je ne me risquai dans ces troubles régions. Il est mort avec son secret. Et c'est bien ainsi. Il ne faut pas trop regarder la nudité de ses parents.

– Marguerite, nous ferons régulièrement le point sur ton affaire. Chaque soir, après le dîner. On dira que je t'aide pour le Brevet. D'accord ? Parfait. Bon. Commençons par le commencement. Et, s'il te plaît, n'imite pas l'ignorance des Blancs. L'Afrique n'est pas ce qu'ils croient : un immense continent sommaire, peuplé de sauvages tous pareils. Nous sommes au moins aussi complexes que l'Inde, Marguerite, morcelés, ligotés, enchevêtrés. Ton chef-d'œuvre est peul. Donc noble. Que tu le veuilles ou non, tu es forgeronne. Donc castée. Un noble ne peut épouser une castée. Et je t'en prie, ne te mets pas à pleurer.

Ce redoutable obstacle, avant-garde de bien d'autres difficultés, nous occupa toute une saison des pluies.

Que faire ?

Deux solutions. Comme tous les ingénieurs, sitôt qu'une complication se présentait, il disposait une

146

feuille devant lui et levait son crayon. Pour ces gens-là, une difficulté dessinée est déjà résolue.

– Voyons la situation en face. Soit tu épouses en premières noces quelqu'un d'autre. Marguerite ! Je te parle ! Ôte les mains de tes oreilles et écoute-moi. Tu romps juste après le mariage. Une divorcée n'est pas tenue de respecter toutes les lois.

– Je n'appartiendrai qu'à lui.

– Soit tu enfreins la règle et te maries quand même. D'abord, ta mère, ô combien traditionniste, n'y survivra pas. Ensuite, il vous faudra toute votre vie affronter le mauvais œil.

– Impossible.

Ainsi, soir après soir, le père et la fille ressassaient les données du casse-tête. Sur la passerelle, au-dessus du torrent des eaux de plus en plus sauvages à mesure qu'enflait la crue, ils allaient et venaient. De loin, la famille nous suivait des yeux. L'angoisse montait chez mes frères et sœurs :

– Dis, Maman, c'est si dur que ça, le Brevet ?

Habilement (lâchement), je mêlais mes larmes aux averses d'août. Sachant que je ne pourrais pas toujours repousser le moment du choix. Le retour du soleil, en novembre, m'obligea au courage.

Mon père suivait toujours avec passion les progrès de mon amour. Il devait l'avoir mis en fiches, en courbes, en équations. Sitôt que j'avais le dos tourné, je suis certaine qu'il se plongeait dans des analyses, des opérations compliquées, des calculs de probabilités.

– N'oublie jamais qu'un amour immobile est un amour mort. Qu'est-ce qui te plaît le plus en lui ? Bien sûr, tu n'es pas obligée de répondre.

– La lenteur, Papa. Quelle est la raison de cette hâte perpétuelle et maladive chez les garçons ? Hâte en tout, la marche, le foot, et l'amour d'après ce qu'on m'a dit. Pourquoi tant de vitesse en eux, mère de toutes violences ? Parce qu'ils ont peur, toujours ? Peur de ne pas demeurer durs assez longtemps ? Mon Peul, lui, prend son temps. Chaque geste est chez lui une cérémonie. Peut-être qu'un jour ma conduite méritera une gifle ? Il me semble que je la verrai arriver de très loin, ma punition justifiée. Millimètre par millimètre, jour après jour, je verrai s'avancer sa main. Et c'est moi, d'impatience, qui approcherai ma joue.

– Je peux te donner mon avis, Marguerite ? Quelqu'un qui aime autant que toi n'a rien à craindre du mauvais œil. Dont jamais personne de crédible n'a d'ailleurs prouvé l'existence.

La suite n'est qu'affaires de femme. Manigances et pose de pièges. Coquetteries et pudeur. Sourires et réserve. Se montrer un peu, se cacher beaucoup. Bref, invasion de l'élu, pas à pas, sans retour. Et, bien sûr, meurtre systématique des rivales. Autour de mon sublime, elles étaient innombrables à roucouler, comme vous l'imaginez. Mais si vulgairement ! Figurez-vous qu'elles guettaient les endroits du sol où il avait uriné. Inspectaient. S'exclamaient. Couraient vers lui et le félicitaient : dis donc, Balewell, avec le trou que

148

tu fais dans le sable, tu ne dois pas manquer de puissance ! Le genre de grosse flatterie qu'apprécie fort, on s'en doute, un poète timide et délicat.

Contre de telles rivales, facile de triompher. Ma famille applaudissait ma victoire future, sans savoir.

— Depuis qu'elle a réussi son examen, on ne reconnaît plus Marguerite. Si enjouée ! Si légère ! Malgré son grand corps, on dirait qu'elle vole.

Je n'oublie pas le renfort inattendu, mais décisif, de l'actrice américaine Marilyn Monroe, pour laquelle ma mère, contre toute attente, nourrissait une sorte d'adoration. L'ingénieur nous faisait cadeau de ses vieux *Paris Match*. (« Votre indépendance ne vous empêche pas d'aimer les nouvelles de France, n'est-ce pas ? »)

C'est ainsi que, mois après mois, Mariama suivait avec passion les triomphes et les échecs de sa déesse. Les gros titres, qu'elle déchiffrait lentement, lettre après lettre, lui donnaient l'impression de savoir lire.

Un jour d'août 1962, elle releva de son journal des yeux pleins de larmes. Une telle indomptable soudain vaincue par le chagrin, je ne pouvais y croire.

— Marilyn est morte.

Elle m'attira contre elle et me parla de la vie de la star blonde comme si c'était la sienne. Le reste de la famille nous regardait pleurer sans comprendre.

— Maman, comment peux-tu expliquer cet échec ?

Elle réfléchit un long moment.

— Je peux me tromper, mais je crois que les divorces, tous ces divorces l'ont détruite. Joe di Maggio, Arthur Miller. Chaque fois, elle y croyait tant. À peine elle cicatrisait, on la déchirait à nouveau.

— Ce qui veut dire qu'il ne faut jamais divorcer ?

– Jamais, sous aucun prétexte.

Sous son regard éberlué, je sautai de joie.

– Maman, je te le jure : je suivrai ton conseil !

– Ultime étape, Marguerite. Il s'agit maintenant d'installer solidement ton amour dans le pays du Réel. Celui où on a assez d'argent pour payer le mil de toute une famille et ses vêtements et le savon et l'essence des mobylettes... Bref, à quel vrai métier se prépare ta merveille du monde ?

– Je ne sais pas.

– Comment ça se passe, à l'école ?

– Il ne s'intéresse qu'à l'essentiel.

– C'est-à-dire ?

– La poésie. La poésie de son ethnie. Tu sais comment les vaches sont arrivées jusqu'à nous ?

– J'avoue l'ignorer.

– Un poème le raconte. Ça s'appelle « Dieu a des richesses, j'ai des vaches ».

– Le titre est prometteur.

Et Marguerite, pâmée, les yeux mi-clos et la voix chuchotante, se mit à réciter :

« Nous avons appris, sur les vaches du Fouta-Djalon, que quatre firent leur apparition chez nous. On les vit aux étangs de Yengué :

« Friande-de-grillons » se dirigea vers Timbo dans l'Entre-deux-fleuves ;

« Soyeuse-à-mufle-blanc » alla vers Kollâdé et Koyin ;

« Fier-Benjamin » resta à Timbi ;

« Sôlé » alla vers Labé.

Ce sont les quatre ancêtres de toutes les vaches. »

– Magnifique !

– Et regarde ce qu'il m'a donné, un grand poème et sa traduction.

Tiwe am billi feleleeji dim taa mele mele.
Tiwe am billi kaabi dim taa mele mele.
Tiwe am billi juumi dim taa mele mele.
Tiwe am naawi dowki dim taa mele mele.
Tiwe am naawi beneeji dim taa mele mele.
Tiwe am naawi gooki dim taa mele mele.
Tiwe am naawi juumi dim taa mele mele.
Tiwe am caaji haarannde dim taa mele mele.
Tiwe am caaji haawiidi dim taa mele mele.
Tiwe am willi kaajooji dim taa mele mele.
Tiwe am willi koodeeji dim taa mele mele.
Tiwe am koode oori dim taa mele mele.
Tiwe am lahi mboodooji dim taa mele mele.
Tiwe am lahi caaji dim taa mele mele.
Tiwe am edi caaji dim taa mele mele.
Tiwe am naa jilli sere dim taa mele mele.
Tiwe am siiwe Soole ngem taa mele mele.
Tiwe am mooyu dim taa mele mele.
Tiwe am jilludi balli dim taa mele mele.
Tiwe am gangalaaji dim taa mele mele.
Tiwe am jamali siteeji dim taa mele mele.
Tiwe am jamali tekkudi dim taa mele mele.
Tiwe am padali nandudi dim taa mele mele.
Tiwe am padali naa nandudi dim taa mele mele.
Tiwe am Fure Humotoonge ngem taa mele mele.
Tiwe am sooyi daalaadi dim taa mele mele.
Tiwe am cerngeli billi dim taa mele mele.
Tiwe am cerngeli jibi dim taa mele mele.
Tiwe am cerngeli daalaali dim taa mele mele.

Tiwe am cerngeli jaanaani dim taa mele mele.
Tiwe am moomori jemma dim taa mele mele.
Tiwe am moomori fen dim taa mele mele.
Tiwe am moomori kemba dim taa mele mele.
Tiwe am moomori fello dim taa mele mele.
Tiwe am moomori ñaaki dim taa mele mele.
Tiwe am moomori lekki dim taa mele mele.
Tiwe am oorooji dim taa mele mele.
Tiwe am ! tiwe am taa mele mele.

Mes vaches roux uni sont d'une beauté pure.
Mes vaches rousses mufle sombre sont d'une beauté
[pure.
Mes vaches roux sombre sont d'une beauté pure.
Mes vaches froment sombre sont d'une beauté pure.
Mes vaches froment clair sont d'une beauté pure.
Mes vaches froment singe sont d'une beauté pure.
Mes vaches froment mignon sont d'une beauté pure.
Mes vaches rassasiées au flanc tacheté sont d'une beauté
[pure.
Mes vaches surprises au flanc tacheté sont d'une beauté
[pure.
Mes vaches myrte sombre sont d'une beauté pure.
Mes vaches étoile pâle sont d'une beauté pure.
Mes vaches étoiles vagabondes sont d'une beauté pure.
Mes vaches merle noir sont d'une beauté pure.
Mes vaches robe noire au flanc tacheté sont d'une beauté
[pure.
Mes vaches robe de buffle au flanc tacheté sont d'une
[beauté pure.
Mes vaches au pelage de moineau sont d'une beauté pure.
Mes vaches cendrées comme Sôlé sont d'une beauté
[pure.
Mes vaches pareilles aux termites sont d'une beauté pure.
Mes vaches au pelage varié sont d'une beauté pure.

Mes vaches aux longues cornes sont d'une beauté pure.
Mes vaches girafes en caravanes sont d'une beauté pure.
Mes vaches girafes nombreuses sont d'une beauté pure.
Mes vaches au pelage tacheté de poils pareils sont d'une
[beauté pure.
Mes vaches au pelage tacheté de poils variés sont d'une
[beauté pure.
Mes vaches au pelage de Fouré-la-Fidèle sont d'une
[beauté pure.
Mes vaches soyeuses au mufle blanc sont d'une beauté
[pure.
Mes vaches aux taches blanches sur fond roux sont d'une
[beauté pure.
Mes vaches aux taches blanches sur fond varié sont d'une
[beauté pure.
Mes vaches au mufle blanc sont d'une beauté pure.
Mes vaches aux taches rares sont d'une beauté pure.
Mes vaches aux taches nuit sont d'une beauté pure.
Mes vaches aux taches très blanches sont d'une beauté
[pure.
Mes vaches aux taches antilope sont d'une beauté pure.
Mes vaches aux taches horizon sont d'une beauté pure.
Mes vaches aux taches abeille sont d'une beauté pure.
Mes vaches aux taches d'arbre sont d'une beauté pure.
Mes vaches qui paissent sont d'une beauté pure.
Mes vaches ! mes vaches sont d'une beauté pure.

– Très beau ! C'est ce que je craignais. Tu as choisi
une merveille de la terre. Laisse-moi quelques jours.
Fais confiance à ton père. Ce dernier obstacle aussi,
nous le franchirons.

– Marguerite, j'ai réfléchi.

1. Ton Peul est nomade, comme tous ceux de son ethnie : inutile, dans ces conditions, de chercher à l'enfermer dans un bureau. Il s'en échapperait ou y dépérirait.

2. Quel métier mobile est compatible avec la stabilité familiale que je souhaite à ma fille ? Avec l'appui fraternel du comité de jumelage Kayes-Montreuil (cellule formation), j'ai envisagé toutes les hypothèses réalistes.

3. Nous ne voyons, eux et moi, qu'un secteur alliant la sécurité d'un statut de fonctionnaire au besoin de voyage : le chemin de fer.

– Mais Papa, les Peuls aiment les troupeaux, pas les trains. Mais Papa, un Peul est libre. Jamais il ne se laissera imposer une idée.

– Ma fille, à toi de jouer. Un mariage se mérite. Quand j'ai avoué à ta mère mon occupation de mécanicien-forgeron, elle a regardé mes mains et craché par terre : jamais, m'a-t-elle dit, jamais je ne laisserai tes grosses mains rouillées et charbonneuses me toucher la peau.

Aujourd'hui encore, je peux réciter par cœur chacun des mots de la stratégie paternelle. Si elle ne m'a apporté que du malheur, j'en suis seule responsable.

L'année dernière, prenant mon courage à deux mains, je l'ai exposée devant nos chers humanitaires, le collectif des quatre-vingt-dix-sept organisations non gouvernementales qui travaillent dans notre zone. Ils m'ont applaudie.

– Marguerite, ton père était dans la vérité. Respect des traditions ethniques et accueil de la modernité, il avait deviné le secret du développement. Quel dommage qu'il soit mort si tôt et de cette manière atroce !

Que la terre soit légère sur sa dépouille calcinée et que ses idées justes engendrent l'Afrique de demain !

Commence alors ma semaine de bataille conclue par une nuit de gloire. Ma modestie m'interdit d'entonner à la première personne la chanson de mon triomphe. Je m'éloigne à petits pas, les yeux rivés sur la pointe de mes doigts de pied nus, dans une attitude dont l'humilité ne peut que réjouir l'immense majorité des hommes, friands de femmes soumises. Je m'efface. Et monte sur la scène mon double, une guerrière subtile et pour finir victorieuse.

Après la discussion fructueuse avec son père, Marguerite dormit d'un sommeil profond et tranquille, privilège des braves à la veille de monter au front. Dès l'aube elle se leva et s'approcha du cailcedrat sous lequel le Peul, ses grands yeux tristes ouverts sur les frondaisons, tentait de trouver quelque repos. Il avait refusé toutes les chambres qu'on lui offrait. « Dans des murs définitifs, j'étouffe. » Il ne dormait que dehors.

– Viens, lui dit Marguerite en lui tendant la main.

C'est l'un des avantages des caractères nomades : quand on vous le demande, on part. Sans demander jamais pour où.

Ils marchèrent vers la route. Les becs-de-corail, à peine réveillés, chantèrent ce nouveau couple. Un pick-up s'arrêta. Dieu qui, ses jours de bonne humeur, ne dédaigne pas la comédie, offrit à Marguerite un spectacle réjouissant.

Une fille, apprêtée comme pour une fête, s'avançait

vers le cailcedrat, bientôt rejointe par une autre tout aussi endimanchée. Elles s'apostrophèrent, en vinrent aux mains jusqu'à découvrir d'abord la couverture vide, puis le petit camion qui s'en allait. Les demoiselles – des cousines – avaient dû comploter toute la nuit avant de se décider à tenter leur dernière chance auprès du beau, si beau visiteur.

– Trop tard, mes chéries ! leur cria la radieuse Marguerite, debout sur la plage arrière.

Elle ne savait pas, en cet instant, que ces gamines humiliées étaient l'avant-garde de la foisonnante armée de rivales qui allait lui ronger l'existence.

La chute d'eau et l'enfance avaient disparu, loin, si loin derrière la colline. Le soleil se levait. Les cahots projetaient l'un sur l'autre nos deux voyageurs en route vers le bonheur.

– Ces secousses me rappellent le matin d'avant ma naissance, dit Marguerite.

Le Peul la regarda sans comprendre. Il frissonna, la jugeant sans doute un peu sorcière, divinité sortie du fleuve pour secourir les blessés de la sécheresse. La gaieté, les gloussements, les petits cris de sa compagne comblaient le vide de son cœur. Il s'abandonnait. Qui peut résister à la volonté d'une femme amoureuse ?

Devant la gare, Marguerite tapa fort sur la tôle de la cabine, juste au-dessus du crâne du conducteur. Lequel, intelligent, s'arrêta net. Les deux descendirent, remercièrent.

Je joue ma vie, se dit Marguerite.

Le sang lui battait aux tympans comme un tambour de cérémonie. Elle entraîna son amour vers les quais encombrés de silhouettes allongées à même le ciment, choisit le seul banc (déglingué) juste au-dessous de la pancarte (écaillée) « Kayes ». Ils s'assirent. Et l'attente commença, seulement rythmée par les variations de la chaleur. L'horloge avait rendu l'âme depuis longtemps. La petite aiguille n'arrêtait pas de marquer deux heures. Qui, et pour quel usage, avait volé la grande ? Et par quel miracle continuait de vivre le cadran d'à côté, le thermomètre ? Sans doute la fierté : passé midi, il n'annonçait que des records, 50 °C, 51 °C. De temps à autre, un dormeur se réveillait, jetait un coup d'œil d'un côté (vers Dakar) puis de l'autre (vers Bamako), soupirait, et se rendormait. Des colporteurs passaient et repassaient, proposant toutes les inutilités du monde : ardoises magiques, chewing-gums à l'ananas, montures de lunettes certifiées Ray-Ban. Marguerite, qui n'avait pas le moindre argent, les toisait avec mépris, comme si sa nature de reine lui interdisait de prêter attention à ces pacotilles si évidemment indignes d'elle. Des poules, sur le ballast, picoraient sans fin des sacs plastique vides. Par le volet ouvert du bureau central, on entendait sonner le téléphone et puis une conversation, toujours la même.

– Combien tu dis ? Six heures ? Je n'entends pas.

Alors un homme à casquette sortait, un chiffon et une craie à la main. Il s'approchait d'un grand tableau noir intitulé « Retard annoncé ». Il effaçait « 4 », il inscrivait « 6 » et revenait téléphoner.

Près des toilettes, insensibles à leur odeur pestilentielle, se tenaient les retraités du Rail, ceux qu'on appelait les bouts de bois de Dieu. Chacun avait sa chaise, un squelette de chaise avec son prénom gribouillé sur le dossier. À voix basse ils évoquaient l'ancien temps, encore et encore. Aurait-on pu mieux réussir la grande grève de 1947 ? Les avis différaient. Le ton montait, s'essoufflait vite. Les vieilles colères ne duraient pas.

De l'autre côté de la voie, un trio de mécanos réparaient, à leur rythme, une vieille locomotive, une grosse bête noire tout à fait séduisante, même si, hélas, les cornes lui manquaient. Trapus, rigolards et luisants de graisse, ils plongeaient dans son ventre, en resurgissaient hilares, brandissant quelque engrenage ou un écrou géant. Épuisés par cet effort, ils s'asseyaient de part et d'autre de la grosse cloche en cuivre et reprenaient leur discussion sur la meilleure manière de marquer des buts sur corner.

Des vautours tournaient lentement dans l'air, alléchés par ce futur gros cadavre. Parfois, un chef sortait une tête :

– Ça avance ?

– Ça avance presque, chef. Elle a toussé. Le démarrage est pour demain, garanti juré !

En cette locomotive, Marguerite avait placé tous ses espoirs. Elle ne cessait de la fixer, croyant que cette fascination entraînerait, par contagion, celle du Peul. Mais le Peul ne regardait rien. Il se contentait d'attendre. Il attendait comme tous ceux, dormeurs ou non, qui hantaient cette gare sans train. Marguerite avait deviné, malgré son jeune âge, que toute gare est capitale du royaume de l'attente. Et qu'à ce jeu-là, attendre, un Peul était depuis des millénaires passé maître. Elle, l'impatience incarnée, se rongeait les sangs. Combien d'années vais-je demeurer ainsi, près de mon amour immobile, sur ce banc déglingué ? Jusqu'à ma vieillesse, peut-être, quand plus personne et sûrement pas un Peul, merveille du monde, ne voudra de ma peau craquelée et desséchée.

Bien sûr, elle aurait pu forcer le destin. Arracher son compagnon à sa léthargie et le traîner devant un responsable : mon mari a la vocation ferroviaire. Engagez-le ! Balewell se laisserait faire, gentil comme il était, et docile, tellement docile. Et puis, un beau jour, il rejetterait tout, l'idée et la femme qui l'avait fomentée.

Alors elle continua d'attendre.

Ils venaient chaque jour, malgré les moqueries :

— Encore vous, les amoureux, on s'entraîne au départ ?

— On n'ose pas prendre son billet ?

Les mécaniciens, là-bas, les infirmiers de la loco malade, brandissaient des burettes.

— Dis-moi, mon grand, tu veux qu'on t'aide à huiler ta femme ?

Jouez koras, rythmez balafons, chantez griots la gloire de Marguerite, saluez palmiers rôniers et courbez-vous jusqu'à balayer respectueusement le sable devant ses pas, le jour finit par se lever qu'elle espérait depuis si longtemps !

Pensez une seconde au martyre subi par Dieu : de la terre montent sans cesse vers Lui des millions de rêves de femmes. Il sait, parce qu'Il sait tout, que ces femmes sont des irréductibles que rien jamais ne leur fera abandonner leurs rêves. Subséquemment, Il les aura sur le dos chaque matin, *ad vitam aeternam*. Pour relâcher la pression, Il choisit quelques rêveries, au hasard, et les exauce : maintenant, laisse-moi tranquille. Ainsi agit-Il avec Marguerite. Ce matin béni-là, quand ils arrivèrent à la gare, une mince fumée sortait de la loco malade.

Le monstre vibra, trembla, hoqueta, finalement s'ébranla et vint se ranger le long du quai.

– Vous avez mis le temps ! dit le chef.

– Ces bêtes-là n'ont pas les mêmes virus que nous.

Pour fêter la résurrection, le Peul fut convié à bord.

– Désolé, ma petite dame, la conduite d'une loco est une affaire d'hommes.

Alléluia, malgré l'humiliation, alléluia, chantait Marguerite, les yeux tournés vers le panache bleuté qui se perdait à l'horizon.

Lorsque, méconnaissable, sa peau si claire, orgueil de sa race, devenue plus noire que celle d'un vulgaire Zaïrois, Balewell, l'œil illuminé, redescendit du monstre, la vocation ferroviaire si intelligemment suggérée par Ousmane, si obstinément mise en œuvre par Marguerite, était entrée en lui.

Il s'approcha du chef de gare :

– Faut-il savoir l'algèbre pour la conduire, elle ?

– Non, lui fut-il répondu. Les locomotives ont leur langage à elles, qui n'est pas difficile. Il nous manque un agent. Tu n'as qu'à te présenter demain.

La nuit même, tout orgueil en dedans, et toute humilité, toute modestie féminines au-dehors, Marguerite entendit le Peul lui expliquer doctement les raisons qui le poussaient à choisir une existence différente :

– J'ai bien réfléchi : les trains sont de nouveaux troupeaux. Et le chauffeur les mène. Et la ligne Dakar-Bamako, via Kayes, est le parcours de la transhumance. Sans trahir les fonctions millénaires de mon peuple, je me ferai donc cheminot.

Il s'arrêta, parut remiser au fond de lui-même la forte analyse qu'il venait de livrer et qui, sans doute, lui avait coûté beaucoup en dialogues et déchirements intimes. Puis il regarda Marguerite avec une gravité bouleversante qui lentement, lentement, peu à peu, se changea en sourire :

– Veux-tu pour mari d'un bouvier ferroviaire ?

On peut faire confiance à Marguerite. Sous la clarté moqueuse et tremblotante de la lune, elle joua à la perfection le rôle de la femme qui s'étonne, s'effare, s'ébahit devant l'intelligence (infinie) et l'imagination (sans pareille) de son homme. Quelle surprise, répétait-elle, quel coup de tonnerre ! Mais le son de sa propre voix lui semblait effrayant de fausseté. Elle redouta que sa ruse ne fût éventée. Alors elle cessa sa mauvaise comédie et abandonna tout effort ; se laissa envahir par la satisfaction et, pour qu'un bonheur n'arrive jamais seul, de retour sous le cailcedrat elle se laissa caresser, mais sans ouvrir les jambes.

Se rapprochait le jour du mariage avec le plus bel homme du monde. De la pointe de l'aube (mon Dieu, quelle est cette lumière penchée sur moi ? Vous croyez que mon Balewell s'est levé si tôt pour me regarder ?) au cœur de la nuit (au fond, pourquoi dormir ? Mon Dieu, je n'accepte de fermer les paupières qu'à une condition : Vous ne m'envoyez que des rêves de lui), la vie tout entière n'était déjà que bonheur, et pourtant glissait vers encore plus de bonheur. Marguerite se rappelait ses cours de calcul sur l'inégalité. Se pouvait-il que le bonheur surpassât le bonheur ? Ou peut-être que l'arithmétique ne comprenait rien à ces domaines-là.

— J'ai à te parler.

Mariama, l'avant-veille de la date magique, prit sa fille par la main et toutes deux s'en allèrent marcher le long du Sénégal. Ces cérémonies de la promenade mère-fille étaient rares et annonçaient toujours quelque chose de grave : nouvelle importante (bonne ou mauvaise), réprimande sérieuse ou confidences déguisées sous les conseils (si j'étais toi, je travaillerais mieux à l'école. Tu ne peux pas savoir ma tristesse de savoir si mal lire et écrire : je ne vois partout que des portes closes, des îles inaccessibles...).

— Marguerite, dans ta personne, dis-moi, quelle qualité va préférer Balewell ?

— Va préférer ? Dans le futur ? Je ne sais pas. Ma fidélité, peut-être, ma gaieté, ma générosité...

— Oh, la naïve ! Rien de tout cela. Il va vouloir ton eau. D'abord ton eau. Une femme doit être une source intarissable. Est-ce que ton vagin coule normalement ?

Marguerite regarda sa mère, éberluée : de quel droit s'avançait-elle ainsi dans les secrets de son ventre ?

— Je t'ai posé une question. Tu préfères la poésie ? Parfait. Quand ton Balewell te serre dans ses bras, est-ce que tu te sens envahie de rosée ? Oui ? Parfait. Il ne faut pas en rester là. Les hommes nous veulent de vraies fontaines, Marguerite. Que nous l'apprécions ou non, c'est ainsi. Il faut l'accepter. Alors tu vas me faire le plaisir de bien recevoir la conseillère nuptiale que j'ai choisie pour toi, Malika Koro ; dans la région, c'est la plus savante sur les intimités du mariage.

Ma conseillère était minuscule, sans doute pour mieux s'immiscer dans les mystères. Une vieille dame modeste, effacée, on ne l'aurait pas remarquée dans la rue, sinon pour la soutenir tant sa démarche était hésitante. Les ultimes forces qui lui restaient s'étaient réfugiées dans sa voix. Un ton net d'infirmière. Des phrases précises, aiguës, qui tranchaient l'air.

– Ma petite, mettons-nous vite d'accord. J'ai cinq mariages cette semaine. Donc, tu m'obéis sans discuter. Comment sont tes sécrétions ? Abondantes, n'est-ce pas, comme celles de toutes les jeunes filles ? Mais plutôt épaisses, je me trompe ? Manquant de fluidité. Et surtout sans aucun parfum. Je vous connais, les gamines. Fières de vos seins, de vos cuisses. Mais comment voulez-vous plaire sans un liquide de qualité ? Nous allons améliorer ça. Mets de l'eau à chauffer. Noue ensemble, avec un fil de coton, les branches de vétiver que voici. Jette-les dans l'eau bouillante. Répète après moi. Je t'ai préparé la formule. Les mots vont ouvrir les portes par lesquelles tu t'écouleras. Allez, répète :

« Au nom de Dieu,
Qui contient l'eau de l'Est,
Qui contient l'eau de l'Ouest,

Qui contient l'eau du grand fleuve Sénégal,

Qui contient l'eau du petit fleuve Falémé,

Que mon homme Balewell y puise,

Sans jamais l'épuiser,

Que sur lui je me répande,

Comme la chute de Felou. »

– Je ne t'entends pas. Plus fort, petite, et distinctement ! Tu as honte, on dirait.

« J'en appelle à Allah,

J'en appelle à son prophète. »

– L'eau a refroidi ? Alors bois. Urine et bois encore.

Pour réprimer son impatience, Marguerite avait
trouvé la méthode : garder les yeux fermés. Ainsi se
projetait en permanence sous ses paupières la scène
tant attendue, tant redoutée, toujours la même, le début
du monde : son mari, nu, s'avance vers elle, nue.

– Récite, avale, détends-toi, ouvre tes jambes, courbe
la tête, donne-moi ton dos, expire, renifle, maintenant
ton pied droit...

Pourquoi le mariage n'était-il pas plus simple ?
Pourquoi s'occuper tant du corps de la mariée ? Était-
il si dégoûtant qu'il lui faille toutes ces préparations ?
Tant bien que mal, Marguerite faisait taire en elle ces
questions douloureuses et s'abandonnait aux ordres de
la conseillère. C'est en étrangère, en somnambule
qu'elle participa aux cérémonies de sa propre noce.
Une autre avait pris sa place et suivit pas à pas, mot
à mot, le vieux rituel.

Marguerite ne revint à elle que devant une porte, La
porte. Derrière, l'attendaient la vie et ses mystères. Elle
se mit à trembler. Faillit frapper la conseillère quand
elle lui tendit un bocal.

– Laisse-moi tranquille.

– Prends.

Elle saisit deux boulettes, les porta à la bouche.

– Imbécile, dit la conseillère en montrant son ventre.

Tels furent, si je dois vous avouer en rougissant les détails les plus personnels de mon intimité, ce que l'on appelle entre nous les *musow ka gundow*, les secrets des femmes, pour employer une langue voisine de la mienne, le bambara, tels furent mes derniers gestes de jeune fille : pour aider à ma lubrification, je m'enfonce discrètement dans le vagin des *maya dyabn*, « agréments de la condition humaine ». Plus tard, j'en apprendrai la composition : dattes dénoyautées, graines de courge et beurre de vache.

De notre amour, j'ai oublié un personnage pourtant présent dans la chambre, dès le début, et toujours au cœur du tendre combat : le pendilu, mon pagne de coton brodé d'une déclaration à Balewell que je ne vous révélerai jamais. Cinq fois je dus en changer tant nos escarmouches en éprouvaient le tissu. Au matin, profitant sans doute de mon sommeil abyssal de femme épuisée, quelqu'un les avait subtilisés. Je les retrouvai tous les cinq, bien alignés sur une corde à linge, sales et frénétiquement tachés, tels que nous les avions laissés, taches et saletés commentées, à ma honte immense, par la moitié du village. Bientôt rejointe par l'autre moitié et l'escouade de griots.

– Cinq pendilus, le chiffre est déjà glorieux pour deux qui débutent. Mais leur chemin ne fait que commencer. Ils ont en eux tous les talents pour progresser. Bientôt la nuit résonnera d'une multitude inégalée de cris joyeux ! Et les oiseaux chanteront leur admiration devant vos douze pendilus lentement balancés par la brise. Douze, salut à toi, limite de la performance humaine ! Douze, l'amour absolu atteint lorsque le nombre quatre de la femme est multiplié par le nombre trois, celui de l'homme !

Saoulée par les rires et les applaudissements, j'entends soudain à mon oreille la voix furieuse de ma mère.

– Marguerite, tu n'as pas remercié ta conseillère ! Je ne t'ai pas élevée dans cette impolitesse. Tout le monde admire l'abondance et le parfum de tes sécrétions. À qui les dois-tu, d'après toi ?

Et c'est ainsi, sur une colère maternelle, que, pour toujours, je quittai l'enfance.

Ce qui précède me permet de vous fournir, en toute honnêteté et fierté, les renseignements exacts suivants.

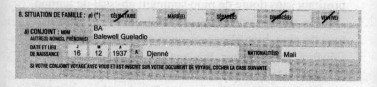

8. SITUATION DE FAMILLE : *a)* (*) CÉLIBATAIRE   MARIÉ(E)   SÉPARÉ(E)   DIVORCÉ(E)   VEUF(VE)

b) CONJOINT : NOM BA
AUTRE(S) NOM(S), PRÉNOM(S) Balewell Gueladio

DATE ET LIEU DE NAISSANCE J 16 M 12 1937 A Djenné   NATIONALITÉ(S) Mali

SI VOTRE CONJOINT VOYAGE AVEC VOUS ET EST INSCRIT SUR VOTRE DOCUMENT DE VOYAGE, COCHER LA CASE SUIVANTE

Pourquoi, vous demandez-vous, gardant en mémoire mes premières déclarations, pourquoi une veuve ose-t-elle se proclamer mariée ? N'a-t-elle pas compris, cette Africaine, la différence essentielle entre vie et trépas ? Où en est donc son travail de deuil ?

166

Patience, Monsieur le Président. Laissez au petit fleuve de mon histoire le temps de dérouler ses méandres. Dieu vient juste de m'octroyer un superbe époux. Permettez-moi de profiter quelques instants de ce bonheur vertigineux. Avant que sonne l'heure sombre des désillusions, celles qui me conduiront à cocher aussi les autres cases. La condition de femme officiellement mariée n'empêche ni la réalité de la séparation, ni le rêve de divorce. Et l'heure plus noire encore de l'accident, qui me laissera presque seule sur terre. Mais ceci est une autre histoire.

Volontaire et fertile

Votre administration me prie maintenant de bien vouloir indiquer le nombre d'enfants qui m'accompagneront. Curiosité et préoccupation ô combien légitimes ! Chacun sait les dégâts irréparables que peuvent en un rien de temps causer des gamins mal élevés ou simplement remuants dans un endroit fragile. Et quel endroit plus fragile que votre si vieux et riche pays de France, votre si belle capitale avec tous ses musées, le Louvre et ses peintures qui craignent plus que tout des taches de doigts pleins de confiture, la Bibliothèque nationale et ses manuscrits enluminés qu'il serait si tentant de continuer à colorier, et je ne parle pas des porcelaines de Sèvres où la plus petite partie de foot improvisée – vous savez comme ils sont ! – risquerait d'entraîner des drames.

Installez-vous confortablement dans votre fauteuil, Monsieur le Président, commandez au maître d'hôtel votre boisson favorite, coupez vos téléphones et accordez-moi une heure. Vous êtes père et grand-père. Et vous aimez les femmes. Alors vous ne pourrez qu'apprécier ce voyage au cœur d'un pays où s'entrelacent, comme dans la plus enchevêtrée des mangroves, jusqu'à ne plus y voir la couleur du jour, tendresse et violence, accomplissement et renonciation : une mère.

Après deux années de vie commune, mon Peul merveille du monde, un matin, me releva le pagne et me scruta le ventre au sud du nombril : rien, dit-il, je ne vois rien venir. Et sur ma peau il posa son oreille : rien, dit-il, je n'entends rien. Femme, tu es vide.

Que pouvais-je faire d'autre que confirmer ?

Le marabout arriva vers le soir, le premier de tous ceux que j'ai mystifiés. Il mangea d'appétit ma spécialité (la carpe braisée), il empocha l'argent, sourit : « Je vois ce que c'est, une membrane qui obstrue le chemin de la semence. » Il rota deux fois, remercia Dieu et délivra son ordonnance : « Tu trempes de la laine ordinaire dans de l'huile d'arachide et tu la mêles à des morceaux d'ail pilé. Du bout de l'index droit, tu te rentres la boule au plus profond qu'il te sera possible. Demain, tu sentiras l'odeur. Preuve que la membrane a laissé le passage. »

Je suivis à la lettre ces indications simples et d'ailleurs agréables. Dès l'aube, le nez de mon mari s'introduisit dans la région traitée.

– Hélas, soupira-t-il.

Il avait le nez plus court que le mien. Je lui demandai de guetter encore.

– Hélas.

Sa peine me chavirait le cœur. Pour lui faire plaisir, je recommençai toute la semaine l'opération aillée, sans plus de succès. Le dimanche suivant, il fallut se rendre à l'évidence : la senteur tant espérée se perdait à jamais dans les dédales de ma grotte. Où devait disparaître corps et biens, avant même de pouvoir s'exprimer, la liqueur de mon mari.

Alors les marabouts arrivèrent de partout, envoyés par tous les membres de la famille qui voulaient me guérir. Des marabouts affamés comme des criquets, inventifs comme des escrocs. En bonne épouse apparente, je me soumis aux plus fous de leurs caprices. Je me suis purgée, consciencieusement étripée, avant d'absorber dans une bouillie une pincée de gamji (*ficus platyphylla*). Échec. Et mille francs CFA perdus. Mon mari a mâché de l'écorce de kalakari (*Hymenocardia acida*), des bois de gouelé (*Prosopis Africana*) et un nerf de bouc séché. J'ai ouvert la bouche, reçu sa cuisine. Plus tard, ensemble, nous avons récité : « *Faliké wola-wola ma kobi dén-na nékanakoli dén-na.* » Échec. Et trois mille francs CFA envolés.

Dans la nuit d'un lundi à mardi, je me suis lavée six fois avec une décoction de gnagnaka (*Combretum*) et de sitomonakala (*Smilax kraussania*). Au matin, j'ai transporté les feuilles utilisées à la croisée des chemins de Tambacara et de Yélimané. Je me suis dévêtue sous le regard d'une chèvre et suis revenue enroulée dans un pagne blanc. Échec. Et trois mois d'économies dévorés.

Etc. Etc.

Trop longue serait la liste de nos tentatives malheureuses. Et le voisinage, de plus en plus compatissant en surface, nous félicitait de notre obstination : bientôt, Dieu aura pitié de vous ! Mais derrière mon dos, on m'accablait : le ventre de Marguerite ne donnera jamais rien. Que fait Balewell à tant attendre, au lieu de trouver un autre champ à ensemencer ?

Lui n'écoutait pas. D'ailleurs, il n'était pas là, il me prouvait son amour en collectionnant les allers-retours Dakar-Bamako-Koulikouro-Bamako-Dakar. Sans cette montagne d'heures supplémentaires, comment aurait-il pu payer les marabouts ? J'ai déjà pris une deuxième épouse, disait-il à sa famille de plus en plus récriminante : elle a la peau noire, de la chaleur dans le ventre et un museau fumant, elle s'appelle locomotive.

Pauvres marabouts ! Dans les mares soudain désertées par les aigrettes, dans les baobabs incendiés par la foudre, dans les cadavres de chacals inexplicablement préservés des mouches et des vers, dans les fientes de chauves-souris, ils cherchaient partout les esprits néfastes qui narguaient leurs pouvoirs et ruinaient leurs stratégies fécondantes, à l'efficacité pourtant reconnue depuis la nuit des temps.

– Nous n'y comprenons rien, Balewell. Ta femme abrite des sorcelleries qui nous dépassent.

Comment auraient-ils pu imaginer que l'ennemi était de sexe féminin et qu'il leur avait été envoyé par une université, d'eux totalement inconnue, Louvain (Belgique), double doctorat en médecine obstétrique et psychodéveloppement ?

Mlle Klauwaerts venait de prendre ses hautes et mystérieuses fonctions : représentante plénipotentiaire du PSAFA, Programme Spécial d'Appui à la Femme Africaine, comme l'annonçait fièrement le journal de Kayes. Qui précisait que son action avait été décidée à New York par un vote unanime de la XIVe session de l'Assemblée générale des Nations unies. Sa première visite fut pour nous, lycéennes et lycéens de Kayes. Forêt de banderoles, hymne solennel, accompagné de danses (quinze jours de répétitions quotidiennes).

« Soyez la bienvenue,

Grande dame de l'ONU !

Vive son amitié,

Qui est notre fierté ! »

Petite chanson prolongée par l'hommage plus personnel d'un griot édenté :

« Ô toi, la fille du noble pays de Belgique, phare bienveillant de l'humanité, toi la peau blanche qui ne rougis pas au soleil, c'est qu'il a peur de ta flamme, méfiez-vous, les candidats à l'amour, cette femme est un astre ! »

Malgré la chaleur, notre chère chaleur malienne qui lui ouvrait la bouche comme celle d'un poisson tiré hors de l'eau, la blonde plénipotentiaire parvint à prononcer trois mots de remerciements avant de se précipiter à l'ombre. Après trois verres d'eau fraîche, elle reprit assez de forces pour continuer le programme des réjouissances et parcourir (à la hâte) notre établissement modèle.

C'est alors que je lui fus présentée.

– Marguerite, quoique récemment mariée, est notre meilleur élément.

– Pourrais-je lui parler ? En tête à tête ?

Accordé, vous pensez bien, entretien aussitôt organisé. Déjà le proviseur imaginait une bourse, des études tous frais payés en Europe. Et la gloire générale qui s'ensuivrait : Mme Bâ, Marguerite, notre ancienne élève, première Africaine fille de forgeron à rejoindre l'élite du monde... Récompenses assurées pour ses enseignants, peut-être un poste ministériel.

– Je vous laisse mon bureau. Prenez tout votre temps.

Et c'est là, dans cette vaste pièce encombrée de livres et climatisée (peut-être La Fontaine et Roger Martin du Gard fondaient-ils au-delà de 45 °C ?), haut lieu du pouvoir scolaire, que je fus initiée à la modernité.

– Montre-moi ton ventre.

Les yeux bleus de l'ONU me détaillaient avec une fixité troublante. Un instant, j'hésitai. Mais comment refuser quelque chose à un personnage aussi considérable ? Je relevai mon pagne.

– Qu'il est beau ! Qu'il est beau d'être si plat !

Les yeux bleus s'étaient prolongés d'une main qui me caressait. Dans la cour, une cloche sonna : fin de la récréation. Mlle Klauwaerts sursauta.

– Bien. Rhabille-toi. Tu es grande, maintenant. Alors écoute-moi : la contraception est la mère de l'Afrique moderne...

Je l'écoutais, sans trop comprendre : il y avait là une contradiction. Comment la contraception pouvait-elle engendrer quelque chose ?

– Ton ventre est le champ de bataille...

– Il y a la guerre ?

– Tu n'as pas remarqué ? L'avenir de l'Afrique peine à vaincre les forces obscures du passé.

– Et ça se passe dans mon ventre ?

– Dans le ventre de chaque Africaine.

– Mais je suis mariée, madame. Mon ventre ne m'appartient plus.

Elle sortit de son sac une plaquette de plastique incrustée de bonbons roses.

– Un par jour. Sans le dire à personne.

– Tu veux tuer mes enfants ?

– Allons, allons, est-ce que l'ONU a déjà tué quelqu'un ? Tu les auras plus tard, tes bambins, et s'il te plaît, en petit nombre. Vous, les jeunes Noires, n'avez aucune intelligence. À peine rencontrez-vous un homme que vous oubliez votre tête et devenez utérus, frénétique usine à fabriquer des bébés. Je te propose un contrat : tu prends ces pilules et moi, je finance tes études. J'ai besoin d'un modèle, tu comprends ? Une femme dont la réussite fasse rêver. Veux-tu incarner ce rêve, Marguerite ?

Sans Marie Curie, je crois que je me serais enfuie, abandonnant la plénipotentiaire à ses stratégies belgo-contraceptives. Mais ma sainte patronne (également héroïne favorite de mon père, je vous le rappelle) ne l'entendait pas de cette oreille. « C'est la chance de ta vie, Marguerite, tu n'as pas le droit de refuser ! » Sa voix sèche à l'accent polonais me martelait le crâne. « Crois-tu qu'absorbée par neuf ou dix lardons, j'aurais découvert les secrets du monde ? » Pour que cesse ce vacarme, je tendis en tremblant la main à Mlle Klauwaerts. J'avais l'impression de pactiser avec le diable. Lequel m'embrassa tendrement. Sous le regard ravi du proviseur entre-temps revenu.

– Que Dieu et l'ONU soient remerciés ensemble d'avoir élu mon établissement pour y dispenser leurs faveurs ! Marguerite, à toi de ne pas les décevoir.

Je rentrai chez moi le dos courbé sous tant de responsabilités et le ventre inquiet : comment les bonbons roses allaient-ils s'y prendre pour étrangler mes bébés dès leur apparition ?

Suivirent (d'abord à Kayes puis à Bamako) quatre années de mensonges.

Mensonges aux marabouts :

– S'il vous plaît, délivrez-moi de cette malédiction de stérilité. Je suis prête à toutes vos expérimentations.

Chaque matin, un mois durant, avaler une bouillie claire faite à base de lait frais d'une jument (échec). Le mois d'après, passer à une autre mixture : vous broyez une case de mouche maçonne, y ajoutez un morceau du nid de l'oiseau kankakaa ; vous saupoudrez avec le gui haché du tamarinier. Bien mastiquer (violentes nausées, comédie d'espoir et, pour finir, échec). Vous tentez autre chose. Trois semaines durant, vous portez un placenta de truie en guise de ceinture (échec).

Un dernier marabout s'était présenté. À la différence de tous les autres, il faisait profession de modestie :

– Je ne vais pas te guérir, madame Bâ, mais, si Dieu le veut, te redonner l'espérance. Creuse un trou. Enfonces-y un vase. Remplis-le d'eau. Ajoute un placenta humain carbonisé et broyé. Toi et ton époux, plongez votre regard au fond de l'eau : un bébé couché sur un pagne vous apparaîtra, la vision de ce qu'Allah vous prépare.

Ainsi fut fait.

Tant d'espoir dansait dans les yeux de Balewell quand il se releva, que je faillis, cette fois-là, abandonner ma guerre.

Le malheureux ! Lui aussi, mon si beau mari, recevait son lot quotidien de menteries :

– Ne t'inquiète pas, Balewell, ton salaire suffit pour nous faire vivre et payer mes études. Les Soninkés savent économiser et je me satisfais de livres usagés.

En réalité, chaque trimestre, la plénipotentiaire me remettait dans une enveloppe les plaquettes de bonbons meurtriers et la liasse de francs CFA : tiens bon, Marguerite, l'Afrique est entre tes mains. Cinq de tes collègues ont cédé. Vous n'êtes plus que trois. Tu as passé ton bac, c'est bien, mais la route est encore longue. Je ne te permettrai un enfant qu'après la licence.

Quatre années passèrent.

Quatre années d'un étrange cocktail qui pourrait me valoir des circonstances atténuantes : 10 % tristesse (quelle maison se satisfait du vide ? Quelle maison ne regrette le double remugle de lait chaud et de vomi, le vacarme des disputes, le désordre des peluches dispersées partout), 10 % humiliation (qu'est-ce qu'un mâle incapable d'engrosser sa femelle ? Qu'est-ce qu'une femme au jardin trop sec pour qu'y germe la graine de son homme ?) et 80 % sexe.

Devant sa famille, devant ses amis, Balewell avait adopté la mine et l'allure de celui qui cache, sous un viril courage, une détresse insondable : pâles sourires vite ravalés, gestes fatalistes de la main (acceptons la volonté de Dieu), échine ployée sous le poids de la douleur, démarche plus lente encore que de coutume... J'observais ce théâtre. Car, sitôt revenu chez lui, avant même de se laver des poussières de son train, mon cher mari, soi-disant désespéré, abandonnait la réserve hautaine propre à son peuple : je m'étais déjà jetée sur lui. Et la mêlée joyeuse, la danse aux mille arabesques, la célébration générale continuait, entrecoupée seulement des collations et ablutions strictement nécessaires, jusqu'à la seconde ultime de son départ.

– Mais, Marguerite, que me fais-tu là de nouveau ?

– Tu n'aimes pas ?

(La bibliothèque de l'université recelait des trésors. Rien n'interdisait à une étudiante en droit de s'égarer vers des rayonnages discrets où l'attendaient, un rien moqueurs mais serviables, des manuels de la vie à deux et quelques romans précieux pour une jeune femme ignorante.)

– Ce n'est pas la question ! En me caressant ainsi, et surtout en me proposant ça, tu vas contre la nature !

– La nature n'en saura rien puisque, pour l'instant, je suis stérile !

Et quand, épuisés par nos figures, nous retombions sur le lit (sur le sol, sur la table de la cuisine, debout, mon dos contre l'armoire en bois de thuya, sur l'un ou l'autre des poufs marocains, sur le drôle de buffet français, entre les photos de famille...), une idée nous venait, médicalement idiote (je l'ai appris depuis) mais qui, à cette période, réconfortait Balewell :

– Ouf, quelle gymnastique ! Heureusement que mes entrailles ne peuvent rien créer. Tu imagines un enfant conçu dans cette position ? Forcément mal formé, les jambes au-dessus de la tête, un vrai Picasso !

Il se taisait, réfléchissait, se tournait vers moi et me souriait :

– Tu as raison, Marguerite. Dieu, dans Sa miséricorde, a voulu compenser par l'infini plaisir que nous nous donnons l'un à l'autre le malheur qui nous accable.

Cette alternance d'études d'autant plus acharnées que solitaires et de retrouvailles débridées finit par lasser Dieu. Ma fierté d'aligner des bonnes notes (17 en droit civil, 16 en administratif) devait Lui sembler le comble de la banalité. Il attendait sûrement d'une Africaine une trajectoire plus originale. Alors, pour Se désennuyer, Il nous envoya un drame qui changea nos vies en réveillant mon ventre.

Quelle était cette odeur fade, insistante, oppressante et assez impudente pour oser s'insinuer parmi les parfums de sexe qui comblaient mes narines (après m'avoir, depuis le matin, par trois fois satisfaite, Balewell dormait de la manière qu'il préférait : allongé sur moi) ? Un courant d'air humide et frais, semblable à ces bouffées moisies qui montent des caves quand on ouvre leurs portes. Elles vous caressent le visage avec de longs doigts mous qu'on dirait ceux de fantômes. L'odeur ne cessait pas, un appel au secours : vas-tu te réveiller, Marguerite ? Oh, et puis à quoi bon ? Il est déjà trop tard.

Lentement, je me libérai du poids de mon mari tant aimé et me redressai. Dans la nuit, les lettres lumineuses du réveil marquaient quatre heures. Une angoisse inexprimable me serrait le cœur. Et battaient la chamade les ailes de mon fameux nez, le personnage qui, avant même le début de ma vie, m'avait fait prendre pour un garçon, et qui, depuis, s'était tenu tranquille, peut-être par délicatesse, soucieux de laisser au reste de mon corps le temps de se développer.

Dans cette nuit du 14 avril 1966, le téléphone sonna. Mes trois gestes simples qui suivirent – soulever l'appareil, le coller à mon oreille, le tendre à Balewell mon endormi –, pourquoi restent-ils à jamais gravés en moi, comme éclairés par une lumière lunaire ? Sans doute parce qu'ils furent les derniers avant le grand rideau noir. J'imagine que les exilés gardent ainsi pour toujours en mémoire les ultimes visions du continent qu'ils abandonnent.

Balewell avait raccroché et se taisait. J'avais beau lui demander et redemander la raison de cet appel, il se taisait. Et l'odeur avait resurgi, violente cette fois, en bourrasques. Un vent m'appliquait sur le visage sa paume moite et m'empêchait de respirer.

Balewell finit par murmurer :

– Un déraillement.

– Et alors ? Il y en a un chaque mois.

Il me prit dans ses bras. Je ne me rappelle pas le moment, des semaines et des semaines plus tard, où je me sentis assez forte pour quitter ce refuge. Je n'ai pas non plus souvenir que mon Balewell m'ait jamais dit, dit avec des mots, que mes parents étaient morts.

Pour saluer mon succès, Capacité en droit avec mention, ils avaient décidé de venir par surprise à Bamako. Confiants dans la technique moderne (Conservatoire des Arts et Métiers oblige), ils avaient choisi le train. D'après les premiers résultats de l'enquête, la chaleur record (52 °C) avait ramolli les rails. Quelle locomotive, même une canadienne Diesel quasi neuve, peut garder son équilibre quand ses roues s'enfoncent soudain dans du chewing-gum ?

À cet instant, je décidai de stopper net le recours à la pharmacopée belge. Pardon Mariama, pardon Ousmane, de vous avoir tant fait attendre !

Quand elle apprit la nouvelle, les yeux de Mlle Klauwaerts s'embrumèrent, comme prévu son cou se mit à palpiter, et sa peau de blonde, jaune comme le sable, se parsema de méduses rougeâtres.

– Adieu, dit-elle, je ne veux même pas te voir.

Elle ne me regardait pas, ne s'adressait plus à moi mais à mon ventre où la modernité avait si piteusement rendu les armes.

– Adieu, répéta-t-elle. Et tant pis pour toi. Je connais les matrices africaines : une fois déclenchées, plus rien ne peut les arrêter.

Peu après, elle retourna en Belgique où les trains ne craignent pas la canicule ; où, par suite, les femmes sont plus dignes de confiance.

Hélas, Mlle Klauwaerts avait vu juste. Une usine s'était mise en marche au-dessous de mon nombril. Ousmane, petit-fils de feu Ousmane, fut suivi de Mariama, petite-fille de feue Mariama, qui précéda Henriette. Après une brève accalmie, surgit le peloton de garçons : Tierno, Eddy (en hommage à Merckx, le coureur cycliste) et Francis. Mon ventre n'en avait pas fini. Aminata s'y installa, à peine sortie déjà remplacée par Awa. Une production ininterrompue. Sous les acclamations de nos familles enfin rassurées : Dieu a eu pitié, loué soit Son nom, désormais ne craignez plus rien pour vos vieux jours. Votre petit peuple prendra soin de vous !

Ces riantes mais lointaines perspectives ne facilitaient pas la vie quotidienne. Notre progéniture dévorait. La subvention onusienne s'était évaporée. Et mon mari avait beau se porter volontaire permanent pour toujours davantage d'heures supplémentaires, son chef levait les bras au ciel :

— Deux Dakar-Bamako par semaine, monsieur Bâ, et retour, pas un de plus, vous le savez bien.

— On ne pourrait pas, pour satisfaire la clientèle, en ajouter un petit troisième ?

— La clientèle, parlons-en de la clientèle, maigrelette clientèle, on dirait une chèvre avant l'hivernage ! Accroissez-la, notre clientèle, marketing, publicité, politique commerciale. Vous avez carte blanche, monsieur Bâ, enflez-la donc, vous qui savez si bien engrosser votre femme, et je vous crée un troisième voyage !

Oh, les piteux retours de la gare de mon mari peul, les poches presque aussi vides que son désert natal. Et n'oubliez pas nos anciens alliés marabouts, celui de la laine aillée, celui du placenta carbonisé, celui de la mouche maçonne... Avertis de la victoire, ils venaient tous réclamer du franc CFA, leur prime de bonne fin, une récompense minime, une obole symbolique, murmuraient-ils, la main humblement tendue, puisque Dieu seul est l'auteur du succès, mais l'œil menaçant.

Huit bébés en dix ans. Inutile de vous dire que ma

carrière juridique s'en était allée, goulûment aspirée par cette armée de petits vampires. À chaque tétée, je sentais ma mémoire appauvrie d'un chapitre pourtant si consciencieusement engrangé. Peut-être que mes enfants ne supportaient pas ces notions techniques (le *bail emphytéotique*, le *recours pour excès de pouvoir*) dissoutes dans mon lait. Comment expliquer sinon leurs diarrhées perpétuelles ?

Au début, ce cambriolage m'affola, ces voraces me vidangeaient le crâne. Je résistai et je pleurai, m'obligeai à réapprendre en secret, dans la nuit, le savoir dérobé. Et puis je m'abandonnai. Chaque chose en son temps. Une époque pour la maternité. Une autre pour devenir la Marie Curie du droit. Malgré cette résignation déguisée en sagesse, je suivais une pente dangereuse. L'installation dans l'animalité pure et simple.

Un jour...

Mais peut-être avez-vous besoin de repos ? La tête de mon fidèle avocat Benoît Temps-Gratuit dodeline sous ma dictée. Je baisse peu à peu la voix pour lui ménager une entrée douce dans un sommeil que, mille fois, il mérite. Je le soulève, le plus chastement qu'il m'est possible (mon Dieu, s'il se réveillait et me trouvait ainsi, penchée sur lui, mes deux seins frôlant sa bouche), je l'allonge sur son divan, lui retire ses chaussures, insensible à la puanteur qu'elles dégagent (mais pourquoi les Blancs s'obstinent-ils à porter des chaussettes dans nos pays torrides ?), je déplie maternellement sa moustiquaire, éteins la lampe et m'en retourne à la maison.

Après tout, n'ai-je pas répondu, au-delà de votre attente, à la question 8 c ? La 12 mérite un esprit frais.

C'est le lendemain même, alors qu'après avoir écarté, comme indignes de nous, les points 9 à 11, purement matériels (« nature du passeport », « adresse permanente » et, « le cas échéant, autorisation de retour vers le pays de résidence »), nous faisions traîner le thé matinal, tels deux alpinistes qui s'attardent au chalet, soudain intimidés avant de s'attaquer à un sommet redoutable – et Dieu sait si la question n° 12, « profession », est délicate et vertigineuse –, c'est au moment précis où, ayant empli d'air non encore climatisé mes poumons, je me lançais que retentit, dans le bureau de la secrétaire, un durable cri d'horreur. Nous nous précipitâmes. Roxane aux ongles violets continuait de hurler, montrant sur son bureau le paquet qu'elle venait d'ouvrir, un amas de cartons au centre duquel reposaient deux petits cercueils noirs à nos deux noms, M̄ᵉ Fabiani et Mme Bâ, née Dyumasi Marguerite.

– Je m'en vais, je ne resterai pas une seconde de plus, je m'en vais !

Et elle s'enfuit. Le clap-clap précipité de ses tongs résonna longtemps dans le couloir.

Une scène me revint en mémoire. Mon premier voyage aérien. Dix minutes après le décollage poussif, le pilote pakistanais nous avait annoncé la nécessité de revenir, « pour des raisons techniques et à la grâce de Dieu ». L'hôtesse, blême, se tenait accrochée à la porte. Sitôt l'avion arrêté, elle avait sauté sur la piste.

— Plus jamais je ne volerai sur vos machines de merde !

Elle courait, maladroite, sur ses talons hauts, le béret en bataille, poursuivie par les officiels : je te démissionne, Maryse, aujourd'hui même, je te démissionne ! On avait entendu sa voix, de plus en plus lointaine : Plus jamais... machines de merde... Elle s'était faufilée dans un trou de grillage et avait disparu dans la brousse.

Me Benoît s'était changé en cascade. La sueur, à grosses gouttes, lui tombait du front. Et de larges taches sombres entouraient la naissance de ses bras.

— Que se passe-t-il, madame Bâ ?

— Rien de plus simple : nous dérangeons.

— Le commerce d'armes ou les contrats pétroliers, je comprendrais. Mais pour une petite affaire de visa ? Allons donc !

— Un visa illégal coûte deux millions de francs CFA, huit fois le salaire d'un ministre. Quand un pays n'a presque rien à vendre, il trafique des papiers administratifs.

— Justement, madame Bâ, vous, on vous a *refusé* votre demande.

— Les filières s'inquiètent. Faites-moi confiance, elles ont des motifs. Alors, maître Benoît, vous avez peur ? Vous renoncez ? Je dois changer d'avocat ?

Gloire à mon conseil ! Il n'hésita pas une seconde.

— Nous perdons du temps, madame Bâ. Si nous abordions cette question 12 ?

Troisième partie

Les maladies de l'espérance

12. PROFESSION

12₁ Un troupeau dans la cave

Attention !

N'allez pas nous prendre, nous, les Bâ, pour des apathiques, des abdiquants, des accroupis, des paresseux de l'ambition, des abandonnés fatalistes au sable et à la misère. Nous aussi nous avons mené des batailles pour un Mali prospère. C'était une époque encore joyeuse pour notre continent. Tout le monde l'a oublié aujourd'hui, aujourd'hui que la mode est à l'abandon, mais je vous en donne ma parole : dans ces années-là, l'Afrique avait *confiance*, *confiance* en ses forces, *confiance* en l'avenir, *confiance* en elle-même. La vague de fierté, née des indépendances, continuait de nous porter, peut-être de moins en moins forte de semaine en semaine, mais suffisante pour affronter les journées avec appétit. Même chez les gens modestes. Même dans les familles de cheminots.

Géniale était notre idée, une recette infaillible. Si nous avons échoué, c'est ma faute, je vais vous raconter, ma très grande faute. Malgré ma honte, je ne vous cacherai rien.

– Madame Bâ ! Madame Bâ !

Le troupeau, notre troupeau, se fit annoncer non par les gracieuses clochettes habituelles, mais par une sonnerie stridente. Immédiatement suivie par les appels de mon très jeune amoureux, le gardien de la boutique de téléphone « Universal Contact ». Comme toujours quand il me parle, il balbutiait :

— Madame Bâ, pardon, il a tout de suite raccroché, la ligne était mauvaise. On vous envoie un cadeau. Un cadeau d'Amérique. Il vous sera livré demain au terrain d'aviation. Préparez de l'électricité.

— Tu peux répéter ?

— De l'électricité. Le cadeau américain ne marche qu'à l'électricité. Je te jure, c'est tout ce qu'il a dit.

— Je te crois.

— Madame Bâ, ne pars pas déjà !

Une fois de plus, il voulait m'entraîner dans le réduit qui lui servait de chambre. À douze ans, il promettait, ce petit animal. Il n'a pas déçu. Aujourd'hui, un tiers de siècle plus tard, reconverti dans les paris sur le championnat de France de football, il règne en coq sur les femelles du quartier.

Un cadeau ? Électrique ? Les Bâ ont passé la nuit torturés par la devinette.

Un tel envoi n'était pas nouveau. Nos oncles et cousins lointains ne nous oubliaient pas. Régulièrement nous arrivaient les colis les plus divers pour nous aider à supporter la maigre vie de Kayes. Dans mon carnet, pour la seule année 1980, je relève : des conserves Saupiquet, un lecteur de cassettes japonais, une malle de livres scolaires, classes de sixième et cinquième, un jéroboam de champagne Roederer (où ont-ils la tête ? De l'alcool pour des musulmans ? Dans quel Coran ont-ils lu que Dieu tolère les boissons à bulles ?), trois paires de chaussures de foot, taille 38, 40 et 42, et deux boîtes de vêtements miniatures pour la poupée Barbie et Ken son mari magnifique.

Le premier moment d'humiliation passé (« Pour qui nous prennent-ils ? Nous n'avons pas besoin de leur charité, le Mali se suffit à lui-même... »), la famille se disputait les cartons (« Ces Nike sont pour moi ! Non, pour moi ! »). Et inlassablement nous chantions la gloire des donateurs (« Vive les Bâ ! Un Bâ ne laisse jamais tomber un autre Bâ ! La solidarité des Bâ traverse le temps, les frontières et même les océans ! »).

Comme des enfants après le miracle de Noël, nous sortions faire admirer aux alentours nos nouvelles richesses.

Sûrement rien de semblable, cette fois. Un pressentiment jouait avec nous tel un moustique nocturne, il faisait mine de s'en aller pour mieux revenir nous vrombir dans la tête : ah, ah, ce cadeau-là ne ressemblera pas aux autres ! Il va changer radicalement notre existence !

Le pressentiment n'avait pas tort.

– Qu'est-ce que c'est que ça ? demanda Balewell en montrant le cube de plastique blanc que lui tendait un homme très galonné. On aurait dit une glacière semblable à celles qui accompagnaient tous nos pique-niques au bord du fleuve.

Le galonné, sans doute pilote (et steward) leva les bras au ciel.

– Mystère. À Bamako, on m'a dit un troupeau. Un Peul devrait savoir, il paraît qu'ils sont comme ça, les troupeaux modernes. Vous signez là. Parfait. Je vous laisse l'enveloppe. J'espère que vous avez prévu l'électricité. Bonne chance.

Nous nous étions entassés à l'arrière pour laisser au troupeau la place d'honneur sur le siège avant droit. Nous l'avions bloqué tant bien que mal par la ceinture de sécurité. Nous ne quittions pas des yeux le précieux cube. Jamais mon si lent mari n'avait conduit si imprudemment notre vieille 504 : peut-être quarante à l'heure. Mes garçons criaient : « Accélère, Papa, il commence à fondre ! » Mais un Peul ne change pas d'allure, même dans les moments les plus graves, je peux en témoigner. Le reste de la famille Bâ nous attendait devant la maison, rongé par la curiosité : « Alors, ce cadeau ? Qu'est-ce que c'est ? Du chocolat suisse ? » « Débarrassez le réfrigérateur, vite ! » En un instant le troupeau fut installé. La porte refermée.

Je me retournai vers Balewell :

– Bon, maintenant, tu peux nous expliquer ?

– Je n'en sais pas plus que vous.

– Peut-être que si tu ouvrais l'enveloppe...

Il lut en silence, comme à son habitude. On aurait dit qu'il embrassait les mots un à un avant de les envoyer dans son cerveau. Il faut accepter ce genre de rythme alangui quand on a un Peul parmi ses proches. Mes enfants trépignaient. Enfin il releva la tête. Il s'approcha de moi et commença de murmurer à mon oreille. À la fureur des bambins.

– On nous cache tout !

– Ne nous dit jamais rien !

Balewell, d'un ton sans réplique, les rembarra :

– Il y a des choses qui ne sont pas de votre âge.

Et à moi seule il expliqua :

– C'est Alassane ; cette fois, il nous envoie du sperme congelé de taureau canadien Hurricane.

Alassane était le frère aîné et infiniment admiré de Balewell, parti pour les États-Unis dès l'âge de vingt ans et avalé là-bas par la grosse bouche sentencieuse de la Banque mondiale. C'était lui, notre Père Noël le plus fréquent, inépuisable offreur de cadeaux, hélas toujours enrobés de très irritants et lancinants conseils : « Pourquoi ne pas agrandir vos périmètres irrigués ? Si j'étais vous, j'arrêterais immédiatement de procréer. Quand je pense que vous n'utilisez pas la richesse infinie de votre énergie solaire... » Exhortations d'autant plus insupportables qu'il n'était jamais, pas une fois, revenu au pays, même pas, honte sur lui, pour notre mariage ! Nos chers microbes tropicaux le terrorisaient trop : « Comment se portent vos maladies d'un autre âge ? Si vous voulez accroître vos recettes touristiques (en d'autres termes, si vous voulez avoir une chance de recevoir ma visite), commencez par mieux laver vos légumes et par assécher vos flaques d'eau croupie... »

Quelle torturante nostalgie peule avait pu inspirer ce haut fonctionnaire à Washington – demeure américaine, femme américaine, voiture américaine, cravate américaine –, quelle honte d'avoir abandonné l'Afrique avait pu lui dicter d'offrir un ersatz, une maquette, un futur de troupeau à son petit frère ? Rêvait-il de vaches lors de ses réunions à la Banque mondiale ? Dessinait-il des naseaux, des cornes et des pis en marge des papiers officiels, sur les rapports d'« *ajustements structurels* », sur les « *recommandations instantes d'éradication de la corruption* » ?

J'imaginais que, la nuit, à côté de sa blonde endormie, qui ne sentait plus rien du tout depuis qu'elle avait arrêté de fumer et qu'une armée de savons, de gels, de bâtonnets et autres vaporisateurs l'aidaient dans sa lutte farouche contre l'Ennemi (le peuple maudit et toujours renaissant des odeurs intimes), il récitait à voix basse des hymnes à la vache, semblables à ceux que Balewell m'avait appris :

Mes vaches aux fleuves se rivent.
Elles m'attachent, me détachent.
Elles m'enferment, elles m'oppressent.
Nous nous rencontrons, je les appelle !
Nul ne les apprivoise, excepté moi.
Elles contournent la colline, recontournent la colline.
Elles sont soignées comme un étang rarissime.

— Tu me parles, grommelait l'Américaine, *are you talking to me ?*

— Dors, *darling, everything is all right.*

Est-ce qu'un homme élevé dans l'adoration des vaches peut un beau jour aimer de véritable amour une blonde inodore ? Je laisse ouverte la question, craignant que, du fait de ma couleur de peau, de cheveux et de toisons intimes, on me juge de parti pris.

On peut s'étonner de l'enthousiasme qui soudain saisit les Bâ. Nos vaches, fécondées par les gros canadiens, vont donner davantage : trente-cinq à quarante-cinq pour cent pour le lait, cinquante à soixante pour cent pour la viande, c'est garanti par le prospectus. Nous allons devenir riches. Le Mali va sortir une bonne fois de la famine. Nous allons avoir une Mercedes. Oh, merci, Alassane !

Une telle naïveté peut faire sourire.

Je ne cherche pas d'excuse. Je vous rappelle seulement l'époque. Chaque savant avait sa recette infaillible pour développer l'Afrique. Grâce aux piles solaires, plus besoin de hisser l'eau des puits. Grâce aux nouvelles semences, plus besoin d'eau pour le riz. Grâce aux ordinateurs distribués gratuitement dans les écoles, les Bambaras, les Peuls et les Soninkés allaient d'un coup sauter deux révolutions industrielles et rattraper mille ans de retard...

Une cave fut creusée, un congélateur acheté (crédit presque gratuit, vingt-quatre mois) en même temps qu'un générateur diesel (d'occasion) pour nous épargner l'angoisse des coupures de courant. Le sol fut cimenté, des tapis étalés, une chaise descendue, une interdiction répétée : cette pièce est à Papa. Et à lui seul, vous entendez ? La trappe fut verrouillée. L'étable était prête pour les deux années de tête-à-tête entre mon mari et son troupeau gelé.

Nous n'existions plus pour lui. Le troupeau nous avait volé notre mari et père. Sitôt revenu de son train, à peine bonjour, bonsoir, il disparaissait dans la cave, perdu pour nous, des heures et des heures.

– Qu'est-ce qu'il peut bien faire ? Ça va durer long-temps ? demandaient les enfants.

Ils avaient pris les taureaux canadiens en haine, une hostilité menaçante.

– Comment s'en débarrasser ?

– Et si je débranchais la prise ?

Je les calmais comme je pouvais. Leur expliquais que tout homme digne de ce nom abrite un rêve en lui, que ces rêves généralement n'apportent que désagré-ments à leur famille, mais que les hommes sans rêve peuvent être considérés comme déjà enterrés, et que, tout compte fait, il faut donc préférer au malheur immense d'un papa mort les petits désagréments causés par un papa rêveur mais vivant.

– Tu as beau dire, Maman, les rêves sont méchants.

– Quand je serai grande, j'interdirai les rêves.

– L'avantage du rêve de votre papa, mes chéris, c'est qu'il est là, tout près, sous nos pieds.

– Ça c'est vrai. Il y a sûrement des rêves qui entraî-nent les papas très loin.

– On pourrait avoir un papa explorateur...

– Mécanicien de plate-forme pétrolière...

– Musicien à New York !

– Vive le rêve de notre papa tout près !

– À propos, c'est quoi, son rêve ?

– Tu pourrais nous l'expliquer ?

Je n'en savais guère plus qu'eux.

C'est ainsi que les Bâ devinrent espions.

À peine la tête de Balewell avait-elle disparu sous la trappe que la famille s'allongeait, tout entière, les huit enfants et moi, leur mère, neuf oreilles collées au sol.

Bien sûr dix fois nous fûmes surpris, par le facteur, par une voisine.

— Qu'est-ce que vous faites là ? Vous êtes malades ? J'appelle le médecin ! Je ne vous savais pas si religieux. Mais de quelle religion, à propos ? L'heure de la prière est passée.

J'avais ma réponse.

— La famille Bâ fait la sieste.

— À midi ?

Heureusement que la période était calme, politiquement parlant. En d'autres temps, nous aurions été dénoncés, arrêtés, torturés pour hérésie, mauvais exemple, pratiques contre nature. La ville se contenta de rumeurs : les Bâ sont bizarres, peut-être atteints par la maladie du sommeil, une forme très atténuée... On s'écarta légèrement de nous, à tout hasard, par crainte de la contagion...

Inutile de vous dire que, lors de ces séances allongées, nul ne songeait à dormir. Personne n'avait autant mobilisé son attention, même les plus bambins, sérieux comme des médecins avant de délivrer leur diagnostic.

— Alors, les enfants, ma vieille oreille est moins bonne que les vôtres, que dit votre père ?

— Il remercie le troupeau d'avoir fait le voyage.

— Il leur raconte qu'ensemble ils vont sauver l'Afrique.

— Il leur demande s'il y a des pasteurs nomades chez eux, au Canada.

– Merci, mes enfants, mais que lui répond le troupeau ?

À chaque ethnie ses capacités. Seuls les Peuls savent comprendre la voix des bêtes, les Peuls 100 %. Ils n'étaient peuls qu'à moitié, mes enfants, puisque je suis soninkée. Ils ne ménageaient pas leurs efforts. Je les voyais tendre l'oreille, l'écraser à se blesser contre la terre battue. J'en aurais pleuré de fierté mais aussi de tristesse en constatant la leur.

– Maman, on n'y arrive pas.

– C'est ta faute, aussi ! Pourquoi on n'est pas des vrais Peuls ?

Pour les consoler, j'inventais n'importe quoi : peut-être que les taureaux prononcent mal, c'est normal, ils ont les lèvres gelées. Ils me regardaient accablés.

– Maman, tu n'es pas drôle.

Contrairement à ce qu'on aurait pu attendre d'une conversation entre un Peul taciturne et un troupeau gelé, le ton s'envenimait souvent, des disputes naissaient qui pouvaient tourner à l'aigre. À l'évidence, les animaux nord-américains avaient des exigences qui exaspéraient mon mari. Soudain une voix inconnue surgissait du sous-sol, aiguë, tendue, vibrant de colère.

– Quelqu'un veut faire du mal à Papa, chuchotaient mes enfants.

Tant bien que mal, je les empêchais de soulever la trappe et de dégringoler à son secours.

« Jamais content ! hurlait la voix. C'est ma dernière proposition, pour qui vous prenez-vous ? »

Selon toute vraisemblance, Balewell devait leur proposer le mariage avec des vaches de chez nous et les embryons refusaient. Cette voix inconnue ne se contentait pas de me vriller les tympans, elle me torturait l'âme. Jamais, avec moi ou à cause de moi, mon mari n'avait ainsi perdu son contrôle. Je comprenais soudain que sa douceur perpétuelle, cette qualité rare que m'enviaient toutes mes amies, n'était pas un cadeau de Dieu, mais, bien au contraire, un exemple de Sa cruauté, la marque d'une indifférence, la preuve que mon mari ne m'aimait pas assez pour s'émouvoir vraiment, voire qu'il ne m'aimait pas du tout. Mes enfants ne voyaient pas mes larmes, trop occupés qu'ils étaient à injurier les taureaux Hurricane, à les traiter de racistes, d'enfants gâtés, à les menacer des pires représailles s'ils continuaient à mépriser ainsi l'Afrique.

Heureusement, mon petit peuple se lassa vite de ces longues séances d'indiscrétion. L'un après l'autre, ils me quittèrent – pardon Maman, tu ne m'en veux pas ? – pour aller jouer ailleurs. Je me retrouvai seule.

– Encore, Maman ? grondait ma fille Awa quand elle me découvrait allongée, l'oreille plaquée contre le sol. À quoi ça te sert ?

– Je voudrais comprendre.

– Tu crois qu'on peut entrer dans les rêves des autres ?

– Il y a forcément une porte.

– Cherche bien.

Elle m'embrassait, elle m'apportait du thé, comme si j'étais le soldat d'une guerre dont elle ne savait rien pour l'heure, sauf qu'elle serait aussi la sienne.

Une fois, je l'ai entendue. Une de ses petites amies se moquait :

— Elle se réveille de temps en temps, ta mère ?

— Ma mère est la plus grande guetteuse du monde.

— Et qu'est-ce qu'elle guette, comme animal ?

— Son amour.

N'allez pas croire que je fainéantais. Ces séances d'écoute allongée étaient mes seules vacances. Le reste, tout le reste de mon temps était dévoré par les sauterelles habituelles, ces milliers de tâches qui, d'avant l'aube à minuit, s'acharnent à ronger jusqu'à l'os la moindre seconde d'une vie de mère africaine : allaiter, piler, marcher, porter, laver, sécher, allaiter, humer, soupirer, marchander, allumer, découper, râper, épépiner, bouillir, mijoter, moucher, torcher, soigner, consoler, allaiter, raconter, bercer, endormir, etc.

Comment une femme aimante doit-elle s'y prendre avec le rêve imbécile d'un homme ? Je tournais et retournais cette grave question dans ma tête. Une question sans réponse qui me semblait résumer la douleur d'être mariée.

Première solution : je plonge corps et âme dans le rêve de Balewell. Je frappe respectueusement à la trappe, toc, toc, toc, tu m'acceptes ? Je ne te dérangerai pas. Je voudrais juste t'apporter mon aide. Je serai ta complice, ton alliée irremplaçable. J'irai jusqu'à devenir la servante aveugle de ton rêve s'il est trop compliqué pour que je le comprenne...

Impossible.

Peut-être que je n'aime pas assez mon mari ? Peut-être que je le respecte trop ? Peut-être que ce respect est un manque d'amour ? Peut-être qu'il s'agit d'orgueil, ennemi premier de l'amour ? L'orgueil ridicule d'une ex-étudiante en droit (Capacité avec mention). Peut-être que ces débuts d'études m'ont desséchée, ont arraché de moi la plus petite racine de poésie ? Quoi qu'il en soit – et tous ces « peut-être » soigneusement recueillis pour les examiner plus tard, lorsque le temps le permettra –, impossible ! Je ne serai pas, jamais, de celles qui bêtifient, qui sacrifient leur intelligence à la « santé de leur couple ». Jamais je ne ferai croire à mon mari que je partage son enthousiasme idiot. Jamais je n'irai crier sur les toits que le taureau canadien congelé est l'avenir de l'Afrique.

Deuxième solution : je me relève, décolle à jamais mon oreille du tapis et reprends une vie normale.

Impossible également. Mon mari s'éloignera seul dans son rêve. Qui peut dire quand je le retrouverai ?

Maman, pourquoi les taureaux d'Amérique, même glacés, sont meilleurs que les nôtres, tout chauds sous le soleil ? Maman, cette chose-là, je n'ose pas te la dire... Dis-la quand même, mon garçon, la lampe est éteinte, tout le monde dort, personne n'en saura rien. C'est vrai que les Américains ont un sexe qui fabrique des enfants plus intelligents ? Maman, pourquoi l'Amérique est toujours meilleure que nous, même pour les animaux ? Maman, quand je serai grand (quand je serai grande), j'irai vivre là-bas où tout est meilleur. Pourquoi pleures-tu, Maman ? Tu devrais être heureuse. Et, bien sûr, je te ferai venir. Maman, à quel âge peut-on commencer à partir ? Maman, qu'est-ce que tu me conseilles, la France ou l'Amérique ? Est-ce que la France est aussi américaine que l'Amérique ? Maman, à quoi sert l'Afrique ? Ce genre de conversations se multipliait, la nuit venue, à l'heure du dernier baiser. Signe que ni le ciment recouvert de tapis, ni la trappe pourtant bien fermée n'avaient empêché le virus de s'échapper de la cave pour envahir la maison entière.

Qu'un mari soit gravement atteint par la maladie du rêve, rien de plus normal. Qu'il vous aime moins que sa mère, son football, son travail, sa voiture, sa secrétaire, ses amis, son enfance, rien de plus douloureux, mais rien de plus habituel chez un mari. La bonne épouse avale en souriant toutes ces couleuvres plantées d'épines, et se tait. Mais quand cette maladie du rêve contamine les enfants, lorsqu'elle détruit en eux la fierté et la confiance, cette épouse infiniment tolérante doit se changer en soldat. Et se battre.

12ᵢᵢ L'Hôtel du Rail
(*Profession, suite*)

Il était une fois le magazine français *Marie-Claire*, 10, boulevard des Frères-Voisins, 92792 Issy-les-Moulineaux, qu'il soit remercié dans les siècles des siècles.

Il était une fois, souvenez-vous, la compagnie d'aviation UTA.

Il était une fois, proposé par une hôtesse dans le vol Paris-Bamako, *Marie-Claire*.

Il était, ce jour-là, un passager par ailleurs gérant de notre palace local, l'Hôtel du Rail. Il jeta un bref coup d'œil autour de lui. Par chance, personne dans l'avion ne le regardait. Il décida de rompre avec ses habitudes (on se plonge dans les pages roses du *Financial Times* pour donner l'image d'un homme d'affaires africain de la nouvelle génération, sérieux, moderne, international, sinistre) et se porta volontaire, merci mademoiselle, figurez-vous que je m'intéresse aux femmes et donc aux journaux féminins.

À son arrivée, il était conquis. Il confia à son adjoint, mon cousin, qui me le rapporta, sa décision de s'abonner. Hélas pour lui et pour l'Hôtel du Rail, malgré ses réclamations innombrables à la poste et à la rédaction parisienne, *Marie-Claire* n'arriva jamais à destination.

Car, certaines complicités ferroviaires aidant, nous l'avions détourné avant. Nous, quelques habitantes de Kayes, très avides d'en savoir plus long sur l'amour en France.

Je ne sais si vous vous êtes déjà plongé dans *Marie-Claire*, Monsieur le Président. L'intérêt inestimable de cette publication, c'est le sexe. Le sexe réel, le sexe concret, le sexe dans notre vie quotidienne, et notamment le mariage. Chaque mois, un dossier sérieux explore une région de cette vaste planète inconnue.

C'est donc dans *Marie-Claire* que j'ai pu me constituer un catalogue des mariages de chez vous : le mariage échangiste, le mariage sadomasochiste, le mariage avec vie parallèle (variante : le mariage avec vie parallèle et enfant adultérin), le mariage avec fréquentation de prostituées, le mariage avec chambres séparées, avec villes séparées, avec pays séparés, le mariage sans consommation, le mariage à trois, le mariage avec un aveugle, avec un sourd, un cul-de-jatte, le mariage avec un homosexuel, le quasi-mariage avec un animal, le mariage dans le même appartement que ses parents, le mariage entre étrangers, le mariage avec quelqu'un de plus jeune, etc., etc., tous mariages magnifiquement étudiés par *Marie-Claire*, avec la vie sexuelle correspondante.

Silence. Silence gêné de Marguerite.

Marguerite inspire. Marguerite va avouer : mon mariage appartient à une catégorie tout à fait envisagée par *Marie-Claire*, numéro de juin 1981, et disséquée avec compétence et cruauté, le mariage ruiné par la jalousie.

Jamais un exemplaire de journal ne fut autant lu, relu, médité, annoté que celui-là. Un mois après, ce n'était plus qu'un torchon, plus parcheminé qu'un manuscrit du Moyen Âge et plus taché qu'un tee-shirt d'adolescent. Heureusement, chacune de nous, les curieuses de l'amour en France, l'avait photocopié pour l'avoir toujours près d'elle et continuer à l'étudier.

Ja-lou-sie.

Nous répétions ces trois syllabes avec effroi et ravissement. Ainsi donc s'appelait la démone qui nous hantait le cœur. Il faut que vous compreniez que chez nous, en Afrique, haute terre de la polygamie, cette torture, la jalousie, prospère comme peut-être nulle part ailleurs. Nos vies à nous, les passionnées de *Marie-Claire*, en sont la preuve. Sous nos grands sourires, sous notre gaieté perpétuelle, nous souffrons. Souvent le martyre. Vous aimeriez, vous, que votre femme, le soleil de votre vie, se choisisse un deuxième époux plus jeune, et puis un troisième et qu'ils viennent tous s'installer à demeure et qu'ils partagent à leur guise le soleil de votre vie ? Oui, figurez-vous, nous souffrons. Mais le mot correspondant à cette douleur est tabou. Habile stratégie des hommes, maîtres de la terminologie. Privées du mot, les femmes ne peuvent nommer leur douleur. Et donc elles endurent. En silence.

Marie-Claire nous avait donné la clef. Jalouses, nous répétions-nous, tu es jalouse, je suis jalouse.

J'entends déjà les protestations :

— Dis donc, Marguerite, as-tu le droit de te déclarer jalouse ? Ton Peul ne s'est marié qu'une fois, il nous semble...

– Attendez la suite. Vous constaterez la virulence et l'étendue de mon mal. D'ailleurs, toujours d'après *Marie-Claire*, d'innombrables catholiques monogames sont touchés, les hommes tout aussi sévèrement que les femmes.

Cette fois, Marguerite, tu résisteras à la tentation imbécile (l'injurier, le menacer) ; cette fois tu emploieras d'autres armes plus dignes, Marguerite, et ô combien plus efficaces (lui donner à nouveau envie de toi, de toi seule). Marguerite, tu as su profiter de son retard pour te préparer, te parfumer, te coiffer, tes yeux brillent et ta peau est douce comme jamais, même au plus haut de ta jeunesse, alors aie confiance, Marguerite, belle, si belle encore malgré tes huit maternités, aie confiance, souris à ton mari qui revient après une aussi longue absence, allez, mieux que ça, tendrement, érotiquement, comme dans *Marie-Claire*, qu'il comprenne ton tendre message : mon amour, pourquoi aller chercher ailleurs ?

Marguerite, nous sommes bien d'accord ? Les seuls mots que j'autorise ta bouche à fabriquer et tes dents à laisser sortir sont : « Tu as fait bon voyage ? », pas un de plus, et sans la moindre trace d'ironie. Juré, Marguerite ? Juré. Je ne suis pas folle. Je ne veux pas tout gâcher. Juré, oh oui, mille fois juré !

Ainsi me parlais-je à moi-même, dans les heures, les minutes, les secondes précédant chacun des retours de Balewell. Et maintenant il se tient là, si beau, sur le seuil de la porte, si tendre, innocent, inestimable cadeau du ciel. Un mari d'exception qui mérite ô combien, malgré quelques défauts, la cérémonie érotique que j'ai si minutieusement préparée pour lui. Chaque fois, chaque fois c'est plus fort que moi, je trahis mes mille promesses. Mes lèvres, ma langue, mes incisives maudites, que j'avais pourtant tellement sermonnées, fabriquent la phrase indigne, l'inverse exact du texte si méticuleusement répété :

– Tiens ! Ils ont dû avoir encore une coupure d'eau, à l'Hôtel du Rail !

Plus indignes sont le ton employé (vinaigre + piment + moutarde) et le geste qui ponctue, vulgaire à faire honte (je lève le nez, entre le pouce et l'index droits je m'en saisis l'arête : peut-il comprendre autre chose, celui qui vient d'arriver, que : « Tu pues, mon pauvre » ?).

Au lieu de me reprendre, de faire comme si cette phrase indigne n'avait pas existé, jamais, jamais, ni le ton ni le geste, tu auras mal vu, mal entendu, c'est normal, mon pauvre chéri, ces voyages t'épuisent, au lieu de repartir d'un bon pied, de réaliser le scénario tant élaboré, de lui décocher le sourire prévu, obligé par contrat, cent fois répété devant la glace, en parfaite imbécile, je me tuerais, voilà que je récidive !

– Comment tu expliques ça ? Un si bon hôtel. Manquer si souvent d'eau, si près du fleuve ?

Je devine votre réaction. Allons, allons, madame Bâ, ne vous accablez pas comme ça, bien des femmes accueillent plus cruellement leur mari retardataire, don penaud du ciel. C'est que vous ne connaissez pas Kayes, ni son Hôtel du Rail. En conséquence, vous ignorez que cet établissement de qualité, aux allures de faux château fort, n'est séparé de la gare que par une place joyeusement animée (nombreux marchands) et un petit jardin ombragé. Il constitue un refuge idéal pour les jeunes femmes, touristes à peau pâle, épuisées par le voyage, la proie favorite d'un sublime cheminot peul, l'incorrigible mari de Mme Bâ et père de ses huit enfants.

Dans un pays normal, l'homme coupable se lave longuement après la faute, *Marie-Claire* est formelle sur ce point. Elle précise qu'un infidèle se reconnaît à l'odeur inhabituelle de propreté attachée soudain à sa personne, même si certains filous, toujours d'après cette chère *Marie-Claire*, n'utilisent, pour ne pas éveiller de soupçon, que le savon familial, allant jusqu'à l'emporter partout avec eux, dans une petite boîte de métal bien close, on n'est jamais trop prévoyant.

À Kayes, l'adultère est un sport beaucoup plus risqué. À cause des coupures d'eau qui confondent les fautifs. La coupure d'eau, à Kayes, est la meilleure amie de la femme jalouse, celle qui lui fait économiser le recours à un détective privé (profession de ce fait inconnue chez nous), celle qui gratuitement nourrit ses suspicions de preuves irréfutables, la bonne camarade qui jour après jour rassure : mais non, tu n'es pas folle, ma chérie, ton imagination ne te joue aucun tour, tu es vraiment trompée !

Grâce à la coupure d'eau, une épouse au nez subtil, que n'ont pas émoussé la poussière du ménage, les vapeurs de la cuisine et l'adorable pestilence des bébés, peut reconstituer heure par heure l'emploi du temps de ce misérable allongé près d'elle dans le noir et qui, comme tous les lâches, a trouvé refuge dans un sommeil d'autant plus exaspérant qu'il paraît innocent.

D'au-delà le trépas, Mariama faisait son possible. Elle quittait son séjour pour m'apparaître. Dans la nuit, j'entendais sa voix si chère, inchangée par la mort :

— Ma fille, quelle folie te prend d'ouvrir ta porte à la jalousie, cette stupide maladie typiquement française ? Quel orgueil de te croire pour un homme suffisante et irremplaçable ! Estime-toi heureuse qu'il n'ait pas encore ramené d'autres femmes chez toi. Tu as beau être grande et avoir la peau vaste, comment veux-tu satisfaire tous les appétits de ton mari, ceux de son corps et ceux de sa tête ? Crois-moi, les sentiments sont des malédictions. Reviens à ton rôle. Ferme-toi au reste, toute ta douleur disparaîtra. Etc., etc. Hélas, je ne voulais pas entendre la sagesse de ma mère, je me bouchais les oreilles. Rien ne comptait que ma passion de la jalousie.

Je me souviens de la première révélation. Mon cadeau du ciel était arrivé, comme d'habitude : sale, épuisé, souriant, les gestes toujours aussi bouleversants de lenteur, d'élégance, de grâce. Et furieux. La fureur, chez lui, n'était jamais que murmurée :

— Pardonne-moi. C'est la douche du dépôt. Encore sèche.

Il s'écroula sur le lit ; l'instant d'après, il dormait. Je me couchai contre lui. Mieux vaut, le long de soi, un homme inerte que le vide des jours précédents. Faute de le toucher ou d'allumer la lampe, pour ne pas le réveiller, j'ai toujours beaucoup humé mon mari à ses retours. Mes deux narines en fête lui survolent l'entièreté du corps, à faible hauteur, et s'enivrent.

Le soir de notre mariage, nous avions pris le train, le train légendaire Dakar-Bamako. Voyage de noces, de toutes les noces. Deux jours et deux nuits durant, j'allais m'unir en même temps avec mon Balewell et avec mon continent, cette Afrique dont je ne connaissais qu'un fleuve. Ces deux jours et ces deux nuits : mon trésor. Avant-goût de nos années de frénésie, durant ma stérilité. Depuis, je reste à la maison, prisonnière de mes enfants, comme toutes les mères. Mais demeurent en moi les odeurs de chacune des étapes. Il me suffit de fermer les yeux, je les retrouve, l'une après l'autre, intactes. Le temps n'a rien apauvri de leur magie. Sel humide, poisson séché, rouille marine, souvenirs de Dakar, point de départ, la gare touche le port. Thiès, la fraîcheur des quais à l'ombre des fromagers. Kaolack et ses relents graisseux de cacahouètes. Tambacounda, la porte du four, l'arrivée au pays de la vraie chaleur : la sueur, là-bas, s'évapore avant même de couler et les moustiques frient en plein vol. Mon nez continue sa promenade, je retiens ma langue pour ne pas lécher, caresser, embrasser. Voici, sur la poitrine et les cuisses de celui que je chéris, mes parfums préférés, ceux du cœur de la nuit : le convoi s'est arrêté pour de longues heures en gare de Kidira, à la frontière entre le Sénégal et le Mali. Dans l'obscurité la plus complète, les autorités procèdent au contrôle des passeports. Pour nourrir le train, les villageois ont dressé des tables éclairées seulement par quelques bougies. Ça sent les brochettes, le café au lait, le pain qu'on grille, l'œuf dur écrasé, le Coca-Cola renversé, tout me revient, ces murmures, ces silhouettes qui se frôlent, des bagarres vite étouffées, on crie au vol, un éclat de rire, personne ne sait plus qui il est puisqu'on lui a pris ses papiers, soudain l'appel commence, un douanier lit les noms et chacun s'avance pour récupérer son identité.

Mon mari me présentait à tout le monde, il agitait sa lanterne de cheminot, voici ma femme, voici ma femme, sa main me parcourait la peau, je protestais pour la forme, qui pouvait nous voir ? Je tremblais de peur et d'exaltation. Ces quarante-sept heures de train, une à une tellement savourées, furent longtemps mon âme, mon secret, le souffle et la couleur de ma vie. Personne ne pourrait jamais me les arracher, croyais-je.

Et pourtant l'impensable s'est produit. Un soir qu'une fois de plus mes narines vagabondaient sur la peau de mon amour, une puanteur a surgi. Le remugle de la femelle en chasse. L'attente l'énerve, la femelle ; ces ténèbres l'affolent. Sans aucun doute une Blanche, une touriste. Les filles de chez nous n'empestent pas ce genre d'eau de toilette. La femelle blanche s'approche de la locomotive qui dort, elle s'adresse à la plus haute des ombres : c'est vrai que nous devons attendre le jour pour repartir ? Pourquoi, vous n'aimez pas la nuit ? répond une voix mielleuse, une affabilité que je ne connais que trop. Gloussement de femelle. Que s'est-il passé ? Mon nez de chien s'active, il furète, il farfouille, mais difficile, pour l'instant, de se faire une idée claire : la suite du voyage a recouvert de poussière les relents de la femelle.

Je respire fort pour ne pas vomir, je me calme, je me raisonne, je me dis que rien n'est plus normal, un agent de la Régie des chemins de fer se doit d'informer les voyageuses, rien de plus, les parfums modernes sont si puissants qu'ils s'attachent partout, même aux hommes fidèles, ceux qui se contentent de fournir aimablement les renseignements qu'une cliente leur demande.

Je ne souhaite à personne cette nuit de Mme Bâ, allongée contre le corps de son mari sur lequel rôde une puanteur lointaine. Car voici qu'elle resurgit.

Je connais par cœur l'Hôtel du Rail. J'ai fouiné, enfant, dans ses moindres recoins. Cette fois, c'est sûr, il a rejoint la femelle dans sa chambre. Et comme l'eau ne coule plus à Kayes, comment effacer les traces de tout ce qui s'est passé sur le lit, par terre ou contre les murs ?

Onze fois, j'ai tempêté, hurlé, griffé, menacé. Onze fois, j'ai pardonné. La douzième, je me suis tue. J'ai gardé pour moi ma détresse, bientôt muée en une indomptable et imbécile colère. Qui m'a conduite, deux jours plus tard, Balewell étant reparti, à déboucher le réservoir du groupe électrogène familial et à y laisser tomber un, deux, trois, quatre, cinq morceaux de sucre, au prix où est le sucre. Refermer. Tendre l'oreille. Ne prévenir personne, ne pas hurler au secours quand la machine s'est mise à gronder, vibrer, puis s'est arrêtée. Sourire quand une légère fumée est montée de la cave, faufilée par les quatre côtés de la trappe. Sourire encore quand des bruits se sont fait entendre : les craquements caractéristiques de la glace qui proteste une dernière fois avant de fondre.

Trois jours plus tard, j'ai accueilli le cheminot-bouvier comme si de rien n'était. Mimé l'étonnement le plus profond devant ses cris. Constaté, sans trembler ni avouer le moins du monde, l'étendue du désastre : des embryons réchauffés, c'est-à-dire pourrissants, un troupeau de fiers taureaux canadiens annihilés, un nouvel espoir ruiné de guérir l'Afrique du manque de viande.

Avant de lancer, mine de rien et non sans racisme, mon Peul éploré vers de fausses pistes et de vrais boucs émissaires : j'ai vu des Mauritaniens rôder, ces gens-là jalousent nos idées modernes.

Le fantôme de ma mère était accablé :

— Tu es fière de toi ? Tu te crois intelligente, Marguerite ? Tu penses vraiment qu'on calme un homme et le rapproche de soi en le privant de son rêve ? Mon Dieu, mon Dieu, ne t'ai-je donc rien transmis ? Au revoir, Marguerite, désormais je ne peux plus rien pour toi. Je m'en retourne chez les morts. Eux au moins connaissent les conséquences des choses.

Elle avait raison. Ou mon mari redoublait d'inconduite, pour se venger. Ou les coupures d'eau n'avaient jamais été aussi nombreuses. En tout cas, les puanteurs de femelle se sont soudain multipliées. Une meute de hyènes encerclait Mme Bâ.

Maudit soit mon nez, avant-garde du malheur, annonciateur professionnel des plus mauvaises nouvelles ! Mille fois, en le regardant dans la glace, j'ai eu envie de m'en séparer ou du moins de le raboter, afin qu'il renonce une bonne fois à sa morgue et à cette insupportable manie d'aller toujours humer le drame, où qu'il se produise, tout près ou à des centaines de kilomètres, à des distances que, pour la tranquillité de leurs propriétaires, n'atteignent pas les autres nez, puis de m'en faire, méticuleusement, perversement rapport. Mille fois j'ai approché un rasoir ou un couteau de mon ennemi de cartilage. Le manque de courage m'a empêchée d'accomplir l'acte qui m'en aurait délivrée.

Ainsi, sans mon nez, ma vie aurait continué quelques heures de plus, jusqu'au coup de téléphone fatal (9 h 17), au lieu de se briser net au beau milieu de la nuit.

Comme d'habitude, je m'étais réveillée en sursaut à l'instant même où le Dakar-Bamako s'arrêtait à Kidira, la gare frontière, lieu de toutes les tentations pour un époux cheminot. Comme d'habitude, mes narines battaient la chamade, ravies de me torturer : ne sentais-je pas, au milieu des relents d'huile chaude de la locomotive, ces bouffées d'eau de toilette ?

Je serrais les poings, grinçais des dents. Comme vous savez, j'étais hélas accoutumée à ce mélange de parfums qui précédait chaque trahison de mon mari. Et, pour ne rien me laisser ignorer, je fus soudain submergée par l'aigreur d'une transpiration. Si jamais, dans ces moments-là, aucune goutte ne perle sur la peau de Balewell, certaines femmes, peu respectueuses d'elles-mêmes, ne peuvent s'empêcher de suer abondamment quand elles jouissent.

L'épouse la plus imbécile aurait su qu'elle était, à cet instant, trompée.

Rien de nouveau jusque-là. Tant de souffrances semblables avaient précédé celle-là. L'originalité vint plus tard. Quelqu'un saignait, au loin, à la frontière du Sénégal. Une tiédeur un peu âcre que, comme toutes les femmes, je reconnaissais : mes règles avaient cessé la veille, des écoulements jadis si détestés mais qu'à ma grande surprise, je regardais avec tendresse maintenant que, l'âge venant, approchait l'heure de leur tarissement définitif.

Une odeur de foule montait, et de pétrole : on devait s'attrouper autour du blessé et lever des lampes pour mieux profiter de la tragédie. Aucune erreur possible : le nez maudit ne se trompait jamais. Celui qui saignait venait de mourir.

Si bien que, cinq heures plus tard, les cinq heures de sursis que mon nez trop puissant m'avait dérobées, le très jeune téléphoniste n'eut pas même (sa tristesse de voisin cachait mal sa satisfaction d'amoureux) à m'annoncer la sinistre nouvelle.

– Je sais, dis-je.

L'enquête ne fit que confirmer : le compagnon de l'étrangère empuantie d'eau de Cologne n'avait pas supporté de la voir profiter de l'obscurité pour succomber au charme du premier cheminot venu. Un petit coup de couteau. Voilà comme j'ai été punie par là même où j'avais péché. À jalouse, jaloux et demi. Pardon, ma mère, tu avais raison : les sentiments sont les plus malfaisants de tous les animaux féroces.

Quel rapport, me direz-vous, avec la question n° 12 (profession) ? Patience. Patience, nous y voilà. Marguerite ne restera pas longtemps prostrée.

– Si Papa est mort, Maman, qu'allons-nous devenir ?

La vie réclamait son dû, même si des orphelins, quel que soit leur nombre, peuvent toujours compter, en Afrique, sur la solidarité familiale.

Qu'est-ce qu'une femme ?

II

Ne croyez pas que j'aie cédé au destin sans lutter. J'ai tout fait, tout, pour arracher mon mari à sa prison souterraine. La ville entière vous le dira : Marguerite a mené une guerre magnifique, aussi obstinée qu'inventive, une guerre qui mériterait une médaille si l'État daignait récompenser comme elles le méritent les combativités amoureuses.

Mais au fait, moi, qu'est-ce que je sens ?

Quelques jours après les obsèques, je me rendis soudain compte que je ne m'étais jamais posé cette question cruciale. Quand on possède un nez d'exception tel que le mien, la tentation est grande de ne lui confier que des travaux d'exception, des missions impossibles : aller repérer à des kilomètres des odeurs furtives et bien cachées... On juge indigne de l'occuper à des tâches plus modestes et casanières, comme celle de se renifler soi-même.

Qu'est-ce que je sens ? D'ailleurs, est-ce que je sens quelque chose ? Et si je ne sens rien, comment reprocher à Balewell de m'avoir quittée ?

Cette interrogation angoissée se mit à hanter Mme Bâ. À toute heure du jour et de la nuit, j'écartais de moi mon boubou, le relevais, voire, quand les circonstances le permettaient, d'un geste sec le retirais tout entier et me humais.

Puisque mon cher et détesté cheminot de mari aime tant les odeurs de blondes, qu'ai-je, moi, à lui offrir ? Sans complaisance, je me flairais. Les surfaces aisées à atteindre, les bras, les mollets, la pointe des seins, les aréoles, mais aussi les recoins plus reculés, comme les aisselles ou l'arrière des genoux, les trop dédaignés creux poplités, avant de se lancer à l'assaut des terres les plus méconnues, olfactivement parlant, tels les replis du triangle secret, entre les jambes. Ou, pis encore, hors de portée pour le nez : l'orifice arrière, l'oignon de tous les songes interdits.

Vous commencez à me connaître. Vous savez de quelle trempe est Mme Bâ. Quand elle a décidé, rien ne l'arrête. Je faillis me rompre l'échine à tant me contorsionner. Ces douloureux efforts de gymnastique me laissaient accablée, les vertèbres en feu et l'esprit insatisfait : des régions entières de moi-même me demeuraient étrangères. Ce corps, mon corps, que j'avais jusque-là hautainement dédaigné, devenait ma monomanie, mon idée fixe. Telle était mon obsession que j'appelais à l'aide la magie des reflets. Toutes portes closes et cent bougies allumées, je disposais sur le sol et contre les murs un jeu complexe de miroirs. Et, m'examinant ainsi, sous des angles chaque fois iné-dits, je progressais dans la connaissance de moi-même, étape préliminaire de toute bataille.

Mais ces renseignements visuels, aussi précis et pré-cieux fussent-ils, ne permettaient en rien de répondre à la question centrale : qu'est-ce que je sens ? À croire que l'œil et le nez sont jaloux l'un de l'autre et n'échangent pas les informations qu'ils recueillent.

Je résolus donc de braver ma pudeur et d'employer

une méthode radicale, la seule qui me restait. Le choix de la complice était délicat. Les intimes, sœurs ou voisines, ne tiendraient jamais leur langue. Quelle bonne amie résisterait au plaisir de répéter partout en ville : je ne comprends pas ce qui se passe chez les Bâ, cette pauvre Marguerite m'a appelée ce matin et, vous ne devinerez pas, une veuve toute récente, vous vous rendez compte, bla, bla, bla, bla, bla, bla... Mieux valait une inconnue.

J'attendis la fin du marché, m'approchai d'une marchande d'épices qui s'en retournait à son village et lui glissai à l'oreille : tu veux gagner deux mille francs sans rien faire que respirer ? À trois mille, l'affaire fut réglée. La commerçante se retrouva bientôt assise au milieu de mon salon sur le petit banc ashanti, les yeux soigneusement bandés. Alors je me déshabillai, m'approchai :

— Tu sens quelque chose ?

— Rien.

— Et là ?

— Rien non plus.

— Ça veut dire quoi, rien ?

— Ça veut dire que si tu ne parlais pas, je croirais être seule. Tu n'as aucune odeur, ma pauvre, ni bonne ni mauvaise. S'il existe un désert des parfums, tu es celui-là. J'espère que ton homme a perdu ses narines ou est atteint d'un rhume perpétuel, autrement tu dois le désespérer.

Je remerciai, reconduisis la dame au coin de l'église, lui retirai son bandeau et revint chez moi, tremblant de remords.

Cet instant de faiblesse ne dura pas. Dès le lendemain,

ma guerre était déclarée, la plus féroce des guerres olfactives jamais menées dans notre cité de Kayes.

Personne n'est jamais seul sous le soleil ou dans la nuit du Mali. Quelle que soit votre détresse, vous trouverez toujours un groupe pour vous venir en aide. Les locaux de l'Association pour la Promotion et la Valorisation de l'Encens Local se tenaient près de l'abattoir. Sans doute ces gens-là espéraient prouver l'efficacité de leur action en affrontant nos pestilences les plus répugnantes.

— Et il t'a fallu, madame Bâ, attendre toutes ces années ?

Aïssata Diallo, la secrétaire générale, ne voulait pas y croire. Elle sortit dans la rue, brandissant mon bulletin d'adhésion.

— Écoutez toutes, nous avons raison de persévérer, une quasi-vieille vient nous rejoindre !

Ses amies accoururent, toutes conseillères conjugales ou marraines de mariage.

— Ne t'inquiète pas, madame Bâ, nous allons prendre soin de toi. Et, fais-nous confiance, ton couple ne le regrettera pas. Mais quel retard ! Où avais-tu donc la tête ? Tu avais oublié la maîtrise millénaire des femmes de Kayes en matière de parfums ? Tu ne sais pas que toutes les Africaines nous craignent ? Allons, madame Bâ, tu as un papier, un crayon, tu es prête à noter ? Nous allons rattraper le temps perdu.

Un à un, le cœur battant comme celui d'une jeune fille qui s'aventure pour la première fois dans les secrets de l'amour, j'achetai au marché tous les ingrédients requis. Et je me mis au travail. Jamais l'absence de mon cher mari coupable ne m'avait paru si légère. Je chantonnais en pilant, râpant, touillant. Profite bien, mon ami. Ces infidélités seront les dernières. Je vais si profondément t'envoûter, si rigoureusement t'emprisonner dans le filet de mes senteurs que l'imbécile idée d'aller voir ailleurs te quittera pour toujours !

Je résume la recette. Si votre épouse s'y intéresse, Monsieur le Président, ou si vous-même, pour relancer vos appétits conjugaux, souhaitez qu'elle l'essaie (comment peut-on faire l'amour dans un palais national avec toute la fougue et la liberté nécessaires ? Il m'arrive souvent de vous plaindre, pauvres couples présidentiels), je la tiens à votre disposition. Il suffit de m'écrire : BP 2610, Kayes, discrétion garantie.

Dans le fond d'un seau en plastique jaune, vert et rouge, disposer des racines séchées de saghine (*Corrigiola telephiifolia*). Verser deux cuillerées des lotions Ramage et Rêve d'or. Mélanger. Transvaser dans un bocal. Clore hermétiquement et laisser macérer une semaine. Le huitième jour, ouvrir rapidement le couvercle, ajouter des gousses de gouvé concassées (*Cyperus rotondus*). Le neuvième, ajouter l'encens (graines de *magnokisseni* d'Éthiopie, qualité supérieure). Le dixième, ajouter les deux parfums huileux Dangouma et Seifou l'Islam. Certaines complètent avec du santal. À chacune son goût. Le onzième, verser l'eau de toilette Opium (Yves Saint Laurent). Mélanger, en prononçant lentement des mots d'amour. Il ne reste plus qu'à attendre l'arrivée du mari.

Monsieur le Président, maître Benoît, j'ai honte. Honte de vous livrer de tels secrets.

Peu d'hommes ont été ainsi conviés au cœur de l'intimité d'une femme. Vous vous en rendez compte ? Vous vous rendez compte de la valeur de mon cadeau ? J'espère que vous-mêmes, le moment venu, saurez vous montrer généreux. Quoi qu'il en soit, je continue. Quand une faiblesse me fait plier les genoux, quand le doute m'envahit, à l'instant, du plus profond de moi je sens monter une force, une vague invincible : c'est Mme Bâ. Elle prend le relais. On dirait qu'elle se charge de moi. Laisse-moi les commandes, Marguerite. Va dormir quelques heures, tu l'as bien mérité. Et cette Mme Bâ, rien ne peut ni ne pourra l'arrêter. Pas même la pudeur. Entre la pudeur et la vérité, elle a fait son choix.

Un soir, Mme Bâ enfila son plus riche boubou bleu. Alluma l'encensoir. Le glissa entre ses chevilles. Millimètre par millimètre, comme Aïssata Diallo le lui avait recommandé, s'il te plaît, Marguerite, donne tout leur temps aux effluves, j'écartai les jambes. Et le parfum commença de monter vers mon ventre. C'était comme un vol d'oiseaux minuscules, des dizaines de rolliers venus, de leurs plumes les plus douces, m'effleurer les lèvres, caresser mes replis les plus intimes.

Mme Bâ gémit.

Mme Bâ ne pleura que le lendemain. Après toute une nuit d'attente. Si Balewell n'avait pas succombé aux pouvoirs magiques concoctés par l'association de Mme Diallo, c'est qu'il était mort. Les morts ont le nez bouché par le sable.

L'apprentissage du pire

L'apprentissage du pire

– Ma fille...

Comme s'il devinait sa fin prochaine, notre père, chaque soir, convoquait chacun de ses enfants et lui inculquait son savoir des secrets de la vie.

– Ma fille, le pire est un pays. Tu dois en apprendre tous les chemins, tous les recoins. Y habitent des monstres qu'il faut te préparer à affronter. Imagine, par exemple, que tu tombes gravement malade, quelle est ta réaction ?

Ce genre de pédagogie, on s'en doute, sortait Mariama de ses gonds :

– Tu es devenu fou, Ousmane ? Marguerite n'a que sept ans. Tu veux la ronger d'angoisse ? Ne l'écoute pas, ma chérie.

Ces interventions ne gênaient en rien le programme éducatif paternel.

– Ta mère est gentille, mais, dis-moi, qu'arriverait-il à la centrale si je ne prévoyais pas à temps la montée des eaux ? Des catastrophes, Marguerite, des turbines emballées, voire arrachées. Je t'en supplie, Marguerite, fais-moi confiance et prévois tout, à commencer par le malheur. Ainsi, de deux choses l'une : ou tu seras prête à lutter, ou tu pourras goûter l'incomparable délice de la fausse alerte. Reprenons. Un de tes enfants disparaît,

225

Marguerite. Disparaît au loin, sans laisser la moindre trace. Que fais-tu ?

Imbécile Marguerite !

Ousmane, pourquoi ne t'ai-je pas écouté ? Pourquoi n'avais-je pas imaginé une seconde la possibilité de ce drame : la mort de Balewell ? Je me retrouvais seule. Seule avec mes huit enfants. Tous les neuf confrontés à cette nouveauté radicale : notre amour, père et mari, n'est plus là.

Je me rappelle, ces nuits-là, je rêvais que venait à ma rencontre l'horreur absolue, l'horreur garantie absolue. Je lui posais la question de confiance. Vous êtes le pire ? Vous me jurez que vous êtes ce qu'il y a de pire au monde ? L'horreur hochait la tête : on ne peut faire pire que moi. Alors je la remerciais, l'horreur garantie absolue. Au moins, avec vous j'ai descendu tout au bas de l'escalier du malheur, mes pieds reposent sur le fond du gouffre, et je peux remonter. Je m'éveillais plutôt souriante, pleine de ressort. Je te promets, Ousmane, cette fois, j'ai compris. Plus rien d'affreux ne pourra désormais me surprendre : j'envisage tout.

Cette stratégie allait se révéler des plus utiles pour faire face aux événements ultérieurs. Car mon père avait oublié une chose. Ou peut-être avait-il préféré me la cacher, cette chose, cette vérité pénible, j'étais si petite, il voulait m'épargner. Ce qu'il ne m'avait pas dit et que j'ai découvert, c'est l'originalité de notre continent : le pire a chez nous cette capacité démoniaque d'engendrer de l'encore pire. Un enfant infirme, non content de sa difformité, sera vendu comme esclave. L'enfant infirme esclave sera contraint de faire

226

la guerre. L'enfant infirme esclave sous les armes sera blessé, plus tard violé et donc atteint par le sida...

Sans aller jusque-là, j'allais devoir supporter ma part de fléaux. En Afrique, le pire n'a pas de fond.

12$_{III}$ Le mauvais œil de la boussole
(*Profession, suite*)

Qu'est-ce qu'une femme seule, contrainte de subvenir aux besoins d'une grande famille ?

Un squelette.

Un squelette, ne vous y trompez pas. Même si l'apparence peut porter à confusion. Même si Mme Bâ, haute d'un mètre soixante-dix-neuf pèse quatre-vingt-quatorze kilos (poids inchangé depuis mon dernier accouchement). Apprenez ceci des femmes malheureuses, Monsieur le Président : elles peuvent n'être pas du tout maigres et pourtant squelettes. Squelettes, car chacun s'acharne à les dévorer.

Le patron, M. C., d'abord, dont j'ai été, dix années, l'irremplaçable secrétaire. Il avait créé Mali Commerce International, une entreprise d'« import-export », comme il aimait à le rappeler fièrement, même si nous n'avons, lui et moi, jamais rien exporté. L'Afrique achète surtout, c'est bien connu. M. C. avait compris que ce travail était vital pour moi. Il usait donc et abusait de mon énergie. « Ce qu'il y a de précieux avec toi, madame Bâ, c'est ta disponibilité toujours souriante. »

Quand la squelettique Mme Bâ revenait à la maison, au bout du long tunnel des heures supplémentaires (jamais payées), huit rongeurs l'attendaient sur le pas de la porte.

Maman, j'ai faim. Maman, je ne comprends rien à mes maths. Maman, ma robe est déchirée. Maman, mon frère est une ordure. Maman, la lampe est cassée. Maman, tu m'achètes quand mes chaussures ? Maman, je saigne... Je donnais et donnais encore, honteuse de n'avoir qu'un squelette à offrir.

On aurait pu penser qu'une fois le peuple de ces gloutons un à un endormi par des berceuses personnalisées, le squelette, ce qui restait du squelette, pouvait se reposer, se refaire, quelques heures, de la chair. Erreur. Les rêves aussi ont de l'appétit. Surtout ceux qui vous rappellent de trop beaux jours. La mémoire du bonheur attaque les os tout autant qu'un acide.

Bref, dix années passèrent. Je n'en ai pas le moindre souvenir. À croire que le temps lui-même, mon temps, tout mon temps a été avalé, corps et biens consumés. De cette perte, de ce vaste blanc dans ma vie, je n'ai eu conscience que récemment. Je ne m'en souciais pas, alors. D'autres inquiétudes m'occupaient.

Les premiers accès de la maladie sont tous apparus de la même manière, par une question timide, embarrassée :

– Dis, Maman, c'est vrai qu'en France, le sol est vert toute l'année ?

– Dis, Maman, c'est vrai qu'en France, tout le monde a la télévision ?

– Il habite où, dis, Maman, le footballeur Michel

Platini ? À Paris ou à Jœuf, près de Nancy, sa ville natale ?

Quelque chose s'était détraqué dans les vertèbres cervicales de mes pauvres enfants. Depuis la disparition de leur père, le mal s'était progressivement aggravé et, maintenant, les touchait tous, les garçons comme les filles. Outre la tristesse, l'âge devait aussi jouer son rôle néfaste. Mon petit peuple grandissait. Les aînés avaient abordé les terres chaotiques de l'adolescence et de ses fascinations mauvaises. Une adolescence que mon aînée, hélas, n'avait pas encore quittée, malgré son mariage (avec un steward) et sa grossesse de huit mois. Son bébé à venir ne l'intéressait en rien. Elle ne pensait qu'à s'éclaircir la peau. Je vous rappelle son prénom : Mariama. En hommage à ma mère. La traditionniste n'aurait-elle pas pu mieux veiller sur elle ? De temps en temps, je perdais mes nerfs, j'insultais ma chère défunte. Dieu me le pardonnera, j'espère. J'étais seule, si seule pour mener toutes ces batailles.

La source du mal flottait dans l'air, difficile de lutter contre un ennemi si diffus. Je ne pus attraper qu'un coupable, alertée par son prénom. Du matin jusqu'au soir, ma progéniture le répétait béatement comme celui d'un prophète.

– Préparez-vous, mes enfants. Nous allons voir votre héros.

Je rassemblai mon troupeau et le poussai sans ménagement vers la demeure du beau Djibril, arrivé récemment de France, lunettes Ray-Ban sur le nez, tennis

Adidas, tee-shirt Nike. Selon sa bonne habitude, il paradait et pérorait au milieu d'une cour nombreuse et fascinée. La BMW de mon frère, par-ci. Les boîtes de nuit avec des actrices, par-là. Et les mille francs qu'on gagne rien qu'en claquant des doigts. Et le collège qu'on peut suivre à peine un jour sur trois...

– Djibril, viens ici !

Il redressa la tête, l'air mauvais. Qui donc prenait le risque de parler sur ce ton au roi, à l'incarnation même de la réussite internationale ? Me reconnaissant entourée de ma smala, il perdit d'un coup sa morgue et plusieurs centimètres. On aurait dit que ses jambes, prolongées des fameuses Adidas tant convoitées par toute la jeunesse de Bamako, à commencer par mes crétins d'enfants, s'enfonçaient dans le sable comme dans le plus tendre des sables mouvants.

– Djibril, maintenant tu vas me dire la vérité.

– Oui, madame Bâ.

– Où vis-tu ?

– À Montreuil, dans le 93, le haut Montreuil, quartier Saint-Antoine, rue des Néfliers.

– Combien y a-t-il de lits dans ta chambre ?

– Sept.

– Que fais-tu toute la journée ?

– J'attends...

Il parlait de plus en plus bas. Il tremblait. De la morve verte lui coulait des narines, comme s'il était retombé dans sa très petite enfance. Je ne le lâchais pas des yeux. Jamais personne n'avait résisté au regard inquisitorial de Mme Bâ. Personne au monde n'avait jamais osé, sous la lumière implacable de ce regard, tricher, si peu que ce soit, avec la vérité. Personne, sauf un Peul trop beau, s'il faut être franche. Mais ceci était une autre histoire, réservée aux adultes.

— Continue.

— J'attends que mon frère aîné me confie une mission.

— Je vois le genre de mission. D'ailleurs, ton fameux frère, où se trouve-t-il en ce moment ?

— À Fresnes.

— Qu'est-ce que c'est, Fresnes ?

— Une... une prison.

— Et tes autres frères ?

— Ils attendent.

— Ils attendent quoi ?

— Ils ont fait des études. De bac plus deux à bac plus cinq. Ils attendent un emploi. Ils peuvent attendre longtemps. En France, personne n'embauche un Noir qui habite le haut Montreuil.

— C'est tout ce que tu veux dire à mes enfants ?

— C'est tout. Madame Bâ ?

— Je t'écoute.

— S'il te plaît, madame Bâ, ne répète à personne ce que je vous ai dit. En France, je ne suis rien. Je n'ai de fierté qu'ici. Tu ne peux pas me la voler.

— À une condition. Arrête de mentir à tout le Mali.

— D'accord, madame Bâ. Merci, madame Bâ.

Je ne m'autorisai pas même un sourire, pas la moindre conclusion orgueilleuse et définitive, pas de « je vous l'avais bien dit », encore moins de « il faut toujours croire sa mère ».

De retour à la maison, je croyais l'affaire entendue. Enterrés jusqu'au cœur de la terre les rêves de fortune en France. Avant même le dîner, je dus déchanter.

232

– Maman, tu t'es mal conduite avec Djibril.

– Maman, tu n'avais pas le droit de le faire pleurer.

– Il t'a menti pour te faire plaisir.

– Mais en fait, Maman, c'est toi qui mens. Tu mens parce que tu veux nous garder près de toi. Tu mens parce que tu es jalouse. Tu mens parce que ta vie est misérable et que la nôtre sera meilleure. Tu mens parce que tu hais la France après ce qu'elle a fait à notre ancêtre Chemin des Dames.

Je n'étais pas seule dans mon malheur. Les autres mères du quartier de l'hippodrome devaient affronter la même vague d'aveuglement. Pour en parler et rassembler nos maigres forces, nous avions pris l'habitude de nous réunir le jeudi après-midi, chez l'une ou chez l'autre : qu'arrive-t-il à nos petits ? Leur tête ne regarde plus que vers le Nord. Je leur racontais la colère de ma mère, le jour de mon anniversaire raté, quand Ousmane m'avait offert une boussole. Elle avait prévu la suite. Un mauvais esprit avait métamorphosé nos bambins en aiguilles aimantées.

Si ce virus continue d'envahir leur crâne et de leur bloquer le cou, notre pays va se vider. On les dirait hypnotisés ! Existe-t-il des médicaments contre ce genre de folie ? Bien sûr que non. Les mots sont nos seuls alliés. Trouvons les bons mots sur la réalité de la vie malienne en France. Des mots terribles, des mots qui dégoûtent. Parlons, parlons sans cesse à nos malades. Il paraît qu'il faut parler aux gens dans le coma, or c'est une sorte de coma qui s'est emparé d'eux.

On se redonnait de l'énergie, un verre, deux verres, trois verres de thé à la menthe, on s'embrassait en repartant. Allez, les mères, haut les cœurs ! Le combat nous attend. Rendez-vous jeudi prochain !

Les Bâ, plus encore que les autres Africains, ont la manie des retrouvailles. Leur besoin d'être ensemble ne se contente pas des occasions traditionnelles, mariages, enterrements, anniversaires... Le calendrier secret des Bâ comporte bien d'autres rendez-vous, dont plus personne ne connaît, depuis longtemps, l'origine, mais qui s'imposent à nous avec une force quasi religieuse. Malheur à celui qui manque une seule de ces réjouissances ! Il se rend coupable du pire des péchés : affaiblir la famille, ouvrir dans notre muraille une brèche par laquelle ne vont pas manquer de s'engouffrer en ricanant l'armée de nos ennemis et la horde des calamités.

En résumé, les Bâ ne se quittent jamais. Et la mort d'un Bâ, par exemple celle de mon mari Balewell, resserre plus fort les liens entre tous les Bâ survivants.

Ça ne manquait jamais. À chacune de ces innombrables réunions s'approchait mon beau-frère, Yusuufu, les deux bras ouverts et le sourire enjôleur. Yusuufu, qui avait abandonné son morne prénom pour celui, bien plus glorieux, d'Ulysse. Ulysse Bâ, d'origine pastorale comme mon mari, mais reconverti brillamment dans les affaires. M. Ulysse Bâ, président-directeur général de la deuxième ou troisième agence de voyages du Mali. Façade religieuse inattaquable : « Non, La Mecque n'est plus inaccessible. Pour offrir à l'ensemble des croyants la chance du pèlerinage, l'agence Bâ sacrifie ses tarifs mais jamais ses services. » Le gros de son succès avait une origine plus païenne. « Enfin la France à prix d'amis ! Sur des avions vérifiés quotidiennement. Choisissez le jour, M. Bâ s'occupe du reste » (y compris de l'achat des visas, ajoutait la rumeur).

Résultat : une Mercedes pour lui. Une Peugeot 206 avec chauffeur pour transporter chacune de ses quatre épouses et leurs armures de bijoux. Un insupportable mépris pour les autres Bâ, moins flamboyants, au premier rang desquels les cheminots. Et la certitude que l'argent est la seule vérité du monde.

– Comment va la perle des Bâ ? Comment va la fleur imméritée de mon très regretté frère ? Comment va l'île inaccessible, regret de ma vie ?

Etc. Etc. Sur ce thème rebattu (ma beauté), il brodait quelque temps puis, constatant mon dégoût, se tournait vers ma progéniture.

– Et comment se portent les mini-Bâ, trésors du Mali, espoirs de nos vieux jours ?

Au lieu de les pousser vers cet oncle si chaleureux, je les entraînais à l'autre bout de la pièce. Ils pleuraient, trépignaient : pour une fois qu'un vieux nous sourit, qu'il nous parle d'autre chose que du travail à l'école et qu'il nous propose un petit tour en avion... On veut devenir ses amis, Maman, tu es méchante !

Mille fois je leur avais expliqué qu'ils devaient se méfier de lui. Que ses dehors charmeurs cachaient une sorte d'ogre. Un ogre qui peut-être ne dévorait pas tout cru les enfants, comme les autres ogres, mais les emmenait au loin, dans des pays glacés d'où ils ne revenaient jamais. Cet avertissement, si souvent répété, passait de moins en moins bien au fur et à mesure que mes bambins grandissaient. Je devais user de toutes les armes de mon autorité, menaces et griffes comprises, pour les empêcher de se précipiter dans le piège de l'émigration.

Pendant ce temps couraient les commentaires ricanants de la famille : que se passe-t-il entre Marguerite et Yusuufu-Ulysse ? Ne serait-ce pas l'amour ? Mais, puisque le pauvre Balewell a commis l'erreur fatale de se faire poignarder, pourquoi sa veuve, plus si jeune, loin s'en faut, s'acharne-t-elle dans ce rôle imbécile de vierge effarouchée ?

« La France est un ogre : tu veux qu'il t'aspire et te roule dans sa bouche et te suce et te ronge et rejette tes os quand il n'aura plus faim ? Tu veux devenir cette carcasse de poulet, là, qui se dessèche sur le sol, dédaignée même par les mouches, c'est ça que tu veux ? La France est blanche : ta peau noire n'y sera qu'une salissure. La France est froide : toi si frileux, tu y grelotterais même en été. La France est grise : les couleurs n'y viennent plus, de peur d'être mangées. La France est sourde et muette : un passant, un voisin ne répondent pas quand on leur parle. Tu sais faire les additions ? Blanche + froide + grise + sourde + muette, ça donne quoi ? Calcule bien. Ça donne l'enfer. Tu ne vas pas me dire que tu préfères l'enfer de là-bas aux difficultés d'ici ? »

Ainsi parlais-je et reparlais-je à mes enfants, pour les dégoûter de l'ancienne métropole. C'était ma rengaine, le traitement quotidien que je leur infligeais depuis leur contamination. Une médication complétée par certaines précisions réservées aux plus âgés des garçons, et murmurées dans le noir comme des secrets honteux.

– Tu es grand, mon Ousmane, il faut que je te dise quelque chose...

– Oui, Maman. Encore la France ? Tu ne pourrais pas changer un peu ?

– Les Parisiennes sont folles des Maliens. Personne n'y peut rien, c'est dans leur nature. Sitôt qu'elles te croisent, elles te reniflent, elles te palpent sans aucune vergogne – tu sais ce que c'est la vergogne ? –, et surtout, ô mon Dieu, ai-je le droit, déjà, à ton âge, de te dire la vérité, elles sont si goulues qu'elles t'aspirent la moelle, toute la moelle épinière du bas du dos jusqu'au cou, tu te rends compte ? Elles te vident la colonne vertébrale, n'en laissant plus une goutte, et après elles te chevauchent, jour et nuit, en criant « encore, encore », elles t'épuisent, te harassent, ne te laissent en repos qu'une fois mort, c'est ça que tu veux, mon chéri, te faire récurer par les hyènes de là-haut ?

– Bon, je peux dormir maintenant ?

Le lendemain, sous un prétexte alléchant de robe à acheter ou de rendez-vous cadeau chez le coiffeur, j'emmenais le long du fleuve l'une de mes filles. Rituellement, je commençais par faire l'éloge du paysage :

– Quelle chance nous avons, mon Awa, d'avoir un si noble fleuve. On comprend que l'Europe entière nous envie. Tu sais la longueur de notre Niger, mon Awa ?

– Je ne sais pas, Maman.

– Plus de 4 000 kilomètres. Et la minuscule rivière Seine, celle qui serpente au milieu de Paris, l'orgueil des Français, quelle est sa taille exacte, d'après toi ?

– Je ne sais pas, Maman.

– Seulement 776 ! Et notre soleil, quand il s'en va, regarde le violet qu'il nous offre en cadeau d'au revoir, je t'en prie, regarde cette merveille au-dessus des monts mandingues. Tu crois qu'un pays tempéré peut en fabriquer de semblables ? Tempéré, ça veut dire pâle, Awa, insipide, et tiède.

Jugeant cette introduction suffisante (les adolescents sont peu sensibles à la beauté de la nature), je passais affectueusement le bras sous celui de ma fille et abordais le vif du sujet.

– Awa, ma chérie, tu as déjà rencontré des Blancs ?

– Pour qui me prends-tu ? Pour une aveugle ? Il y en a de très mignons. Surtout le blondinet, le médecin sans frontières, tu sais, celui qui s'occupe du sida.

– Awa, je suis sérieuse. Tu as vu comme ils nous dévisagent ? Et quand je dis visage...

– Les yeux des hommes sont tous pareils, Maman.

– Ici, les Blancs se retiennent parce qu'ils sont en pays étranger. Ils se méfient de nos policiers. Mais là-bas...

– Là-bas ?

– Je ne sais pas si je dois t'en parler, à ton âge. Tu n'es encore que ma petite Awa, après tout...

Awa, furieuse, tapait du pied :

– Raconte. C'est toi-même qui nous l'as appris : on n'a pas le droit d'arrêter une histoire en chemin.

– Là-bas, les Blancs se laissent aller. Je n'ai pas la mémoire des chiffres. Quand on sera de retour à la maison, je te montrerai le nombre de femmes noires agressées chaque jour à Paris. Oh, s'ils te violaient là-bas, je crois que j'en mourrais.

Et j'éclatais en sanglots.

Awa (ou Henriette, ou Aminata), au comble de l'exaspération, s'enfuyait : quel Dieu cruel nous a fait cadeau d'une mère aussi folle ?

Mais est-ce qu'une fille digne de ce nom abandonne en pleurs, au bord d'un fleuve, alors que la nuit tombe, celle qui lui a donné le jour ? Awa (ou Henriette, ou Aminata) revenait me consoler et me jurait que jamais, jamais, elle ne prendrait l'avion du Nord. Ou alors avec toi, Maman, seulement pour quelques jours, nous monterons à la tour Eiffel pour nous moquer de la courte taille de la Seine, nous saluerons au musée du Louvre le sourire pincé de la Joconde qui regrette tant de n'être pas une Africaine sexy. Et puis bien vite, nous reviendrons chez nous.

C'est lors d'une de ces promenades éducatives, avec Henriette cette fois-là, que je rencontrai celui qui allait m'offrir un métier. Un métier véritable, un métier noble, un métier qui rend fier celui qui l'exerce et tous ses descendants, un métier qu'on aime à inscrire sur une pierre tombale car il donne une haute image du défunt.

Jamais la maladie de la boussole n'avait frappé si fort la famille. Malgré tous mes efforts, interdictions formelles assorties des menaces les plus terribles, portes fermées à double tour, mes enfants, tous les huit, sautaient par les fenêtres, se glissaient dans les canalisations ou franchissaient les murs, quelle que fût la méthode réussissaient à s'enfuir chaque après-midi pour aller se laisser hypnotiser par une sorte d'aquarium dans lequel gesticulait une blonde anorexique prénommée Dorothée. Depuis qu'il s'était offert la télévision, M. Ayoun, le Libanais vendeur de lits (« Vous allez aimer vos nuits »), ouvrait son salon à tous les voisins, grands et petits, pour qu'ils admirent sa réussite.

C'est dire si les propos que je tenais à ma fille, ce soir-là, étaient rageurs et violents :

– Vous êtes des imbéciles, toi, tes sœurs et tes frères ! Misère de moi, je me suis déchiré le ventre pour vous engendrer et vidé la tête pour tenter de vous éduquer. Résultat : rien que des bouches bées, des attrape-tout, des cerveaux débiles derrière vos yeux ravis ! Pas un pour sauver l'autre ! Mais enfin, quelle est cette fascination de poissons gobeurs pour tout ce qui vient de France ? Votre pays, c'est ici. Pas là-bas ! C'est ici qu'il faut rêver. La France n'est qu'un paradis pour gogos. Moi vivante, aucun de vous ne partira s'y faire ronger l'âme...

Je m'aperçus soudain que nous n'étions pas seules. Un homme nous observait par la vitre ouverte d'une longue voiture noire. Plus très jeune, le visage maigre, il se tenait à l'avant, près du chauffeur, avec simplicité. Mais tout indiquait chez lui le chef, l'homme puissant.

Je maudis mes prunelles : pourquoi ne m'avez-vous pas prévenue ? J'incendiai ma bouche : crétine, pourquoi m'as-tu laissée proférer de telles horreurs devant ce considérable personnage ?

Par ces temps de dictature, il ne faisait pas bon exprimer à haute voix une opinion violente. Le Président à vie avait des espions partout et de toutes couleurs. Je saisis la main de ma fille et, relevant tant bien que mal mon boubou, me mis à courir. Le sport n'était pas dans mes habitudes. Sur le chemin du retour, mon cœur, obligé d'irriguer, menaça mille fois d'exploser. Sitôt rentrées chez nous, les verrous furent poussés. « Mes enfants, j'ai fait la bêtise de ma vie ! Prions Dieu. »

Quand, le lendemain matin, on frappa contre la porte, deux coups nets, l'appel du malheur, je manquai défaillir. Je n'avais pas dormi de la nuit.

— On ne répond pas, chuchotai-je.

— Maman, ne sois pas bête !

— Très bien, puisque vous savez tout mieux que moi...

Un gendarme français se tenait sur le seuil, un petit rectangle blanc à la main. Je me précipitai vers lui avant qu'il ait pu proférer un mot.

— Il faut que je vous explique... Vous direz à votre chef... Je vous présente mes excuses... Pitié au moins pour mes enfants... J'ai le droit à un avocat, quand même ?

Le pauvre homme, un jeunot blond, ouvrait grand ses yeux clairs. Manifestement, il ne comprenait rien à cette volée de mots. Profitant d'une accalmie (j'essuyais les larmes qui m'étaient venues), il réussit à glisser son invitation.

– Madame Bâ ? Bonjour, madame. M. le Haut Délégué aimerait vous rencontrer. Le plus tôt serait le mieux.

Il tendit le rectangle blanc.

– Voici l'adresse. Et le numéro de son secrétariat. Bonne journée, madame Bâ.

Stupéfaite, je tournais et retournais la carte de visite.

– Maman, à la fin ! Montre-nous, s'il te plaît !

Entre-temps, alerté par la venue du gendarme et dévoré de curiosité, tout le voisinage s'était rassemblé. J'attendis que monte l'impatience (Mme Bâ, avouons-le, a le sens du spectacle. Quand l'occasion se présente, elle ne dédaigne pas de mettre sa vie sur scène). Enfin, lorsque je sentis que le public était bien chaud, d'une voix solennelle, détachant les syllabes une à une, je lus :

Haute Délégation Franco-Malienne
pour le Co-développement
M. Stéphane Kersaint
Délégué général
BP 234 Bamako
Tél. : 22.13.86

Quelques applaudissements éclatèrent.

– Ça, c'est un Blanc !

– Tu en as de la chance, madame Bâ !

– Une Haute Délégation, il doit falloir un sacré escalier, pour monter jusque-là !

– Co-développement, ça veut dire humanitaire ou quoi ?

D'un ton sans réplique, je mis fin à la représentation :

– Bien. Merci d'être venus, vous avez à faire, j'imagine.

Quelques irréductibles ne voulaient pas quitter cette atmosphère de fête.

– Tu le connais depuis longtemps ?

– Tu crois qu'il est amoureux ?

– Tu ne nous oublieras pas, quand tu seras installée dans ton altitude ?

Ô le bonheur sans pareil de présenter tranquillement ses papiers à un uniforme sans ressentir au creux du ventre la plus infime sensation de terreur ! Ô le plaisir délicat d'assister, derrière l'hygiaphone, au spectacle ci-après : un visage de fonctionnaire français passant du mépris (« Les affaires d'immigration, c'est la porte d'à côté ») au respect (« Pardon, madame. M. le Haut Délégué vous attend ») sitôt que ses yeux clairs ont déchiffré votre nom sur le passeport tendu par vous ! Ô la félicité arrogante de traverser, précédée par un autre uniforme, collègue du précédent, la cour de l'ambassade, sous deux peuples de regards : 1) les admiratifs à pleurer, ceux de vos huit enfants demeurés de l'autre côté de la grille, 2) les envieux à mourir, ceux de la longue ligne des candidats au visa parqués là-bas, comme du bétail, devant la porte close du consulat ! Ô le luxueux frisson, annonciateur d'une probable mais glorieuse bronchite, de grimper l'escalier officiel dans le vent d'une batterie de climatiseurs dernier cri ! Ô la timidité qui noue les tripes à pénétrer dans l'antichambre richement décorée : marbre au sol, peintures et photos aux murs, grosses fleurs jaune tournesol, ciels torturés, Champs-Élysées et château de Versailles ! Ô la crispation de la pointe de vos fesses posée le plus délicatement possible sur le bout du canapé plein cuir ! Ô, après seulement quelques minutes de délicieuse attente, deux fois interrompue par une secrétaire mielleuse : M. le Haut Délégué me prie de l'excuser pour cette attente involontaire et qui ne durera plus, ô le tremblement d'entendre votre nom !

Mme Bâ se leva et franchit en princesse le seuil de la double porte. Derrière laquelle se tenait, debout, main tendue, un grand oiseau déplumé mais le geste vif, la parole directe : ne faites pas attention à ce bureau sinistre, et, le regard chaleureusement interrogateur : seriez-vous celle que j'attends ?

— Je le crois.

— Je vous conseille ce fauteuil, c'est le moins mauvais.

La conversation dura longtemps. M. le Haut Délégué s'était renseigné. Il avait appris mes commencements tonitruants de juriste, hélas interrompus par l'inéluctable pulsion maternelle. Il connaissait tout de mon père, technicien hors pair, excellent esprit. C'était cela qui l'intéressait surtout, l'« excellent esprit » de notre famille.

— Pardon, monsieur, pour ces déclarations d'hier contre la France.

— Au contraire, au contraire...

— Mais vous savez ce que c'est. Nos enfants ne s'intéressent qu'aux pays riches, à l'Amérique...

– Au contraire, je vous félicite. Je partage votre colère : les Africains doivent donner toutes leurs forces au développement de leur continent au lieu de ne chercher qu'à s'exiler. J'aime votre esprit, je vous le disais, un excellent esprit. Je crois que nous allons nous entendre...

Le Haut Délégué du co-développement, saisi, semblait-il, par une émotion profonde, m'avait pris les mains et les secouait, les secouait. Peut-être, mine de rien, vérifiait-il leur capacité à travailler ? Il faut se méfier des Blancs : leur sympathie pour nous, même sincère, n'est jamais incompatible avec le souci de nous utiliser au mieux.

– ... Et puis vous êtes de Kayes, la capitale de l'immigration malienne en France. C'est là qu'il faut aller combattre. Ça vous dirait de revenir chez vous ?

– On peut l'envisager.

Je tentais de demeurer froide : avec un Blanc, tout enthousiasme par trop visible se paie comptant, mais cette perspective m'enflammait le cœur. Il avait bien fallu vivre à Bamako, après le décès de Balewell, mais revoir le soleil se lever sur le cher Sénégal, reprendre contact avec notre protecteur tutélaire, le crocodile, le saluer, lui demander quelques conseils secrets sur ma vie personnelle, retrouver le souvenir de ma mère assiégée par la foule des « *qui suis-je ?* », revenir à Felou pour donner à mon père des nouvelles fraîches de sa chute d'eau et de la manière dont ses successeurs s'occupaient de ses turbines tant aimées... Toutes raisons, soudain impérieuses, pour quitter au plus vite cette capitale impersonnelle et organiser le retour vers le berceau de notre famille. D'ailleurs, n'était-il pas grand temps pour mes enfants de renouer avec la terre et le fleuve de leurs ancêtres ? Comment s'étonner que des êtres sans racines soient balayés par le vent ?

— Voilà, reprit le Haut Délégué. Il avait respecté ma rêverie. Un respect rare chez ceux de sa race. Je pars dans un mois. J'ai besoin d'une assistante qui m'ouvre les portes du pays soninké et qui partage notre combat. Réfléchissez. Pas trop longtemps.

J'ai appelé Marie Curie à mon secours. Je ne l'avais plus dérangée depuis des années. Madame, franchement, que pensez-vous de cette proposition ? N'est-ce pas l'occasion de me réinstaller dans mon ambition de jeunesse ? Son silence valait confirmation. Encore me fallait-il éclaircir quelques détails d'importance.

Mon peut-être futur patron s'était levé, grand sourire aux lèvres.

— Quand pouvez-vous commencer ?

De ma poche je sortis la fameuse carte de visite.

— Pardon, monsieur, de vous prendre quelques minutes. Il y a si longtemps que j'ai abandonné mes études. J'ai perdu le contact avec les idées nouvelles. Le « co-développement », ça veut dire quoi ?

Le sourire qui me faisait face gagna en taille. Mon interlocuteur s'était changé en illuminé. Un mystique exalté, un missionnaire tout joyeux d'expliquer sa foi à une sympathisante, une convertie probable.

— Soit deux pays, l'un très riche, l'autre très pauvre... Jusque-là, vous saisissez, madame Bâ ? Je ne suis pas trop abstrait ? Parfait, madame Bâ, je continue, vous allez entendre formuler ce matin une idée toute simple qui peut rétablir l'équilibre du monde.

246

– Je vous écoute, avec mes deux oreilles et toute mon espérance.

– Généralement, les habitants du pays très pauvre cherchent par tous les moyens à venir ronger les miettes du pays très riche...

– Hélas, monsieur le délégué, toujours cette maudite pulsion du voyage !

– ... lequel pays riche se défend comme il peut contre les sauterelles du Sud : barbelés, policiers, gardes-côtes...

– Rien de nouveau sous le soleil, monsieur le délégué.

– Supposez maintenant que le riche aide le pauvre à sortir de sa dèche... Mieux : supposez que riche et pauvre se prennent la main et qu'ainsi, unissant leurs forces, comblant chacun les faiblesses de l'autre, ils avancent ensemble vers la prospérité commune ?

– Serait-ce possible que la puissante France et le désolé Mali... ?

– Les deux Présidents de la République, au cours du dernier sommet du 16 décembre, ont baptisé ce vaste projet d'un nom lumineux : le co-développement. Madame Bâ, voulez-vous participer à la première expérience universelle de co-développement ?

Le 21 mars, Marguerite et sa famille quasi complète s'embarquèrent, non sans frayeur, dans le fameux train Bamako-Kayes-Dakar, meurtrier d'ancêtres.

– Tu crois qu'on va dérailler nous aussi, Maman ?

– Se faire écraser la tête comme grand-père Ousmane ?

– Crever le ventre, comme grand-mère Mariama ?

Où avaient-ils obtenu ces détails (véridiques) ? La
commission chargée de l'enquête avait, comme d'habitude, oublié de rendre son rapport. D'ailleurs, un nouvel accident s'était produit un mois plus tard...

Je rassurai la troupe.

– Priez votre père, mes enfants, lui qui savait si bien
conduire ces énormes bêtes locomotives.

Et c'est ainsi que, sans le savoir, nous quittâmes à
la fois Bamako et la dictature. Car tandis que nous
roulions tranquillement vers le Nord-Ouest (malgré des
vibrations terrifiantes, le convoi demeurait sur ses
rails), des étudiants héroïques (dont plusieurs se firent
massacrer) parvenaient à chasser de son palais notre
Président dictateur à vie.

À notre arrivée à Kayes, tout le monde s'embrassait :
vive la démocratie, vive la liberté ! Impossible de trouver quelqu'un pour s'occuper de nos bagages. Revenez
demain ou après-demain : nous, on fait la fête !

Nous avons dû tout porter nous-mêmes, des dizaines
de caisses et de cartons, notre déménagement.

– Maman, qu'est-ce que ça change, la démocratie, à
part qu'on se casse le dos ?

– Tout, mes chéris, ça change tout !

Mes enfants levèrent le nez vers le ciel uniformé-
ment bleu, humèrent la poussière, s'épongèrent le front
(le thermomètre de la gare dépassait déjà les 48 °C).

– Nous, en tout cas, on ne voit pas la différence.

– C'est parce que vous êtes fatigués par le voyage.
Demain, vos yeux s'ouvriront.

12$_{IV}$ L'échangeur
(*Profession, suite*)

Qu'est-ce qu'un bras droit ?

Quelqu'un qui règne sur la salle d'attente. Une salle qui déborda très vite le rez-de-chaussée de l'ancienne poste, où nous avions installé notre Haute Délégation, pour gagner la rue Magdebourg et s'étendre, certains jours, jusqu'à l'abattoir. Car, sitôt notre arrivée, une foule de candidats collaborateurs se présenta.

Et qu'est-ce qu'une reine de salle d'attente ?

Une Marguerite Bâ qui prend de grands airs en se rendant au bureau le matin, qui ne répond pas aux sourires obséquieux et aux saluts serviles des quémandeurs, qui pique des colères injustes contre tel ou tel, trop sale, trop bruyant ou trop mal habillé (si tu crois qu'un Haut Délégué va perdre une seule seconde avec un pouilleux comme toi), qui, par pure méchanceté, décourage en montrant la pile de dossiers sur son bureau (si ça t'amuse d'attendre...), qui fait mine de ne pas reconnaître ses amis et amies d'enfance (qu'est-ce que vous croyez ? Que je vais vous privilégier ? N'y comptez pas ! Le Mali et la France attendent de nous la plus parfaite impartialité), qui, d'ailleurs, emploie à tout bout de champ le « nous » royal au lieu du « je », bref, une Insupportable qui abuse de son pouvoir tout neuf.

Plus tard, bien plus tard, quand, à mon tour, pour présenter ma demande de visa, j'ai dû redescendre tout au bas de l'échelle, mes fautes anciennes me sont revenues en mémoire. Je serai donc la dernière à accabler le personnel de votre consulat. Il faut être saint pour continuer à se montrer humain quand le destin vous nomme roi ou reine de salle d'attente.

Cette maladie du pouvoir dura quelques semaines. Et puis, un beau jour, Mme Bâ guérit. C'est-à-dire redevint humaine. Et Dieu, rassuré, envoya sur la rue Magdebourg deux années de bonheur. Bonheur de retrouver mon cher fleuve Sénégal. Loin de moi l'idée de mépriser le Niger mais, malgré tous mes efforts durant ces longues années passées sur ses rives, à Bamako, je n'avais jamais réussi à tisser avec lui de vrais liens d'intimité. Chaque humain a son cours d'eau, son grand frère qui le mène à la mer. Bonheur de reprendre racine, moi et mes enfants, dans le pays soninké. Kayes est notre capitale, le port de nos attaches, le havre de paix familiale entre tous nos voyages.

Qu'est-ce que le co-développement ?

1. Le matin, nous recevions les rêves. Un long cortège de rêves. Moi, je voudrais que la France répare ma mobylette : sans elle, comment puis-je livrer mes œufs ? Moi, je voudrais que la Haute Délégation net-

toie l'abattoir. Comment, dans une telle puanteur, le Mali peut-il envisager l'avenir sereinement ? Nous, mes cousins et moi, jurons de ne jamais émigrer vers Montreuil si la France reconstruit notre pirogue de pêche. Moi, je voudrais que la société Lacoste m'autorise à copier, en toute légalité, vraiment, ses polos ornés du crocodile. Après tout, cet animal est à l'Afrique. Pas à l'Europe. Moi, si vous m'aidez à réhabiliter-rénover l'Hôtel de la Cigogne d'Or, je promets que ma famille entière revient de Saint-Denis pour s'en occuper.

Moi je voudrais, moi je voudrais. Etc., etc.

Le coffre à rêves de l'Afrique est inépuisable. Comme son esprit d'entreprise.

2. L'après-midi, nous établissions le dossier du rêve. L'administration n'accepte pas de rêves bruts, il faut les traiter d'abord, les habiller, les coiffer, les parfumer pour qu'Elle daigne y jeter un œil. Donc des fiches par dizaines, des états civils, des photomatons, des appréciations à écrire, taper, nuancer, retaper, le traitement de texte n'avait pas encore débarqué à Kayes, pardon de vous enchaîner à cette machine, madame Bâ, je sais bien que vous n'êtes pas seulement dactylographe, mais à la guerre comme à la guerre, n'est-ce pas, et que ferait la Délégation sans vous ?

3. Le soir, après la fermeture de la boutique, voici votre apéritif, monsieur le Haut Délégué, avec trois glaçons d'eau filtrée, comme vous l'aimez. Il fermait les yeux, c'était sa manière à lui de remercier, un jour il faudra que je vous apprenne le whisky, madame Bâ,

la différence entre un Rosebank et un Lagavulin : voyez-vous, le premier vient des Lowlands, madame Bâ, et le second des îles. Il souriait, silencieux. Perdu dans son rêve à lui. Ses lèvres remuaient doucement, comme celles d'un bébé qui tète. Il m'avait oubliée. Alors je continuais à travailler. Et continuais toujours quand il finissait par quitter le bureau, bonne nuit, madame Bâ, et allait marcher des heures au bord du fleuve. À mon âge, madame Bâ, il faut tenir la bride courte à son corps, ne jamais laisser la fatigue s'installer. Surtout quand il y a tant à faire ! À demain. À demain, monsieur le Haut Délégué.

D'où venait l'enthousiasme permanent de M. Stéphane, ce perpétuel sourire de vieil enfant ébloui, cette joie immuable ? Quelle passion lui dévorait le corps, ne laissant à sa haute taille qu'à peine assez de chair pour recouvrir ses os ? Où ce personnage qui avait depuis longtemps, très longtemps, quitté la jeunesse, puisait-il cette énergie, moteur de son invraisemblable activité ? Sûrement pas dans le sommeil : pour lui, la nuit ne comptait que quatre heures et les siestes n'auraient dû être tolérées qu'aux malades, certificat médical à l'appui.

Quand il voyait ma lampe allumée à des heures indues, notre cher pharmacien, M. Niane, frappait doucement à la porte de mon bureau. Il n'avait pas quitté sa blouse blanche.

– J'espère que je te dérange, Marguerite ! Il faut savoir s'offrir des relâches. Je te connais : tu as hérité de ton père, le forgeron, tu aimes d'amour le travail. Mais si tu continues à ce rythme, tu ne vas pas tarder à rendre l'âme. Tiens, je t'ai apporté quelques vitamines.

Et, tandis que je croquais les pilules multicolores, nous parlions. Puisque nous partagions le même goût pour ce jeu étrange, la classification, nous tentions de faire entrer mon Haut Délégué dans une case déjà répertoriée.

– Ce n'est pas un humanitaire comme les autres.

– Non. Ni un religieux. Je ne l'ai jamais vu prier.

– Tu le sais bien : il y a des gens pour qui prier, c'est expier.

– Et la meilleure manière d'expier ses péchés serait de vivre dans notre misère ? C'est ça que tu veux dire ?

– Alors peut-on le considérer comme géographe ?

Chaque continent, j'imagine, a ses supporters étrangers, ses passionnés venus d'ailleurs. Les fous d'Asie, les fous d'Australie, les fous d'Amérique latine... Nous avons aussi nos fous à nous, les fous d'Afrique, nous en recevons notre dose, des fous de toute sorte et tout âge, par bateau, avion charter ou privé. Par la route aussi, en voiture (déglinguée), à moto, à vélo même, via Gibraltar. Chacun a sa raison : la compassion pour nos malheurs, l'exploration de notre belle nature, le commerce fructueux avec l'indigène, la tranquille pédophilie...

M. Stéphane n'appartenait à aucune de ces catégories toutes faites.

– J'ai mené mon enquête. Pour un pharmacien, c'est facile. Il y a toujours trace, ici ou là, d'une vieille ordonnance. Notre ami est déjà venu chez nous. Enfin, un peu plus à l'Est. Au Cameroun d'abord et au Tchad, il y a longtemps, 1940. Il venait de Londres. Il appartenait à l'équipe de Leclerc, tu sais, le futur maréchal, celui de la 2e DB. Il y avait aussi François Jacob, tu te rends compte, le savant, le futur prix Nobel. Dis-moi, Marguerite, un jour tu me permettras d'interroger ton patron sur ce savant-là ? Après tout, je suis un biologiste, moi aussi.

– Ne compte pas sur moi. Un bras droit, c'est d'abord fait pour protéger des importuns.

– Merci bien ! Allez, je te pardonne. Tu as tant de travail. Tu imagines, en 1940, au plein cœur de l'Afrique, Leclerc, Jacob et lui s'étaient juré de n'arrêter le combat qu'à Strasbourg, lorsque toute la France serait libérée des nazis. Ils ont tenu parole.

– Inutile de chercher plus loin. Nous pouvons ranger M. Stéphane dans la case « Héros ».

– Tu en tires quelles conclusions ?

– Un vieux héros court toujours après sa légende. Et sa légende a commencé ici, en Afrique.

Longtemps nous discutions ainsi des relations complexes entre un homme et sa légende. Niane me quittait tard.

– Je voulais t'apporter du repos. Et voilà que j'ai encore rétréci ta nuit.

Ces visites de la blouse blanche alimentaient les rumeurs dans le quartier : Mme Bâ commerce avec des fantômes. Certains voisins y allèrent même de leurs dénonciations, je le sais par des amis au commissariat.

M. Stéphane n'a évoqué qu'une seule fois devant moi son passé combattant, sa jeunesse légendaire. C'était un soir de colère envers notre continent. Cent fois, Mohammed, notre homme à tout faire, avait réparé. Cent fois, il avait promis : ça marche, patron, juré, garanti ! Cent fois, mille fois, le Haut Délégué avait tenté d'allumer la lampe. En vain. Il avait fermé les yeux, inspirant à pleins poumons, comme s'il cherchait à noyer sa fureur dans ce grand flux d'air.

– Ah, madame Bâ, vous, les Africains, il faut vraiment vous aimer pour continuer à vous aimer ! Enfin, après ce que vous avez fait pour la France en 14-18 et 39-45, vous avez le droit de nous torturer pendant un siècle.

En deux phrases, il avait ridiculisé nos subdivisions. Parmi les fous d'Afrique, la catégorie « Héros » était bien trop large. Il fallait affiner. Distinguer entre les Héros A (ils courent après leur légende) et les Héros B (ils viennent régler leur dette). Ces Héros B n'étaient-ils pas une variété des Religieux ? Et les Héros A des variantes de l'Explorateur, lui-même voisin de l'Écrivain, chevalier de la Curiosité ? Décidément, le pharmacien et moi avions beaucoup de travail avant d'établir une classification exhaustive des variétés infinies de fous d'Afrique.

4. La plus vive satisfaction, tous mes collègues codéveloppeurs de la belle époque vous le confirmeront, nous venait le lendemain matin, à l'ouverture du courrier. Rien que des ANO !

Monsieur le Président de la République française, bien que maître absolu de l'administration française, vous n'êtes pas forcé, et Dieu vous en préserve, de connaître son jargon par le menu ni les onomatopées qu'elle chérit tant. Sachez que l'ANO, ou, pour être plus explicite, l'*avis de non-objection*, est sa manière à elle, l'administration, d'acquiescer. Vous n'ignorez pas qu'il est dans sa physiologie de ne pouvoir prononcer un « oui » clair ou de signer un « bon pour accord »

255

sans équivoque. ANO. ANO, c'est-à-dire : prenez vos responsabilités. En cas de succès, la gloire est pour le ministre ; en cas d'échec, on fait silence ou vous portez le chapeau.

Et Paris nous noyait sous les ANO. Quels que soient nos projets, ANO.

Bien sûr, quelques guêpes venaient souvent nous gâcher notre bonheur, déguisées en questions sournoises : vous êtes vraiment certains, ton Haut Délégué et toi, que votre action est utile ? que ces microprojets servent à quelque chose ? que se réduit l'écart entre la richesse de la France et la misère du Mali, malgré tous les indicateurs ? que s'assèche le flux des migrations Sud-Nord, en dépit de ce que dit et répète la police de l'air et des frontières ?

Il suffisait de les écarter du revers de la main, et de penser à autre chose. Justement, à aller nourrir les ANO.

Hélas, ce paradis ne dura pas.

À l'approche des élections françaises, le climat, brusquement, se dégrada. Le joyeux rendez-vous du courrier matinal virait au cauchemar. Puisque tous nos projets étaient assassinés en plein vol par un AO, *avis d'objection*. Comment ne pas entendre ? Les parois étaient minces, rue Magdebourg, bien trop hâtivement construites. Malgré mes efforts, surhumains, de discrétion, les conversations de mon chef infiniment respecté n'avaient pas de secret pour moi. Vers la fin de l'année, elles semblaient toutes tourner autour du même thème : la défense de notre action.

« Mais enfin, monsieur le conseiller technique, vous n'allez quand même pas remettre en cause nos périmètres irrigués ? » s'exclamait M. Stéphane. Ou : « Et l'alphabétisation, monsieur le directeur, vous croyez vraiment que le Mali peut sortir la tête du sable avec, dans notre région, cinquante pour cent d'illettrés ? »

Le Haut Délégué argumentait comme il pouvait mais je sentais qu'il perdait pas à pas du terrain. Qui étaient ces mystérieux « directeurs », ces acariâtres « conseillers techniques » dont les appels, chaque fois, torturaient mon patron ? Après les « clac » tantôt rageurs, tantôt trop doux, indiquant qu'il avait raccroché, je laissais passer deux, trois minutes, par décence, et j'arrivais avec mon plateau : un réconfortant, monsieur le Haut Délégué ?

Il marchait de long en large. Je craignais qu'il n'attrape froid en passant et repassant devant le climatiseur.

– Vous savez la dernière invention de Paris, madame Bâ ? Il paraît que je, que nous confondons le co-développement et l'humanitaire. Ah, ah, ils se sont démasqués ! Ce que veut la France, c'est du chiffre d'affaires pour ses entreprises, et rien d'autre !

La colère lui donnait soif. Il me tendait son verre pour un autre whisky.

– Ces gens-là n'ont aucun sens du long terme. On m'avait dit : « Un homme comme vous, à votre âge et avec votre autorité morale ! Vous pensez bien, pour les actions à mener, vous aurez carte blanche. » Tu parles ! On n'a jamais carte blanche en politique, apprenez cela, madame Bâ, et l'âge n'y fait rien. Jamais carte blanche.

Cette carte blanche prenait peu à peu possession de

lui. « Carte blanche »... Il ne murmurait plus que « carte blanche ».

Je m'en allais sur la pointe des pieds. Je sentais que notre délégation filait un mauvais coton. Et pourtant, je n'ai pas vu venir la fin. J'ai même été soulagée quand un nouveau mot est apparu dans son vocabulaire. Je ne savais pas qu'il apportait la peste avec lui.

— Cette fois, c'est un ultimatum. Ils veulent tous un échangeur, les Français comme les Maliens. J'aurais dû brancher le haut-parleur. Vous les auriez entendus. Ils réclamaient comme des enfants gâtés : un échangeur ! Un échangeur ! Un échangeur, sinon rien ! Construisez-moi un échangeur ou je coupe vos crédits.

Je n'avais jamais entendu ce mot, à l'époque. Mon air égaré dut l'avertir de mon ignorance.

— Ils me disent qu'un chantier a déjà été lancé, il y a cinq ans, du temps de la dictature, puis arrêté. Nous n'aurons qu'à le remettre en marche. Je vais lui rendre une petite visite de courtoisie. Vous venez ?

Prétextant quelque besoin urgent, je me précipitai sur le dictionnaire.

Qu'est-ce qu'un échangeur ? Un ouvrage d'art qui « organise des intersections routières sur plusieurs niveaux ».

Je gagnai en courant la place qui m'attendait : le siège de cuir climatisé, à gauche du chef, derrière le chauffeur. Avouons que je savourais de parcourir ainsi la ville en si glorieux équipage. Derrière la vitre, je saluais négligemment les amis rencontrés. Je devinais les commentaires : Marguerite est devenue une huile, une huile véritable, elle a rejoint le haut du haut !

– Nous y sommes. Je ne vous avais pas trompée : c'était à deux pas.

Devant nous, face à une station-service abandonnée, deux chemins se croisaient. Sur l'un progressaient lentement trois ânes, surchargés jusqu'au ciel de bois de chauffe. Sur l'autre, deux chèvres se battaient pour un sac de plastique sépia et blanc où s'inscrivaient les quatre lettres bien françaises fnac, et parvenu jusque-là on se demande par quelle longue et imprévisible suite de hasards. Une drôle de sculpture complétait le décor, un joli morceau de route. Vingt mètres de chaussée parfaite : ligne blanche continue en son milieu ; sur les côtés, des glissières de sécurité. Et même un panneau indiquant un prochain virage. Le morceau de route s'élevait doucement dans les airs, porté par des pilotis gris. Soudain, il s'arrêtait net, sur le vide. Sous ce début de pont, des enfants jouaient à ce jeu qui devait, par la suite, causer tant de tort à ma famille : il consiste à se disputer sans fin, de l'aube jusqu'à la nuit, un objet rond, chiffons agglomérés ou mousse de caoutchouc. Les spécialistes nomment « football » cette activité épuisante et sans espoir. Un peu plus loin dormait un petit troupeau de bulldozers, à demi enfouis dans le sable.

– C'est votre premier échangeur ? Il faudra fêter ça, madame Bâ.

Le rapport de la Banque mondiale justifiant l'opération arriva peu après. Le Haut Délégué me convia dans son bureau pour m'en lire la conclusion.

– Écoutez bien, madame Bâ. Si vous voulez faire la moindre carrière dans les relations Nord-Sud, il vous faut apprendre au plus vite la langue étrange que voici.

Il toussa deux fois pour s'éclaircir la gorge.

– « Nonobstant certaines interrogations qui demeurent sur l'intensité prévisible des flux circulatoires désaisonnalisés, la rénovation/réhabilitation de cet ouvrage d'art ne pourra que contribuer au désenclavement/développement de la sous-région. » Eh bien, pour une fois, ils ne mâchent pas leurs mots ! C'est clair et sans bavure, non ? Vous savez combien gagne chaque jour un expert de la Banque mondiale en mission africaine ? En moyenne, mille dollars, madame Bâ, sans compter les frais d'hôtel (de luxe). Trois fois le salaire mensuel d'un de vos ministres. Vous n'iriez pas me chercher mon remontant, madame Bâ ?

Et, comme dans le conte de *La Belle au bois dormant*, après des années de sommeil, l'échangeur se réveilla. Des dizaines d'experts français avaient envahi notre légendaire et détesté Hôtel du Rail. Chaque matin, je suivais, éblouie, le ballet de leurs 4 × 4 gagnant le chantier. Précédés par les camions des manœuvres.

Toute la journée, je soûlais d'enthousiasme le Haut Délégué.

– Vive notre mission ! Oh, comme je suis fière ! Tout le monde a du travail. Cette fois, nos deux pays se codéveloppent. Les deux chômages régressent ensemble, celui de l'Afrique et celui de la France, main dans la main.

Mon patron souriait tristement.

– J'aimerais partager votre optimisme, madame Bâ. Quelque chose de très peu ragoûtant se prépare, je le sais, je le sens...

Je haussais les épaules.

– Faites confiance à mon nez, monsieur Stéphane, il repère à distance les catastrophes. En ce moment, mes narines n'hument que de l'exaltant. D'accord, un fumet un peu fort de vestiaire, comme lorsque deux équipes fraternisent, mais, par-dessus tout, un vrai parfum de progrès historique.

– Ce que vous êtes ardente, madame Bâ !

Il n'arrêtait pas de gronder, de s'agiter tel un animal avant l'orage. Je n'étais pas loin de le dénoncer : péché contre l'espérance, défaitisme ! Pour échapper à ce climat morose, je courais, là-bas, assister à la ronde des bulldozers.

J'étais accueillie comme une reine. On me faisait visiter, on m'avouait les difficultés techniques, le sable, le vent perpétuel, la chaleur de four. On m'exposait les solutions. Fille d'Ousmane le forgeron, j'étais à mon affaire. Mes yeux brillaient.

– Vous, vous avez le sens des travaux publics, me répétait l'ingénieur en chef, un Breton de Guingamp, qui m'avait montré sa ville sur la carte de France. Je vous ferai goûter notre spécialité locale, la galette de sarrasin à l'andouille de Guéméné. C'est vrai, vous ne mangez pas de porc. Alors va pour la complète, beurre, œuf, fromage... mais sans jambon.

Un nouveau morceau de route s'élevait vers le ciel. Je battais des mains sous les yeux ravis de l'équipe.

– Vous accepteriez d'être notre marraine, madame Bâ ? Le jour de l'inauguration, les ministres couperont le ruban, mais c'est vous qui casserez la bouteille de champagne. Si, si, j'y tiens. Quand on a, comme vous, le sens des travaux publics...

Je soussigné Maître Fabiani Benoît, avocat à la Cour, Barreau de Paris, vestiaire n° 203, déclare n'avoir en rien participé à la rédaction du chapitre qui va suivre, lequel doit donc être tenu comme de la seule responsabilité de ma cliente, Mme Bâ Marguerite. Ensemble vigoureusement protester contre les allégations qu'il contient, injurieuses pour des gouvernements de nations souveraines. Ensemble, vu les circonstances, souhaiter la nomination d'un remplaçant et n'assurer la défense de Mme Bâ Marguerite qu'à titre d'intérim et, surmontant le dégoût éprouvé, dans le seul souci du droit imprescriptible de tout justiciable à l'appui d'un conseil.

Pour valoir ce que de droit.

Bien sûr, on pourrait souhaiter avocat plus courageux. Mais, sous leur robe, ces gens-là ont leurs faiblesses qui ne les différencient en rien des autres humains.

Pauvre Benoît ! Vous comprendrez mieux sa pusillanimité quand vous aurez pris connaissance du scandale que je ne peux plus taire et qui m'impose de m'adresser à vous, premier personnage de l'État, par là même incarnation de l'honnêteté, garant de la marche implacable de la Justice, et non à des autorités subalternes dont le talent terrassier pour enterrer les dossiers gênants n'est plus à prouver depuis que l'homme vit en société.

12ᵥ L'Hôtel de l'Amitié
(*Profession, suite*)

– Je ne comprends pas votre tristesse, monsieur le Haut Délégué. Vous n'êtes pas joyeux et fier de voir enfin, et grâce à vous, l'Afrique bénéficier des équipements les plus modernes ?

– Je vais vous expliquer. Jusqu'à présent, je ne croyais pas aux rumeurs. Mais, puisque je sais maintenant, de source sûre, qu'elles disent la vérité, vous avez le droit de la connaître. Venez avec moi.

Cette sinistre vérité, voulait-il l'épargner aux photos officielles des deux Présidents, français et malien, accrochées au mur ? Ou au cliché tout petit qui veillait sur son bureau ? Un trio de jeunes gens au milieu du désert, ses compagnons de légende. Le futur maréchal Leclerc, déjà coiffé de son képi mou. Le futur prix Nobel François Jacob. Et lui, Kersaint, facilement reconnaissable, même maigreur, même sourire profond. Quoi qu'il en soit, il sortit, Mme Bâ sur ses talons.

Sur le pas de la porte, M. le Haut Délégué hésita un instant. Et puis se dirigea droit vers le bord du fleuve, une sorte d'esplanade, vide à cette heure, mais où, le matin, les femmes étendaient à sécher le linge multicolore qu'elles venaient de laver. M. le Haut Délégué ne laissait rien au hasard. M. le Haut Délégué aimait les symboles : les symboles sont le contre-chant, l'ossature de la vie, madame Bâ. M. le Haut Délégué aurait dû être professeur. M. le Haut Délégué ramassa un bâton, de sa chaussure gauche aplanit le sable pour en faire une page, et commença son cours.

– Je pose 100, madame Bâ. Supposons que ce soit le coût normal d'un échangeur comme le nôtre. Maintenant, je pose 300 : c'est le budget présenté par le constructeur de l'échangeur aux financiers. Quel est le premier bénéfice, madame Bâ ?

– $300 - 100 = 200$.

– Bravo, madame Bâ. Continuons. Faisons connaissance avec le bénéfice numéro deux. Qu'est-ce qu'un échangeur qui n'échange que des chèvres ?

– Un échangeur inutile.

– Admirable. Je poursuis. Quel être raisonnable, c'est-à-dire ennemi du gâchis, va bâtir un échangeur inutile avec le même soin et les mêmes matériaux de qualité que pour un échangeur utile ?

– En effet, personne.

– C'est ainsi que l'être humain raisonnable, ennemi du gâchis, donne naissance au bénéfice numéro deux. Pourquoi dépenser 100 pour quelque chose qui ne sert à rien ? 50 seront suffisants.

Il se tut, le temps de poser la soustraction sur le sable.

$$
\begin{array}{ll}
& 100 \text{ (coût d'un échangeur utile)} \\
- & 50 \text{ (coût d'un échangeur inutile)} \\
\hline
= & 50 \text{ (bénéfice n}^\circ\text{ 2)}
\end{array}
$$

– Quel est le bénéfice total de l'opération échangeur ?

– Attendez. Je dirais... 200 (bénéfice n° 1) + 50 (bénéfice n° 2) = 250.

– Bravo.

Bien sûr, une foule nous entourait. La solitude n'existe pas en Afrique. Mais notre mine à tous deux devait être si grave que nul n'osait approcher. Le cercle des spectateurs restait à bonne distance. Fascinés par ce qu'il voyait mal et n'entendait pas du tout : un Haut Délégué, tête nue malgré le soleil, dessinant dans la poussière des signes incompréhensibles et murmurant à son bras droit Marguerite une histoire qui la faisait frissonner.

– Vous suivez toujours, madame Bâ ? Vous n'êtes pas trop fatiguée ? Parfait. Passons maintenant à la répartition des bénéfices. Qui doit être récompensé ? Les autorités maliennes, d'abord. Elles ont déclaré utile quelque chose d'inutile, ce déguisement mérite bien salaire, non ? Ensuite, il faut rendre hommage aux mauvais anges qui ont obligé les institutions françaises à prêter à un pays qui ne remboursera jamais cette somme inutile de 300. Ces mauvais anges, qui sont-ils, madame Bâ, d'après vous ? Je suis sûr que vous avez deviné, mais vous n'osez pas les dénoncer. Les partis politiques français, naturellement ! Ils ont toujours besoin d'argent, ceux-là : il faut bien financer leurs campagnes. Et comme ce genre de manipulation est un peu plus difficile au nord de la Méditerranée, ils passent par l'Afrique. C'est chez vous qu'ils viennent tous – tous sans exception, majorité comme opposition –, chercher leurs petits cadeaux. Ah, j'allais oublier l'entrepreneur, le bâtisseur du faux ouvrage d'art : il a bien droit à quelques miettes, non ?

Séduite par la démonstration et fière d'en avoir suivi et compris chacune des étapes, Mme Bâ applaudit. Immédiatement imitée par la foule. Si Marguerite est heureuse, nous le sommes aussi. C'est donc sous les acclamations que s'acheva la leçon de corruption. Jeunes footballeurs et vieux édentés, gamines maquillées et matrones mâcheuses de bétel, tout le monde battait des mains et criait : vive le co-développement ! Longue vie à l'amitié franco-malienne !

Le compagnon de Leclerc et du savant François Jacob, désespéré, secoua la tête : pauvre Afrique ! quelle malédiction, la gentillesse ! – avant de retourner dans son bureau et de s'y enfermer.

Hôtel de l'Amitié.

Dans la ville plate de Bamako, la seule manifestation d'orgueil. Cinquante étages pour intimider le fleuve Niger. Vestige de la Guerre froide, des fraternisations Chine-Mali, des joyeux jamborees lorsque toute la jeunesse progressiste du monde se réunissait là. Pour chanter, s'aimer, fumer de l'herbe, relire Marx et bâtir la paix éternelle. Rénové tant bien que mal, plus tard, pour accueillir les deux vaches à lait du tourisme en Afrique. Cette espèce très particulière : les hommes d'affaires spécialisés dans le commerce avec les pays très pauvres ; et l'armée des humanitaires, les compatissants professionnels. Ces populations ennemies se retrouvaient au bar et commandaient les mêmes cocktails sous l'œil impavide des putes.

Va-t-on me prendre pour l'une d'entre elles ? se demanda Mme Bâ. Cet agréable malaise dura peu. Quelle folle je suis de me rajeunir ! Il va bien falloir un jour que j'accepte mon âge. Avec mes neuf dizaines de kilos, je dois plutôt ressembler à une mama benz, commerçante de pagnes hollandais. Ainsi rassurée, elle put se donner toute à la comédie sinistre et infiniment discrète qui allait s'offrir à elle.

M. le Haut Délégué se tenait là, dos au piano, digne, costume gabardine, cravate club, envoyé de Dieu plongé sur ordre dans les affaires du Diable.

Ils se ressemblaient. Une demi-douzaine d'hommes du même âge, la quarantaine, dispersés aux quatre coins de la salle. Dans ce capharnaüm qu'est l'heure de l'apéritif à l'Amitié, quelque chose d'indéfinissable les unissait. Leur même veston fripé, leur même air épuisé, leur façon identique de fixer passionnément un verre vide ? Marguerite ne les avait pas remarqués de prime abord. Elle ne les distingua qu'à l'arrivée de la valise. Soudain, ils n'eurent plus de regards que pour elle. Aucun ne releva la tête pour s'intéresser, ne serait-ce qu'un instant, à celui qui la portait, un grand Noir distingué, chemise rayée de banquier et lunettes cerclées d'or. Ses longues mains, outre la poignée, tenaient un journal plié, sans doute le signe distinctif. Il s'approcha de l'agence de voyages, une table à tréteaux derrière laquelle deux jeunes filles proposaient tous les dépaysements possibles : la découverte de la civilisation dogon, la visite d'une mine d'or, Tombouctou la mystérieuse... Manifestement, le tourisme n'était pas sa préoccupation majeure. Un à un, les semblables se levèrent et, presque à la queue leu leu, se dirigèrent vers les ascenseurs. Eux aussi avaient une mallette à la main. On avait pitié d'eux, tant ils paraissaient fatigués. D'ailleurs, telle était peut-être leur vraie famille : la Fatigue. Fatigue des décalages horaires, fatigue des climatisations, fatigue d'avoir honte, aussi, peut-être... Le dandy à la valise sortit de sa poche un bristol et disparut à son tour.

Entre-temps, l'orchestre s'était installé et, sans prévenir, déchaîné à dix centimètres de mon Haut Délégué. Il supportait courageusement ce vacarme, un léger sourire errait même sur ses lèvres comme si une partie de lui aimait cette souffrance. Je connais un peu les catholiques : peut-être espérait-il expier ainsi le péché commis au même moment dans les étages ?

La nuit était tombée depuis longtemps. On aurait dit que tout l'Hôtel de l'Amitié prenait l'avion de 23 h 59. Bientôt il ne resterait plus personne dans les chambres pour saluer le fleuve Niger. Le hall débordait de bagages. Les voyageurs s'énervaient. Qui avait perdu son billet, qui son passeport, qui sa console Game Boy. Des tour-opérateurs brandissaient des pancartes. Un équipage s'engouffrait dans un car. Les hôtesses blondes semblaient sortir du bain. Un vieillard en uniforme, mi-groom mi-soldat, avait beau hurler, les taxis n'arrivaient pas.

Et ils attendaient, dispersés dans la foule, reconnaissables à leur costume sombre et à la mallette, tous la même, je suis spécialiste, à force d'avoir tant voyagé depuis la nuit des temps, les Soninkés sont des experts en bagages, ils les connaissent tous, y compris ceux qu'ils n'auront pas les moyens de s'offrir, c'était la Samsonite XL22. De temps en temps, une manche de veston se soulevait et on apercevait le fil d'acier. Plus rien ne pourrait jamais les séparer de leur compagne Samsonite.

– Un peu de discrétion, madame Bâ, on va vous repérer. Et, surtout, ne vous retournez pas.

Le Haut Délégué me parlait à l'oreille. Je ne l'avais pas vu s'approcher.

– Et un peu de respect pour la démocratie, s'il vous plaît. Vous avez là les trésoriers de tous les grands partis politiques français. Quel métier on leur fait faire !

– C'est vrai qu'ils ont l'air épuisé.

– Rien de plus ingrat que le métier de trésorier. Vous imaginez : sauter de capitale en capitale africaine pour tendre sa sébile ! Le premier de la file, là-bas, vers le bureau de Safari Tours, c'est un gaulliste, j'en suis sûr, et sans doute corse. Celui qui se gratte le nez est socialiste. J'ai plus de mal à m'y retrouver dans les familles centristes...

– Comment les connaissez-vous ? Je vous croyais en dehors de la politique.

– À mon âge, plus besoin de savoir. Il suffit de remplir les pointillés.

Deux des épuisés s'étaient approchés l'un de l'autre :

– Tu rentres directement ?

– Hélas ! Encore Lomé et Libreville.

– Oh, Eyadéma ne te donnera rien, malgré tout ce

qu'il doit à la France. Sans nous, tu crois qu'il garderait une seconde le pouvoir ? Mais Bongo, ça, Bongo ! Que ferions-nous sans les petits présents de Bongo ?

– Tu peux le dire, quelle bénédiction, ce Bongo !

Ils répétaient sans fin ces deux syllabes, Bongo, Bongo, de plus en plus doucement, tendrement, comme le « papa, papa » d'enfants perdus dans l'obscurité et livrés à la cruauté du monde.

L'inauguration de l'échangeur rongé fut la dernière manifestation officielle de notre Haute Délégation. L'ouvrage d'art exhibait fièrement dans le ciel blanc ses courbes, ses volutes, deux cercles immenses superposés, de gracieuses bretelles d'accès... qui ne débouchaient que sur du sable, mais qui s'en souciait ? Miracle de la technologie, record sous-régional pour la longueur de la portée, conception formidablement innovante des armatures, brevet protégé, vive le béton précontraint, messieurs les ministres, monsieur le maire, mesdames et messieurs les élus, représentants des associations, chers amis, la science française nous livre aujourd'hui ce miracle, un coquillage géant apporté par la marée en cadeau à ce Mali nouveau que tous, nous appelons de nos vœux... Tel était le ton, technico-lyrique, des allocutions officielles.

Le déroulement de la cérémonie avait été bouleversé au tout dernier moment, suite à l'angoisse brutale du chef de chantier, le Breton de Guingamp. Le programme prévoyait de couper tout en haut le double ruban tricolore, le Mali et la France tissés dans la même amitié indéfectible, au sommet de l'ouvrage d'art, vue imprenable sur le fleuve et sur l'avenir radieux du pays. Mais si tout s'écroule, s'était dit l'ingénieur, à la suite des économies qui m'ont été imposées ? Il avait refait dans la nuit ses calculs. Au matin, il s'était précipité. Le double ruban de l'amitié indéfectible était désormais tendu au point le plus bas, altitude zéro : aucun risque pour les autorités, l'escalade sera pour un autre jour, le ciment n'est pas sec. Applaudissements. Vive les entreprises françaises ! Les Africains peuvent en prendre de la graine. Vive le respect des délais, condition première du développement ! Vive le Mali ! Vive la France !

– J'ai honte, ce que j'ai honte... murmurait à mon oreille le Breton de Guingamp.

Parfois, quand une colère inexpliquée me prend, je rends visite à l'échangeur rongé. L'une des bretelles s'est effondrée et l'ouvrage entier, le gros coquillage, penche vers l'Est, dangereusement. En juillet, en août, à la saison des orages, on dirait qu'il se met à giter sous les plus fortes rafales. Les enfants l'ont pris pour terrain de jeux. Dans un fracas d'enfer, ils dévalent les pentes, remontent et redévalent dans des caisses à roulettes. Perchées sur le sommet branlant, les chèvres suivent ces jeux dangereux, plutôt désapprobatrices.

Ce spectacle, celui de l'Afrique, me serre le cœur. Je repars, soulagée en ceci que ma colère a trouvé sa raison. Je repense au Breton de Guingamp. De son ancienne équipe ne reste sur place qu'un manœuvre, Alpha. Il n'a jamais voulu quitter l'endroit. Il s'est installé tout près, à son compte. « L'Africaine de réparations », sa baraque en tôle semble flotter sur une mer de pièces détachées automobiles et ménagères mêlées : batteries, rétroviseurs, tambours de lave-vaisselle, boîtes de vitesses, siège de toilettes... Derrière un rempart de pneus déchirés, le récupérateur en chef, short Adidas entrouvert, dort. Je lui secoue l'épaule.

– S'il te plaît, montre ton plafond !

Alpha grommelle « Je reviens » ; sans doute s'adresse-t-il à quelqu'un de son rêve.

– Police française ! Ton plafond, et vite !

Il se dresse : police française ? Me reconnaît : madame Bâ, chaque fois tu me fais si peur !

Je lui redemande son plafond.

– Encore ! Tu sais bien que ça va te refaire du mal ! Bon, tout de suite, tout de suite.

Il grimpe sur un amas d'ordinateurs, d'un coup sec pousse le toit qui tombe de l'autre côté, sur les pneus. Il disparaît quelques instants et revient en traînant le panneau.

– Décide-toi, madame Bâ ! Si tu le veux pour toi, pas de problème. Je te fais un bon prix. Ce ne sont pas les tôles qui manquent.

Je me contente de relire, sur un joli fond bleu, la liste des fées penchées sur notre berceau :

ÉCHANGEUR ROUTIER DE TAMBARERO
Ouvrage financé par
le Fonds européen de développement
la Banque européenne d'investissement
la Banque mondiale
la Banque africaine de développement

Avec la contribution exceptionnelle
du Conseil général des Hauts-de-Seine
et de la ville de Puteaux

Peut-être Alpha a-t-il raison ? Un jour, je finirai par l'emporter, cette relique. Je l'installerai dans mon petit jardin. J'irai la saluer chaque matin, pour me donner du courage. Elle me rappellera ma belle époque, quand l'ami de François Jacob et moi nous donnions corps et âme à la grande œuvre du co-développement.

– Et maintenant ?

Dans l'attente d'être portée en main propre, la lettre de démission reposait là, sur le bureau, entre nous. On aurait dit un animal ironique, un chat blanc qui se moquait de nous. J'avais eu le plus grand mal à la taper. Mon cerveau, bouleversé de tristesse et de dégoût, ne transmettait à mes doigts que des fautes d'orthographe : « Monsieur le Minnistre... Vous comprendré... hindigne... j'ai l'honeur... »

– Maintenant, madame Bâ ? Dès cet après-midi, je prends l'avion et j'entre dans la vieillesse.

– Vous voulez que je vous aide, pour vos bagages ?

Je ne voyais rien qui annonçât un départ, aucun carton, nulle valise.

– Le rêve du co-développement revient tous les deux, trois ans, comme le monstre du loch Ness. J'aurai bientôt un successeur, vous verrez, salué par tous les présidents et toutes les télévisions comme le sauveur du monde. Vous voulez que je vous écrive une lettre de recommandation ?

Marguerite secoua la tête. Elle avait des projets, une ambition montait en elle, trop fragile pour supporter d'être révélée. Elle avait encore besoin de quelques mois de gestation dans le confort du secret.

– Merci, monsieur le Haut Délégué, je vais me débrouiller. Une Soninkée se débrouille toujours. Mais, vous, vous n'emportez rien, aucune archive ? Vous n'allez pas écrire vos mémoires, comme tous les fonctionnaires français ?

– À vingt ans, les hommes de ma génération avaient gagné la guerre mondiale. Depuis, ils ont manqué tous les rendez-vous. L'Europe n'est plus rien. Et l'ancien empire sombre.

– Allons, allons, monsieur le Haut Délégué !

– Notre seule dignité devrait être le silence...

– Je vais chercher le petit remontant ?

– Voilà mon ultime pays, le silence. C'est passionnant de découvrir un pays, n'est-ce pas, madame Bâ ? Il faut tout apprendre, c'est comme une nouvelle enfance...

Il n'attendait plus de réponse, il ne m'écoutait plus, il était parti seul dans sa dernière aventure, il donnait l'impression de marcher déjà en plein désert.

– Quelle langue parle-t-on au pays du silence, vous devez savoir ça, avec vos affinités peules ? Il me reste tant à connaître. Je ne risque pas de m'ennuyer. Quelle est la grammaire du silence ?

C'est depuis ce temps-là, depuis cette soirée à l'Hôtel de l'Amitié que, la nuit, des valises et encore des valises tournent dans le ciel de mes rêves, comme autant d'oiseaux noirs. Et que, le jour, le cours de votre vie politique française ne cesse de me hanter. Elle m'accompagne partout, jusque dans mes promenades. Quand mes yeux se portent sur notre pont Patrice-Lumumba, mon cerveau ne peut s'empêcher de calculer la somme reçue par vos chers centristes UDF et DL. Quand, un peu plus loin, je tombe sur le central téléphonique flambant neuf, mon nez ne peut s'empêcher de reconnaître la bonne odeur des liasses reçues, moitié-moitié, par votre parti gaulliste et ses ennemis socialistes...

Alors je me redresse. Je me dis que notre démocratie à nous n'est pas très vaillante. Mais puisque nous, Africains, finançons le fonctionnement de l'État de droit en France, tout est bien. La grande sœur, mère des Arts et des Lois, finira, un jour, par arrêter ses ponctions. Et le phare de son exemple nous indiquera la route du Progrès !

12$_{VI}$ Les Baby-foot
(*Profession, suite*)

Je n'ai rien contre les voitures françaises. Mais, en voyant s'éloigner celle de mon Haut Délégué, je me suis dit : il est vieux, son rêve est cassé, il part pour mourir. Et je me suis demandé : la Peugeot est-elle assez solide ? Va-t-elle résister à un dernier voyage ?

Je tenais fort serrée dans ma main la clef qu'il m'avait donnée.

– N'oubliez pas notre Conservatoire, Marguerite. Rendez-lui visite de temps en temps. Il vous rappellera nos batailles.

C'était un hangar sur la route de Yélimané, non loin de l'échangeur rongé. Nous y avions entreposé tout ce qui encombrait notre trop petit bureau. Je veux dire les dossiers, bien sûr, l'invasion de papier, les innombrables rapports sur le développement (tous stratégiques et tous prioritaires) ; mais aussi les cadeaux plus solides que nous avions reçus, les échantillons, les exemplaires de démonstration, les outils arrogants, les machines présomptueuses. Laissez-nous faire et vous allez voir ce que vous allez voir. Nous, nous travaillons dans l'infaillible, nous avons la Recette.

Le foyer amélioré qui-libère-la-femme-des-corvées-de-bois-et-lutte-contre-la-déforestation. Le moulin électrique : lui aussi, il-libère-la-femme-mais-cette-fois-des-corvées-du-pilage (mil, sorgho), et ce-faisant-il-favo-rise-son-accomplissement-personnel (culture, alphabé-tisation). Je n'invente rien, je relis les prospectus. L'ordinateur Servan-Schreiber qui-permettra-à-l'Afrique-d'économiser-une-révolution-industrielle. La pile photo-voltaïque qui-met-le-soleil-énergie-gratuite-au-service-des-villageois. Onze sortes de filtres, tous garantissant l'eau pure de toutes maladies... Sans compter l'armée de sachets, les inépuisables trouvailles de nos génies agro-nomes : le blé qui pousse sans eau, le riz à cinq récoltes par an, le soja qui fait grossir les vaches deux fois plus vite... Si les coupures d'électricité avaient été moins fré-quentes, j'aurais forcément ajouté un congélateur garni de quelques embryons canadiens...

L'idée d'un tel musée ne m'avait jamais convaincue.

– Vous croyez utile d'exposer ainsi tous nos échecs ?

– Marguerite, l'espérance a besoin d'archives !

Il avait de ces phrases hautaines et sans appel. Je me gardais d'en rire. J'avais compris qu'elles lui venaient de loin, de la guerre. Le langage de la légende lui était demeuré, comme la rumeur d'un temps disparu.

C'est là que trônait le Baby-foot, sous l'unique fenêtre, gros jouet incongru parmi tous ces objets d'adulte, devenu bien vite la pièce maîtresse de notre collection, arrivé là – il me suffit de fermer les yeux pour le revoir, lui et ses frères – un jour de juin que la chaleur embrasait comme jamais la ville, dernier assaut rageur avant la saison des pluies.

Une fois de plus, la France avait changé de ministre de la Coopération. Une fois de plus, le néophyte avait réservé à Kayes son premier voyage. Une fois de plus, nous avions été convoqués au terrain d'aviation pour l'accueillir.

Le ministre ne sera pas sans prononcer un « discours important », avait prévenu l'Ambassadeur de France. Le prédécesseur du prédécesseur de celui qui devait si habilement gérer la délicate affaire des « dernières volontés ». Préparez-vous, avait-il cru devoir insister, il compte envoyer (et sa voix tremblait d'émotion au bout du fil) un « signal fort ».

« Signal fort », « discours important », nous nous répétions cette comptine pour tromper l'ennui de l'attente. À deux pas de nous une chorale de l'école primaire répétait une dernière fois son grand succès, l'hymne obligé de nos accueils officiels, *En passant par la Lorraine*. Seule, sans doute, je savais où se trouvait cette énigmatique Lorraine de la chanson : notre Chemin des Dames me l'avait mille fois décrite comme une personne fragile, sans cesse attaquée par des brigands.

Une armée battait la semelle, une armée désordonnée, bien sûr, nous sommes en Afrique. Rien à reprocher aux quasi-garde-à-vous des premiers rangs : le duo de boubous blancs, le maire, le chef de cercle. À leur droite, les enfants chanteurs et leur directrice : une matrone au regard terrifiant. À gauche, les humanitaires, les jeunes gens habituels, beaux et ricaneurs, jupes jeans pour les filles, bermudas kaki clair pour les garçons. Et derrière, la foule, un amas humain indistinct. Un vendeur de bouc marchait de long en large, tirant son animal.

Au sommet de leur mât, les drapeaux malien et français flottaient fièrement, suivis, cinq mètres plus bas, par une chaussette rose, la manche à air. Ils ressemblaient tous trois à une petite famille, deux parents accompagnés de leur enfant. Dans quel rêve de fraîcheur avaient-ils trouvé ce vent qui les animait ? Mystère. Une dizaine de gamins couraient après les chèvres. Les sales bêtes ne semblaient avoir qu'une seule idée entre les cornes : venir se camper au beau milieu de la piste d'atterrissage. Ces cavalcades n'intéressaient personne. Tout le monde fixait le ciel en direction de l'Est, la ligne de falaises, Nioro du Sahel.

Les ronronnements arrivèrent d'abord, salués par des cris. Les points sombres n'apparurent qu'un bon moment plus tard.

— Pourquoi deux avions ?

— Parce que le premier transporte les gens importants.

— Et le second ?

— Les cadeaux. Pardon : les outils pour forger l'avenir. Il y en a parfois un troisième.

— Quand la France est plus généreuse ?

— Non, quand on approche des élections, le troisième avion est toujours plein de journalistes. C'est pour eux qu'on a climatisé l'aérogare : ils détestent la chaleur.

L'escadrille se posa. Poignées de main. Chanson lorraine. Le ministre protégeait sa peau de blond sous un grand canotier crème. L'ambassadeur l'accompagnait.

Tous les regards étaient tournés vers l'avion numéro deux, une sorte de grosse baleine noire dotée d'ailes : quelle était la nouvelle idée géniale pour arracher le Mali au bourbier de la misère ?

La réponse fut vite apportée. Des tables. Cette fois,

la France offrait des tables à l'Afrique. Quelle lubie l'avait prise ? La folie avait-elle frappé Paris ? On aurait dit une naissance, une naissance de tables. Une à une, des militaires les extirpaient du ventre de la baleine. Elles semblaient peser le plomb, nos tables. Les garçons titubaient. Des tables ? Personne n'y croyait. Quel besoin avons-nous de tables ? C'est bien gentil, une table, bien utile. À condition d'avoir des assiettes et quelque chose à mettre dedans.

Le ministre s'était approché du micro.

– Monsieur le maire, monsieur le chef de Cercle, mesdames, messieurs, votre pays, ô combien remarquable par la grandeur de son passé et la vaillance de sa population, manque d'entreprises. Pour donner très tôt à vos jeunes le sens de la responsabilité et le goût de l'épargne, nous avons, connaissant votre passion pour le ballon rond, décidé d'offrir à chacune de leurs associations l'un de ces jeux, hélas baptisé d'un nom anglais, Baby-foot. (Applaudissements nourris. Vive la France, vive l'amitié franco-malienne.) Attention...

La sueur qui dégoulinait de son canotier en rigoles de plus en plus fournies semblait emporter avec elle son énergie. Ses phrases se faisaient lentes. Nous nous regardâmes, le Haut Délégué et moi : le moment était sans doute venu du « signal fort ».

– Attention, chaque partie sera payante. La somme ainsi recueillie contribuera... aux financements... dont vous avez... tant besoin.

Il titubait. On abrégea la cérémonie. Au revoir et merci, l'avion ministériel et sa collègue baleine réussirent à décoller malgré les chèvres. Record battu : la visite n'avait pas duré une heure.

Et maintenant, que faire des trente-deux tables ? La foule s'était approchée. On hochait la tête, pour le moins dubitatif. Drôles de tables françaises ! On n'y pouvait rien poser. D'abord, elles étaient creuses. Ensuite, de petites figurines, embrochées sur des tringles, occupaient tout le terrain. Les gamins avaient d'autres soucis. Tout joyeux, ils s'étaient précipités. Et maintenant ils se battaient contre les fausses tables, les secouaient sans ménagement, les rouaient de coups de pied. Ils n'avaient rien compris. Ils croyaient que la France donnait encore des cadeaux gratuits. Mais la France avait changé de politique. Le ministre l'avait bien dit : le Baby-foot est une entreprise à ambition éducative. Pour jouer, il faut payer. Bref, on frisait l'émeute.

Un 4 × 4 surgit, grosses lettres bleues peintes sur les flancs, « Microprojets du Monde ». Une femme sauta, le genre Anglaise échevelée, la quarantaine maigre.

– Ah, les voyous ! Allez, allez, on s'écarte et on laisse travailler !

Une file de pick-up attendait sagement que le calme revienne. Une partie des Baby-foot y furent hissés tant bien que mal. La fauve anglaise passait d'un véhicule à l'autre, la carte de notre région à la main, distribuant les destinations.

– Toi, tu vas direct à Yélimané et ne t'arrête pas en chemin ! Toi, tu livres à Tambacara, toi à Gory... Et, sitôt fait, tu reviens. Demain, on continue.

Sauf qu'il n'y eut jamais de lendemain. Ce lendemain-là, et tous les jours qui suivirent, furent noyés sous la pluie avant d'être avalés par la boue, sa sœur.

Il plut, nuit et jour, cinq semaines.

À la joie de nos cultivateurs et de ceux qui en dépendent pour vivre, c'est-à-dire nous tous.

Au désespoir des Baby-foot. Du moins de ceux qui n'avaient pas été envoyés dans les villages pour y implanter l'esprit d'entreprise.

Ils demeuraient là, soigneusement alignés sur le tarmac comme un bataillon oublié, la garde d'honneur des deux pavillons trempés que personne n'avait songé à amener. L'eau avait monté sur chacun des minuscules terrains. Certains débordaient. Des grenouilles y avaient élu domicile, parvenues en ces lieux plutôt hauts on se demande comment. Elles sautaient sans fin de tête en tête. On peut comprendre l'agacement des joueurs de plomb, à la longue, voire leur humiliation.

Nous avons sauvé du déluge un Baby-foot. Nous l'avions installé dans notre hangar-musée, à la place d'honneur, sous l'unique lampe. Souvent, nous lui rendions visite, le soir après le travail : nous l'époussetions avec amour. Il nous arrivait même de jouer, le Haut Délégué et moi. Une petite partie, madame Bâ ? Vous verrez, ça empêche de penser. Les autres Baby, nous les avions bel et bien abandonnés à leur triste sort.

Je ne me doutais pas qu'ils se vengeraient, de la pire et haineuse manière, en m'arrachant mon petit-fils. Si le football, comme on le constate chaque jour davantage, est une religion, alors quelque chose comme un Dieu doit rôder dans les parages. Et qui dit Dieu dit susceptibilité géante, infaillible mémoire...

12_{VII} Recommencer
(*Profession, suite et fin*)

Puisque rien n'allait comme il aurait fallu, puisque
les échangeurs rongés de chez nous finançaient l'opu-
lente démocratie de chez vous, puisque les maris les
plus vieux aux queues les plus molles épousaient les
femmes les plus jeunes aux ventres les plus avides,
puisque les progrès de la médecine sauvaient des nourrissons que la malnutrition tuait le jour d'après, puisque
nos coquettes Noires dépensaient des fortunes pour
s'éclaircir la peau et se défriser la chevelure, puisque
les plus vaillants de nos hommes préféraient partir chez
vous se faire éboueurs plutôt que ramasser chez nous,
chez eux, les ordures qui empuantissaient les rues,
puisque l'on s'épuisait à prier pour appeler la pluie tout
en coupant les arbres, seuls remparts contre le désert,
puisque les riches s'enrichissaient chaque semaine
davantage et que les pauvres avec obstination s'appau-
vrissaient, bref, puisque le monde était raté, Dieu tout-
puissant, veuille excuser cette insolence, il semblait
nécessaire et urgent de reprendre la Création à zéro.

Et puisqu'au commencement était le Verbe – sur
ce point, la Bible et le Coran tombent d'accord –,
Marguerite, le matin de ses cinquante ans, décida d'utiliser l'entièreté des forces qui lui restaient à enseigner

aux enfants la Parole et l'Écriture. On pouvait nourrir l'espérance que, une fois instruites et bien instruites, ces nouvelles générations bâtiraient une autre planète, plus douce à vivre que la précédente.

En conséquence, elle déclina l'un après l'autre tous les emplois qu'on se bousculait pour lui offrir.

– Madame Bâ, titulaire d'une Capacité en droit et ancien bras droit apprécié d'un Haut Délégué, daigneriez-vous rejoindre le parti du Président pour, mettant à profit votre savoir et votre expérience, être élue députée avant de rejoindre le club tout-puissant des ministres ?

– Non.

– Madame Bâ, vous qui avez su nouer le contact avec les autorités diplomatiques blanches, accepteriez-vous un poste d'ambassadeur, résidence de fonction, boutique free tax et Peugeot climatisée, à Bruxelles, Genève et plus tard Paris ?

– Non.

– Madame Bâ, votre énergie et votre bon sens feraient merveille dans l'une de ces entreprises privées naissantes dont notre émergent pays a besoin pour fournir des emplois à ses enfants (beaux salaires, secrétaire particulière et participation au capital) ?

– Non.

– Mais alors, madame Bâ, méfiez-vous, vos refus répétés agacent le Palais, vous avez bien un souhait, formulez-le, nous gagnerons du temps, que voulez-vous ?

– Je vous l'ai dit, que le Dieu unique et omnipotent n'en prenne pas ombrage, je veux commencer par le commencement.

285

– C'est-à-dire, c'est-à-dire ? Madame Bâ, s'il vous plaît, épargnez nos nerfs.

– Devenir institutrice.

– Accordé, ô combien accordé, nous manquons tellement d'enseignants ! Mais ne nous prenez pas pour des idiots. Nous avons bien compris votre ambition. Vous êtes une fine mouche, madame Bâ. Si vous choisissez un début modeste, c'est pour gravir un à un, en partant du plus bas, tous les barreaux de l'échelle. Ne nous oubliez pas quand vous aurez atteint le sommet ! Quand désirez-vous démarrer ?

– Tout de suite.

– Parfait, parfait. Voici votre livre. *Langage – Lecture 1re année*, collection « Le Flamboyant ». Ne le déchirez pas, vous n'en aurez pas d'autre. Et voici votre boîte de craies. Ne la laissez pas traîner sous la pluie. Nos crédits fournitures sont épuisés jusqu'à la rentrée prochaine ! Et bon voyage !

L'administration ne m'avait pas fait de cadeau. Un premier poste est un premier poste, l'âge du débutant ne fait rien à l'affaire. Et c'est ainsi que, partant de Kayes, je pris la route pour l'extrémité du monde.

– Derrière, c'est 5 000 francs CFA. Mais pour toi, c'est différent. Les personnalités montent en cabine, à côté du chauffeur. Qu'est-ce qu'une personnalité ? Quelqu'un qui paie 7 500 francs CFA. Plus le pourboire, si tu veux être contre la fenêtre.

Le représentant de Yélimané Transport montrait fièrement le petit bus vert à rayures blanches et rouges.

Contre l'attaque, toujours possible, des animaux sauvages, quelle meilleure protection que les deux lions jaunes dessinés sur les portières avant ?

– ... Confort incomparable et vision touristique.

– Quand partons-nous ?

– Quasi présentement. Sitôt que sera réglé notre petit problème de clientèle. La salle d'attente est derrière toi.

Un entrepôt vide. Je m'assis sur un banc. Bientôt rejointe, sur ma droite et sur ma gauche, par deux géants furieusement loquaces. Dix fois je proposai de changer de place pour leur permettre de palabrer plus à l'aise. Protestations indignées des bavards. Mme l'institutrice ne doit pas se déranger (où avaient-ils appris ma nomination, qui ne datait que de dix-huit heures ? Mystère de la connaissance africaine). Et deux grosses mains se posaient sur mon épaule pour m'empêcher de bouger. Alors, l'institutrice répétait sa gratitude, mille fois merci, vraiment, et se tassait pour laisser plus d'espace au flux assourdissant qui passait et repassait au-dessus de sa tête.

– I gny Montreuil takhé moula, kha Yélimané ya lignida.

– Saint-Denis kan khoté sounonté niani. N'nimissi do Mali Bouladjini.

– Okéti na soyi mokhossidi Villiers-le-Bel kho Leya Guidimakan.

Les heures passaient.

Profitant d'un assoupissement passager de mes voisins, je réussis à me lever. « Ne partez pas trop loin, madame l'institutrice, on ne sait jamais avec la clientèle, elle peut arriver d'un coup. » Je marchai jusqu'au bout de la rue 16. Un bruit semblait m'appeler, une sorte de ronronnement. Je poussai la porte. Une bonne centaine de sportifs et de sportives se retournèrent. Drôle de sport. Ils agitaient les pieds en cadence. De la main gauche appuyée sur une table, ils guidaient le passage d'un tissu ; de la droite, ils tournaient un volant noir. De temps en temps, ils se penchaient pour s'assouplir les lombaires, peut-être aussi pour vérifier le parcours frénétique d'une longue aiguille. La machine, devant chacun d'eux, avait l'air d'un chat. Sur son échine très cambrée brillaient six lettres gothiques : Singer. Tu veux un boubou, madame l'institutrice, un costume de cérémonie, un uniforme à l'anglaise pour tes futurs élèves ?

À mon retour, les deux bavards avaient baissé de plusieurs tons. Ils avaient ouvert leurs sacs et se montraient les merveilles qu'ils rapportaient au village : une montre, un radio-réveil, une bouilloire à piles. Ils comparaient leurs ours en peluche. Chacun guettait anxieusement le visage de l'autre.

– J'ai vécu ça, me chuchota un vieil édenté qui suivait la scène.

– On dirait qu'ils ont peur.

– Évidemment qu'ils ont peur ! Tu ne connais pas la férocité de nos familles. Quand on rapporte trop peu de France, elles se fâchent.

Plus tard, je m'avançai vers le bureau derrière lequel le préposé sommeillait.

– Vous prévoyez un départ pour bientôt ?

J'avais parlé doucement pour ne pas trop déranger ses rêves. Il me sourit.

— Toujours un léger problème de clientèle. Mais ça va s'arranger.

Je me retournai vers le bus aux lions dorés. À haute voix, je comptai. L'arithmétique, plus encore que le droit, m'avait toujours calmé les nerfs. Quatorze, déjà quatorze personnes, pas une de moins, s'entassaient à l'arrière, et le triple de baluchons. On aurait dit un seul grand boubou patchwork avec des têtes qui dépassaient. Sur le toit, l'amas des bagages atteignait bien deux mètres. Hélas, les gentils géants loquaces m'avaient gardé ma place. Et l'assourdissante attente reprit.

À la septième heure, un bambin se présenta, écrasé par un sac énorme, au moins vingt kilos. Où je mets ça ? Qu'est-ce que c'est ? Des coquillettes. Alors, contre le mur.

Les sacs, peu à peu, envahissaient notre entrepôt. D'où venait, dans le Mali du Nord-Ouest, cette folie pour les coquillettes ? Sans doute les populations, lassées des brisures de riz vietnamien, voulaient-elles un peu varier leur ordinaire. Pour laisser de la place aux pâtes, il fallait de plus en plus se serrer sur le banc. Et les croyants n'avaient plus guère d'espace pour dérouler sur le sol leurs nattes de prière.

Enfin revint le responsable de Yélimané Transport. Le léger problème de clientèle devait avoir trouvé sa solution. Hypothèse vite confirmée. Dix nouveaux passagers avaient réussi à se glisser sous le boubou géant. Et la montagne de caisses, ballots, malles, paquets, bidons avait encore gagné en altitude un bon demi-mètre. Un essaim d'enfants s'escrimait avec un filet protecteur. Ils sautaient, s'arc-boutaient, glissaient, tombaient presque, se rattrapaient par miracle, nouaient d'une main, se retenaient par l'autre. En un rien de temps l'arrimage le plus solide du monde fut parachevé.

Le chef suivait avec orgueil ces acrobaties.

— Ils ne sont pas merveilleux ?

— Je dois avouer... Ils valent les meilleurs trapézistes. Heureusement qu'il n'y a guère de cirques en Afrique, on vous les piquerait vite.

— Grâce à eux, jamais depuis dix ans nous n'avons perdu un seul bagage. Bien sûr, je ne compte pas les accidents.

— Bien sûr. Et avec ce genre de surcharge...

Le chef se rembrunit.

— Yélimané Transport n'est pas responsable de la férocité des routes. Tu montes ou pas ?

Dans la « cabine des personnalités » (banquette de skaï marron lacéré, ressorts qui pointent) s'étaient déjà installés, outre le chauffeur, les deux bavards.

— Et où je suis supposée m'asseoir, moi ?

— Tu pousses. Ou tu restes à Kayes. À toi de choisir ! Bonne route.

Jamais, jusqu'alors, je n'avais éprouvé la moindre compassion pour les véhicules. Ce jour-là, l'idée m'est venue de créer une ONG pour leur venir en aide. Nous avons bien la Société Protectrice des Ânes. À la presse internationale épouvantée, je présenterai des clichés irréfutables montrant les carrosseries écartelées, les pneus écrasés, les amortisseurs martyrisés. Je lèverai des fonds, je lancerai des campagnes de soutien...

Qu'il avait donc du courage, le petit bus vert haut comme deux étages ! Il soufflait, grinçait, ahanait. Il y mettait tout son cœur épuisé. On souffrait avec lui, on sentait que chaque tour de roues dans le sable pouvait être le dernier. Et quand il penchait trop dans les descentes, pour traverser le lit des rivières asséchées, les passagers qui le pouvaient sortaient par les fenêtres la moitié du corps pour tenter de faire rappel. Ce voyage terrestre sous le ciel infiniment bleu ressemblait plutôt à une navigation désespérée, par temps de tempête. On escaladait des vagues vertigineuses. On plongeait et replongeait dans des abysses. On disparaissait dans la nuit jaune de la poussière. On retrouvait le soleil sans trop y croire. Chacun des craquements du véhicule se prolongeait dans nos os.

Le plus cruel était la route. La route parfaite que nous longions. Dix mètres de large, plane comme de la glace et sûrement moelleuse comme le lit d'un fleuve. Un ruban irréel. La route Kayes-Yélimané, fierté de l'exemplaire coopération franco-malienne, référence obligée de tous les discours ministériels. Hélas, ce miracle n'était pas prêt. Interdit, même, avant l'inauguration officielle. Sous peine de graves amendes. Prenez patience, chers amis, nous sommes en train de goudronner. Comment supporter le calvaire de la piste alors qu'une voie royale vous appelle, proche à vous toucher ? Des cris s'élevèrent, des doigts se tendirent vers le chauffeur : qu'est-ce que tu attends ? Tu as peur de qui ? Il s'obstinait. Le règlement est le règlement. Et l'amende m'assassinerait. Ne t'en fais pas. On paiera tous un peu. Le sous-chef du chantier est un cousin.

Alors le bus vert se hissa mètre par mètre jusqu'au tapis roulant. Double délice. Au plaisir ineffable d'une avancée soudain rapide et si douce, comme irréelle après tant de violence, s'ajoutait cette oppression bien connue, au creux du plexus, ces picotements au bout des doigts, l'excitation du malfaiteur. Sur le sommet de la montagne de bagages était monté un guetteur. Dès qu'au loin il apercevait la masse orange d'un bulldozer, il hurlait. Fini l'éden. Il fallait, au plus vite et au risque de verser, regagner l'enfer, c'est-à-dire le sable.

Au beau milieu de cette joyeuse partie de cache-cache, la nuit tomba d'un coup, comme d'habitude. On aurait dit que quelqu'un, le vendeur de lumière, chaque soir consultait sa montre. À l'heure dite, brutalement, il baissait le rideau. Fermé, le magasin. À demain, si Dieu nous réveille.

Le chauffeur ne semblait pas le moins du monde gêné par l'obscurité. Il se dirigeait avec plus d'aisance encore dans ces ténèbres. Car le trajet se compliquait. Yélimané Transport, chacun le sait, se fait un devoir de raccompagner chacun chez soi. Trois kilomètres dans un sens. Une vague lueur paraît, la silhouette d'un village. Arrêt, cinq ombres descendent, dix ballots sont jetés du toit, rires, conversations assourdies, cris d'enfants. Bref appel du klaxon. Le moteur redémarre. Virement de bord. Direction opposée. Nouvelles lueurs, autre village. Mêmes retrouvailles, devinées. Cap ailleurs.

Combien de temps dura le louvoyage ? Où étions-nous ? Impossible à savoir. Les communautés soninkées sont disséminées sur un territoire immense. La boussole la plus solide aurait perdu le Nord. À tout moment, le bus s'arrêtait net pour laisser passer les formes blanches d'un troupeau. Ou bien se détournait brusquement, sans raison apparente. Peut-être une fondrière, un territoire interdit ?

Le premier de mes voisins bavards quitta le bord à

Diongaga, le bourg des millionnaires. Je lui souhaitai bonne chance. De hautes tours se profilaient dans le lointain. Sans doute les minarets. Sur le siège, à sa place, demeura l'ours en peluche qu'il avait oublié. Une foule attendait le second bavard un peu plus loin, à Yaginné. Une famille entière, au moins trente personnes, tous la main tendue.

Et de nouveau le noir. Une escale après l'autre, le bus se vidait. Une crainte incontrôlable m'avait envahie. Étais-je toujours sur terre ? Ou bien prisonnière d'un royaume de maléfices où les étrangers sont condamnés à tourner en rond, sans jamais arriver, pas même au bout de la nuit ?

Dans la clarté tremblotante des phares surgirent enfin deux panneaux tordus : « Le Bambou, night-club » et « Yélimané vous souhaite la bienvenue ».

La maison des jumelages ressemblait à une école, trois bâtiments de plain-pied autour d'une cour. Assis sur des sièges de cuisine, structure de fer et lanières de plastique, des ancêtres blancs prenaient le thé et discutaient de la journée.

Un cercle de grands-pères. J'en avais rencontré de semblables à Bamako où ils tenaient souvent congrès. La nouvelle grande population des humanitaires. Les retraités au service du développement. Retraités de n'importe quoi, puisque l'Afrique a besoin de tout, n'est-ce pas ? Plombiers, ingénieurs, menuisiers, dentistes, des huissiers même, des percepteurs... Ils m'avaient raconté leurs aventures. Le Nord les avait jetés. À la poubelle. Trop vieux. Dépassés. Périmés. Après des semaines ou des mois de déprime, un beau jour, ils étaient sortis du lit. Au grand effroi de leurs épouses et de leurs enfants. Billet d'avion, nivaquine, saharienne. Mais où vas-tu, Papa ? Ressusciter. Ressusciter qui ? L'Afrique, et moi aussi, tant qu'à faire ! Sitôt franchie la Méditerranée, plus besoin de pacemaker. À peine arrivés, ils abandonnaient leur régime, débranchaient leur sonotone, relevaient leurs manches, et à nous deux la misère.

– Quand je repense à notre matinée, Gory, le périmètre irrigué...

– Oui, ça fait plaisir. À quelle surface arrivons-nous maintenant ?

– Oh, nous dépassons l'hectare !

– Tu te souviens, il y a deux ans, quand le médecin m'a permis de revenir, après mon pontage ?

– Bien sûr. Le sable avait tout regagné.

– La prise de conscience villageoise, tout est là.

– Nous sommes sur la bonne voie. Pour un peu, je m'offrirais une petite cigarette.

Magnifiques papys ! Dans la débâcle générale du continent, et la leur, ils s'accrochaient aux progrès minuscules, se nourrissaient d'avancées imperceptibles. C'étaient de bien touchantes manières d'écureuil : avant le grand froid de la mort, on engrange des provisions d'optimisme.

Devant moi, à portée de main, au centre du rond de lumière que traçait gentiment sur le sol la lampe-tempête, des pierres sautaient. Elles demeuraient tranquilles un long moment, comme des cailloux normaux, et puis, sans prévenir, elles prenaient leur envol. À y regarder de plus près, malgré la fatigue et la poussière du voyage, ces pierres avaient des yeux. Et appartenaient donc plutôt au règne animal, espèce des pépidés, autrement dit des crapauds. Déception. À quoi sert de rejoindre le bout du monde si un peu de magie n'est pas au rendez-vous ?

– Vous pourriez m'indiquer l'école ? Je suis la nouvelle institutrice.

– Alléluia !

– Depuis le temps que nous vous attendions !

Les retraités m'entouraient, me faisaient fête.

– Vous voulez du thé ?

– La route ne vous a pas trop épuisée ?

– Il est trop tard pour chercher ce soir.

– Demain sera un autre jour.

– Une chambre vous attend.

– À propos, où en est-on du surcreusement de la mare ?

« Surcreusement » ? Je n'avais jamais entendu ce mot. J'avais gagné mon lit. Dans la cour, les papys poursuivaient leur discussion passionnée. Déclarons une bonne fois la guerre aux maladies hydriques. L'important, c'est de former les formateurs... Je m'endormis facilement. Rien ne berce mieux que l'espérance.

Ce long parcours raconté, aussi long que mes deux fleuves Niger et Sénégal cousus bout à bout, je, Marguerite, le cœur apaisé et l'âme fière de mon exhaustive franchise, puis enfin répondre à la question n° 12 du formulaire 13-0021.

Profession ? Enseignant subalterne, professeur des écoles.

À ce stade de mon récit, un nouvel aveu s'impose. L'humilité de mon choix de carrière ne doit pas me faire paraître à vos yeux meilleure que je ne suis. Mes huit enfants avaient fini par entrer tant bien que mal, l'un après l'autre, dans la vie adulte. J'avais certes des excuses : la mort de Balewell, la nécessité de travailler dur, etc., etc. Mais le constat s'imposait. Manque d'attention, absences trop fréquentes : Marguerite n'avait pas été une bonne mère. Une seconde chance m'était offerte, je ne devais pas la manquer.

La seconde chance mesurait pour l'instant cent vingt-neuf centimètres à la toise de l'infirmerie de l'école, elle était âgée de neuf ans et dotée du néfaste prénom de Michel. Ainsi l'avait baptisé son père, l'une des premières lubies de ma fille Awa, un instable professionnel, évaporé trente jours après la naissance. Michel, en hommage à un prétendu dieu français, le footballeur Platini. Héros numéro un de celui qui n'avait été mon gendre qu'à peine un mois. Mon petit-fils avait de la chance. Il aurait pu se prénommer Kronenbourg, la bière étant l'autre passion du monsieur.

Mon Awa n'était pas ma réussite la plus éclatante. Elle continuait de sauter d'une évidence à l'autre.

– Cette fois, ça y est, Maman, je te jure, j'ai trouvé l'homme idéal, gentil et travailleur, riche et attentif, doux dans la vie et sauvage au lit, d'accord un peu trop marié (ou atteint d'une légère, très légère tendance à l'alcoolisme, ou poursuivi par un procès injuste, ou sujet à des accès de violence, conséquence d'une enfance, ô si tu savais, tellement malheureuse...), mais

296

je t'assure, tout va s'arranger. Et, alors, juré, je te reprends Michel.

Bien sûr, rien ne s'arrangeait jamais pour Awa. Et, en attendant qu'elle trouve l'eldorado du grand amour et y dépose ses valises et son petit Michel, je le gardais pour moi. Oh, le rare bonheur d'élever un enfant dont on n'est pas le géniteur direct, mais seulement un grand-parent ! Ce « grand » ajouté à « parent », cette génération tampon fait toute la différence : un matelas de tendresse, une réserve de temps où chacun peut puiser à sa guise, un trésor de bonne distance, une épaisseur d'eau douce qui filtre les rayons, ne laissant passer que les utiles, les bienveillants. Comme des époux assez sages pour habiter des maisons proches à se toucher, mais pas l'étouffant logis commun. Au lieu de vivre l'un à l'autre collés, l'un par l'autre exaspéré, ils ne cessent de se retrouver après de courts voyages.

Tels nous étions, juste avant la catastrophe, Michel, neuf ans, et Marguerite, cinquante et un, l'incarnation de l'amour réussi quand nous nous promenions main dans la main, l'admiration du voisinage. Si bien qu'à la question n° 12, « profession », je peux aussi répondre : « grand-mère ».

Inlassablement, comme on gratte et regratte une plaie malade, je replonge dans le passé. Pour y chercher mon erreur éducative. Suis-je donc une enseignante maudite, incapable d'apprendre ? Quelle faute ai-je bien pu commettre pour que Michel se laisse ainsi envahir par cette passion imbécile du football ? Je lui avais pourtant enseigné l'inverse : la miraculeuse et joyeuse prodigalité de notre planète. Chaque jour, vous m'entendez, chaque jour nous passions au moins une heure au marché de Kayes, l'un de ces spectacles multicolores dont l'Afrique a le secret.

Je crois que je lui ai appris à lire sur ces enseignes qui le faisaient tant rire : la pâtisserie « Éclosion », tu sais ce que veut dire « éclore », Michel ? Et là, regarde le commerce de pièces détachées, « Espoir Auto ». Et cet écriteau mystérieux : « À vingt mètres, ne manquez pas le Palais du Divers (la quincaillerie du Progrès). » Sans parler de sa phrase préférée, cette inscription calligraphiée sur la porte d'une cabane à l'évidence mal utilisée : « Stop Caca ».

Puis, main dans la main, nous plongions. Le désordre géant était soigneusement protégé du soleil par des auvents de bambous ou de tôles. Nos yeux prenaient du temps pour s'habituer à la pénombre. L'accoutumance faite, ils s'émerveillaient.

Tout.

Tout ce que les habitants de la Terre s'acharnent à produire, pêcher ou récolter, l'utile et l'inutile. Tout, arrivé là on ne sait comment, dans la grande ville la plus pauvre du pays le plus pauvre du continent le plus pauvre.

Tout ou presque.

Dix-sept espèces de poissons séchés et de l'eau thermale Avène pour les peaux à tendance kératosique, des verres de vision en vrac et des hachoirs à viande allemands, des activateurs biovégétaux du blanchiment de la peau (sans hydroquinone), des bicyclettes de Corée et des bassines pleines de globes oculaires sanguinolents, savourés par les mouches en attendant le client, des plaquettes de comprimés sécables Tegretol 400 mg à peine périmés, et des soutiens-gorge démesurés, des pintades égorgées de frais pendues à des roues de mobylette, des tomes III de l'*Encyclopædia Universalis* (de « Barrage » à « Causalité ») et des fœtus de chauves-souris, des peignes de toute taille (rabais pour les dents cassées) et des commodes roses à miroirs incrustés et tiroirs qui ferment... Etc., etc.

Et l'ensemble à profusion. Les cassettes s'alignaient par milliers, tout Dalida, par exemple, c'est mieux que la techno, Maama ?, et tout Cliff Richard. Et les matelas de mousse multicolores s'entassaient jusqu'aux premiers étages des maisons, pourquoi si haut, Maama ? Peut-être pour permettre aux amants de s'enfuir, Michel, en cas d'urgence. Qu'est-ce que c'est, l'urgence, Maama ? Quelque chose dont on doit s'occuper sans retard. Et de quoi doivent s'occuper sans retard les amants ? Je t'expliquerai quand tu seras plus grand...

– Tu vois, Michel, je vais t'apprendre une chose curieuse : plus les pays sont pauvres, plus les marchés sont riches.

Il réfléchissait, fronçait son petit front.

– En effet, Maama, ça, c'est curieux !

Cette surabondance l'enchantait, je le jure, mais lui donnait aussi le vertige. Je le sentais tanguer. Nous nous appuyions tant bien que mal contre une montagne instable de calebasses.

C'est peut-être pour lutter contre cette frayeur, contre la diversité du monde qu'il s'est concentré sur sa boule de cuir.

Récit, récit, calme-toi.

Arrête de galoper.

Rien qu'un instant.

Le temps que les doigts de mon avocat se reposent. Le pauvre, il n'a pas le beau rôle. Parfois je surprends sur son visage de pâles sourires. Sans doute doit-il penser à ses confrères occupés à des affaires autrement plus glorieuses et rémunératrices : des fusions-acquisitions, des contrats de prospection pétrolière... Au lieu de quoi, avec Marguerite, il est cantonné au rôle de scribe. Il écoute avec une attention surprenante pour un Blanc, je dois dire, il prend note et me corrige, il tente de me canaliser, tâche désespérée, ô combien.

– Je ne vous accable pas trop, maître Benoît ?

– Continuez, s'il vous plaît, madame Bâ. Vous m'apprenez... (Me croirez-vous si je vous affirme qu'il rougit ?) Vous m'apprenez l'Afrique !

Il me regarde d'un drôle d'air, cinquante pour cent timide, cinquante pour cent protecteur. On dirait qu'il a envie de me prendre dans ses bras. Alors que, menu comme il est, et large, abondante comme je suis, il se perdrait facilement entre mes seins. Quelle chance d'être tombée sur lui ! Je dois me montrer plus gentille, lui offrir, à vous aussi, d'ailleurs, des récréations.

Monsieur le Président, maître Fabiani, pour vous reposer tous les deux quelques instants (après tout, il n'y a pas que le 13-0021 dans la vie !), je vais vous présenter quelqu'un de rare : un chauffeur de taxi, patron après Dieu d'une Renault 12 défoncée mais vaillante, ô combien. Tellement vaillante qu'à la voir avancer, bringuebalante dans nos rues éventrées, avancer toujours quoi qu'il arrive, que le ciel brûle ou pleuve, avancer malgré les obstacles et son extrême fatigue, je me demandais chaque fois si cette voiture n'était pas une réincarnation de femme africaine.

Monsieur le Président,

Je sais de source sûre que tous vos prédécesseurs ont eu recours à des voyants, des voyantes. Quoi de plus normal, étant donné les charges qui pèsent sur vos épaules et la meute de devinettes géantes qui vous assaillent chaque jour de la semaine ? Faut-il déclarer la guerre à l'Irak ? Dois-je agrandir l'Europe ? Etc.

Je vous plains !

Si, d'aventure, vous avez besoin d'un homme de vraie sagesse, ami des vérités secrètes, prenez contact avec moi. Il va sans dire que ma discrétion sera totale. Un billet d'avion, un visa. Et le lendemain, vous avez près de vous quelqu'un qui connaît le fond de la vie. Qui ne s'impose pas. Qui ne demande rien. Qui dépose seulement de temps à autre sur votre bureau légendaire (celui du général de Gaulle, n'est-ce pas ?) un petit carton, une maxime, une pensée, une devise. Semblable à celles qu'on trouvait jadis écrites sur des gâteaux secs, et dont la mode s'est perdue. Une telle merveille peut rendre d'inestimables services à un Président. Et aussi à un avocat.

Coumbel, le taxi-philosophe, faisait partie de la foule aussitôt accourue, flairant l'aubaine, dès que l'antenne du co-développement avait commencé de se déployer. Le premier soir, il avait garé son épave un peu plus loin, rue Magdebourg, à l'écart de la meute. Il était là quand je suis sortie, épuisée.

— Bien sûr, madame Bâ, tu vas avoir un vrai chauffeur, rien que pour toi, avec une climatisée, R25 ou Mercedes. Mais tes paquets, madame Bâ, tes provisions ? Tu ne vas pas te laisser encombrer, quand même ? Tu ne vas pas risquer de tacher les sièges vrai cuir ? Madame Bâ, tu as forcément besoin d'un garde du corps diplômé karaté. Marguerite, tes huit enfants, tu n'auras pas toujours le temps de bien t'en occuper. Tu veux que j'aille les chercher à l'école, que je leur fasse réciter leurs leçons ?

Bref, il s'est vite montré indispensable. Un jour, je suis montée à ses côtés, à la place du mort.

— Tu me jures de rouler lentement ?

— J'aurais trop peur de tuer le seul espoir du Mali.

Une pancarte pendait, accrochée au rétroviseur, à la place des éléphants en peluche ou images pieuses traditionnelles. Une phrase obscure se balançait devant mes yeux, une question : « La politique est-elle un art ? »

— Qu'est-ce que c'est que ça ?

— Le sujet du baccalauréat, cette année.

— Tu t'intéresses à la philosophie ?

— Je veux qu'on réfléchisse dans ma voiture.

— Et ça marche ?

— Souvent. Je m'arrête sur le bas-côté. Et on parle, mon client et moi. Si ce problème ne t'intéresse pas, reviens demain. Je change de thème chaque jour.

Je vous fais un vrai cadeau, Monsieur le Président, et vous aussi Benoît. Ce n'est pas de gaieté de cœur que je me séparerais de Coumbel. Combien de fois, sans nécessité aucune de transport, pour le seul plaisir de discuter, ai-je arrêté la Renault 12 ? « Je suis tombé de cheval, ça tombe bien : je voulais descendre. » Alors, madame Bâ, il vous plaît, ce proverbe-là ? Il paraît qu'il est italien. Ou cette phrase d'un Suisse nommé Bouvier. Il faut croire qu'il y a encore des bouviers en Suisse : « On dit : "Je fais un voyage." Alors que c'est le voyage qui vous fait. Ou vous défait. »

— Mais où trouves-tu ces trésors ?

— J'ai mes sources.

L'une de ses pancartes, je crois qu'elle m'a sauvé la vie. Ce jour-là, brusquement, je m'étais arrêtée au milieu de la rue. À bout de forces. Mes enfants, un par un et tous ensemble, m'avaient tuée. Il était midi. Marguerite était vaincue. Incapable du moindre mouvement. Ni avancer ni reculer. Le soleil commençait de me dessécher. Les camions me frôlaient. Les chauffeurs m'insultaient. Hé, la géante, si tu veux te suicider, jette-toi dans le fleuve, ça fera moins de saleté ! Coumbel est arrivé au bon moment. Il a ouvert la portière.

— Monte, madame Bâ. J'ai justement quelque chose pour toi.

« La douleur conseille. »

Jusqu'à ma mort je garderai dans mon cœur ces trois mots.

— Vous avez compris, madame Bâ ? Elle ne guérit pas, elle ne sauve pas, la douleur, elle n'impose pas. Elle se contente de conseiller. La douleur est timide. Elle a l'obstination des timides.

– Merci, Coumbel !

Si, par hasard, je ne suis pas à Kayes le jour où vous en aurez besoin, vous n'avez qu'à demander à votre ambassadeur de se rendre en bordure du marché, intersection des rues J et 14, juste à côté de la station Total et du Centre d'étalement des naissances (fermé). C'est là que les taxis attendent, à l'ombre d'une rangée de rôniers. Votre envoyé ne pourra le manquer. Tous ses collègues palabrent. Lui lit. Il a trouvé un système, un petit ventilateur à piles. À la fois pour le rafraîchir et pour tourner les pages. Si la France se décide enfin à verser les crédits promis pour construire un vrai lycée à Kayes, je lui enverrai pour un stage de sagesse chacun des élèves de terminale.

Quatrième partie

La foire aux noms

16. MOTIF DU SÉJOUR

17. RÉFÉRENCES dans le ou les pays du groupe Schengen. NOM OU RAISON SOCIALE

ADRESSE   NATIONALITÉ

18. ADRESSE(S) PENDANT LE SÉJOUR

24. MOYEN(S) DE TRANSPORT (en cas de transit)

16₁ Les dernières volontés

Une chose est sûre : Mme Bâ est coupable.

Autrement, comment expliquer la décision négative de l'administration française ? L'administration française, dont les Français disent qu'elle est la meilleure du monde, connaît son métier. Aucun risque d'arbitraire chez elle, aucun danger qu'elle se trompe de dossier. Elle ne fait confiance qu'aux faits, à des données irréfutables. Si, en son âme et conscience, elle a jugé Mme Bâ indésirable sur le sol de la France, même pour une minuscule durée de trente jours, c'est qu'elle a sa raison, une raison accablante devant laquelle, respectueusement, je m'inclinerai – dès que je l'aurai trouvée.

Voilà pourquoi je cherche, tourne et retourne ma vie à toutes les lumières et sous toutes les coutures : pour y trouver ma faute.

Une affaire pas très nette surgit à pas feutrés du coin le plus reculé de ma mémoire, là où d'ordinaire j'entrepose ce qui dérange la bonne image que j'ai de moi, vous savez, les petites lâchetés, les mesquineries, comment j'ai trahi une amie quand j'avais cinq ans, comment, obnubilée par mon trop beau mari, je me suis désintéressée de mes parents alors qu'ils vivaient leurs derniers mois...

Et maintenant l'affaire pas très nette se tient devant moi. Elle bat des paupières, encore aveuglée par ce soudain coup de projecteur. Elle me regarde. Je sens son ironie : vas-tu oser, madame Bâ ? Auras-tu le culot de raconter à la France, que par ailleurs tu sollicites, les mauvaises actions de ta famille ?

Un matin de fin juin 1998, début de la saison des pluies, une masse rougeâtre non identifiée s'arrêta devant notre hôtel de ville. Seuls des dons exceptionnels de divination permirent au planton de reconnaître sous la gangue une Peugeot 406 officielle. Il salua militairement. Celui, quel qu'il soit, assez audacieux pour affronter la route à cette époque maudite de l'année mérite qu'on lui rende les honneurs. Une portière s'ouvrit, non sans mal. Un être humain parut, de race blanche, la peau aussi fripée que son costume bleu. Il se redressa et, d'un geste sec et nerveux, resserra le nœud de sa cravate.

– Je suis le premier Conseiller de l'ambassade de France !

Cette phrase solennelle sembla lui redonner des forces. Il grimpa vivement l'escalier, ignora les deux beautés secrétaires occupées à se peindre de jaune canari les ongles et, sans frapper ni se faire annoncer, typique désinvolture d'ancien colonial, pénétra dans le bureau où Marguerite, accompagnée de trois collègues, était venue protester contre la baisse des crédits alloués aux écoles primaires.

– Qui est le maire ? C'est vous ? Parfait. J'arrive de Bamako avec une excellente nouvelle. Vous n'auriez pas quelque chose à boire ?

Les enseignants, poliment, s'éclipsèrent. Moi seule traînai pour rassembler mes affaires. Cette curiosité allait me coûter cher. Car le Conseiller voyageur avait repris la parole.

– Monsieur le Président de notre République n'est pas de ceux qui tremblent devant la mémoire, fût-elle la plus sombre. Il y a un mois, les Juifs ont reçu de sa part les excuses de l'État français pour la triste conduite de l'administration durant l'occupation allemande. Hier, dans le même esprit de repentance, il a décidé de donner la Légion d'honneur à tous les anciens combattants africains de la Grande Guerre.

Un haut fonctionnaire français a beau être bringuebalé, cinq cents kilomètres durant, par tout ce que l'Afrique a inventé de mieux comme nids-de-poule, ornières et fondrières, rien n'y fait. À peine débarqué, il emploie toujours ce genre de langage ampoulé et sentencieux.

– Rappelez-moi, dit le maire, je m'y perds dans la taille de vos guerres. Laquelle appelle-t-on grande ?

– 14-18.

– Eh bien ! La France a mis le temps, on dirait !

– Voilà pourquoi je demande instamment l'appui de votre service de l'état civil : comment allons-nous pouvoir distinguer les vrais anciens combattants des faux ? Je n'irai pas jusqu'à dire que vos compatriotes trompent régulièrement nos autorités militaires, mais nous n'avons pas été sans remarquer quelques abus.

Le maire s'amusait franchement :

— Il est vrai que mes compatriotes jouent volontiers avec leurs papiers d'identité.

— Vous voyez ! Comment faire la différence entre un grand-père, héros de 39-45, et un trisaïeul, poilu de Verdun ? Dès qu'un Noir a les cheveux blancs, nous sommes perdus, monsieur le maire, nous ne connaissons pas depuis assez longtemps votre continent, nous nous égarons dans vos âges.

— Mon pauvre ami ! Nous manquons déjà de personnel pour enregistrer le flot des nouveau-nés. Alors mettre le nez dans les petits jeux de nos ancêtres... Je ne vois qu'une solution...

Je demeurais là, stupidement immobile, alors qu'il ne me restait plus qu'une seconde pour m'éclipser et échapper ainsi à des catastrophes hautement prévisibles.

— ... Mme Bâ. C'est une ancienne du co-développement. Donc, elle connaît la rigueur de vos procédures. Par ailleurs, le père de son père a connu le Chemin des Dames.

L'instant d'avant, pour le premier Conseiller, je n'existais pas. Une présence sombre, là-bas, dans un coin, vaguement gênante. Et voici que je devenais Dieu. Il hésita. Allait-il me poser les mains sur les épaules ? Il se contenta de plonger ses yeux bleus dans les miens.

— Madame Bâ, la France a besoin de vous.

C'est ainsi que je suis tombée dans le piège. Chaque fois que quelqu'un, être humain ou pays, prend le temps de me regarder et de me dire le besoin qu'il a de moi, je ronronne, me liquéfie et m'abandonne. Lorsque mon corps, légué à la science par lettre du 17 mars 1992 demeurée d'ailleurs sans réponse – preuve, s'il en était besoin, que la mort de la science malienne a précédé la mienne et que donc mon généreux cadeau n'intéresse désormais plus personne, mais laissez-moi mes illusions –, lorsque mon corps sera ouvert, découpé, inspecté, peut-être y trouvera-t-on la raison de cette étrange maladie de ma volonté. Une parcelle minuscule de ma peau, une membrane, un tambour en moi qui vibre et me rend folle, à peine les quatre syllabes « besoin de vous » se sont-elles mises à résonner dans l'air.

Le Conseiller ajouta une flatterie inutile :

– L'Afrique est si complexe, madame Bâ.

Je n'écoutais plus. Déjà toute à ma nouvelle, catastrophique mission.

Je n'avais pas revu Chemin des Dames depuis des années, exactement depuis la mort de mes parents, lorsqu'une partie de la famille s'en était emparée après de longues luttes obscures : mieux vaut grignoter une pension gelée que pas de pension du tout. Il n'avait pas changé, trônant sous le cailcedrat, fierté du village. La même fixité du regard, le même visage d'écorce ravinée, les mêmes racines tortueuses à la place des mains. Le passé qui, jour et nuit, depuis si longtemps, multipliait ses assauts, semblait cette fois avoir gagné la partie. Le 16 avril 1917, qu'il m'avait si souvent raconté, l'avait envahi pour de bon. À intervalles réguliers ses lèvres balbutiaient : « Mon lieutenant, la boue », « Mon lieutenant, le caporal saigne. »

Plus personne ne l'écoutait. Sauf les mouches. Peut-être avaient-elles eu, elles aussi, des ancêtres à la guerre ? Elles ne quittaient pas la bouche du héros. Ma famille semblait l'avoir déjà rayé du monde des vivants. On riait, on courait, on palabrait autour de lui sans y prêter la moindre attention. Je suscitai beaucoup plus d'intérêt. On m'assaillit :

– Oh, oh, si Marguerite vient nous voir, c'est pour quelque chose d'important.

– On sort enfin du gel ?

– Qui gouverne en France ? Les socialistes ? Ils ont eu honte ?

– Combien ? Ils doublent, ils triplent les pensions ?

– Ce n'est pas trop tôt.

– Quelle joie de te retrouver, Marguerite !

– Et vivent les socialistes !

– Alors, la bonne nouvelle ?

Non sans plaisir, je douchai cette exaltation.

– La Légion d'honneur.

– Comment ça ?

– Une décoration ?

– Seulement ?

– Mais les pensions, alors ?

– Les socialistes français n'ont rien décidé.

Je calmai leur colère en expliquant que cette médaille était particulière, le grade le plus élevé dans l'armée des médailles. Seul un personnage très puissant pourrait la remettre. Et quelle est la coutume lorsqu'un personnage très puissant vous rend visite ? Il couvre le village de cadeaux. Alors, faites confiance à mon expérience de l'administration française, prenez patience, Noël arrive. Maintenant, à vous de m'aider. Le vieux a-t-il encore des collègues de 14-18 : attention, des vrais, des garantis ? La France ne donne pas son honneur à n'importe qui.

– Une seule solution, le pharmacien.

– Quel rapport ?

– Voyons, Marguerite !

– Il garde les ordonnances.

– Quelles ordonnances ?

– Marguerite ! Tu nous prends vraiment pour des imbéciles ! C'est parce que tu travailles chez un puissant ? Ou alors c'est toi, la trop bête. Va donc chez Niane ; s'il a le temps, il t'expliquera.

Bien sûr, Mme Bâ aurait dû dénoncer plus tôt le trafic. Sa fonction éminente dans la société lui en faisait même l'obligation. Une enseignante n'est-elle pas d'abord une main qui sème dans les jeunes esprits les valeurs fondamentales, à commencer par l'honnêteté ?

Mme Bâ plaide coupable. Et ne laisse couler d'entre ses lèvres tremblantes qu'un tout petit filet de voix pour plaider, écrasée de remords, les circonstances infinitésimalement atténuantes.

Révéler l'escroquerie, inqualifiable, c'était condamner non seulement l'ensemble de sa famille, mais toute la sous-région, coupable des mêmes pratiques. Avait-elle le droit de déclencher un tel cataclysme ? Avec la certitude de se retrouver seule, pour finir ? Mme Bâ l'avoue : cette perspective l'a terrorisée. La solitude est pire que la mort, en Afrique, pire que le désert, pire que l'absence d'eau, pire que le pire. La solitude tranche tes bras, tes jambes, les parfums que tu respirais, la musique qui te berçait. Elle te sépare de tes souvenirs, de tes regards, de tes rêves, elle te retire de ton nom, de ton sol, de ton fleuve, du soleil. La solitude ne s'en tient pas là. La solitude continue : elle te connaît mieux que toi-même. Elle trouve des fils qui sortaient de toi et que tu ignorais. Un à un, elle les coupe. Elle n'arrêtera jamais. Elle te veut délié. Détissé. Elle va t'arracher de la tapisserie du monde. Elle te veut rien. Elle n'est pas pressée. Elle prend son temps. Elle a jusqu'à ta mort. Elle continuera après. Elle a des yeux pour voir dans ta tombe. Elle a des dents pour y poursuivre son travail, elle mangera la dernière des traces que tu avais pu laisser et elle tuera ton repos. À jamais. Vous comprenez ?

J'avais choisi le mauvais jour et la mauvaise heure : le samedi soir, juste avant la fermeture. Des dizaines de mâles avaient envahi la pharmacie pour se fournir en produits tonifiants, Viriline et autres Bandafort. La nuit la plus cruciale de la semaine amoureuse n'allait plus tarder, il s'agissait de se préparer au combat. M. Niane s'arracha à sa clientèle : que t'arrive-t-il, Marguerite ? Rien de grave, j'espère ? Tu as fait ta mammographie ?

— C'est au sujet des ordonnances.

— Ne me remercie pas, Marguerite, rien de plus normal. Tu en as bénéficié comme tous ceux de ta famille.

Cinquante pour cent pour vous, cinquante pour cent pour Niane. C'est la règle. Et j'espère que ça continuera longtemps.

– Je ne comprends pas.

– Tu ne comprends pas quoi ?

Nous nous regardâmes, aussi stupéfaits l'un que l'autre.

Je lisais dans ses yeux la même hésitation que celle de mes cousins : cette Marguerite est-elle une vraie ou une fausse crétine ? Une rissolée du cerveau, ça n'est pas rare chez nous, vu la chaleur, ou une enquêtrice déguisée ? Il finit par choisir.

– Cette Légion d'honneur ne sent pas bon, Marguerite. Les Français vont venir pointer leur gros nez rougeoyant dans nos affaires. Autant que tu apprennes la vérité. Une vérité que tu pourrais bénir, d'ailleurs. Car tu lui dois d'être qui tu es. Écoute bien. La France, comme tout le monde, a le cœur rempli pour moitié de glace et pour moitié de soleil. La moitié de glace lui a ordonné de geler la pension de ton ancêtre.

– Je sais.

– Et la moitié chaude, la moitié du soleil, lui a dicté d'offrir la santé à ton malheureux ancien combattant. La santé gratuite.

– Mais il n'était jamais malade !

– Justement, Marguerite, justement. Pourquoi piétiner la générosité française ? Refuser un cadeau : tu connais des agissements plus insultants, Marguerite ?

– Non, je ne connais pas.

– Alors ton grand-père nous a remis gentiment ses ordonnances gratuites et vides. Et nous les avons remplies. Remplies jusqu'à ras bord. Du haut du recto au bas du verso. Des tas de gens ont besoin de médicaments, Marguerite. Des gens prêts à payer, surtout avec de bonnes réductions de prix. Et M. Niane est le maître des bonnes réductions. Et la France, sans rien dire, a tout remboursé. Et, grâce à M. Niane, des tas de malades ont reçu des médicaments. Des médicaments pas chers, puisque la France les avait payés. Mais des médicaments un peu chers quand même, puisqu'il fallait que je remercie ta famille de m'avoir prêté les ordonnances vides de ton grand-père.

— Je commence à comprendre. Et, bien sûr, au passage, tu t'es remercié aussi.

— Juste un peu, Marguerite, à peine un signe de gratitude.

— Et naturellement, tu as fait de même avec tous les anciens combattants de la région ?

— Quand une idée est bonne, Marguerite, pourquoi ne pas la généraliser ?

— Mais tu escroques la France, monsieur Niane !

— Quel vilain mot ! Dis plutôt que l'Afrique se rattrape, Marguerite. La France nous a volé nos ancêtres, nous lui empruntons quelques médicaments. La France a honte alors nous nous nourrissons de sa honte, comme d'habitude. Voilà ce que nous sommes, tu le sais bien, Marguerite : un continent de mangeurs de honte.

— Monsieur Niane, je vais te dénoncer !

— Tu as raison, Marguerite. Vive la dénonciation, rien de meilleur pour la circulation du sang ! Mais, s'il te plaît, donne à tes amis français les bons chiffres. Cinquante pour cent de bénéfices pour M. Niane et cinquante pour cent pour ta famille. M. Niane n'a jamais triché sur le partage. Il respecte trop les anciens combattants. Au revoir, Marguerite, j'ai à faire. Bonne dénonciation ! Et remercie les ordonnances de ton grand-père. Sans elles, crois-tu que toi et tes onze frères et sœurs auriez pu continuer vos études ?

Avant même le lever du jour, les candidats à la médaille envahissaient ma rue. J'entendais leurs petits pas sournois, le lent raclement des babouches sur le sable. Une marée de fantômes me chassait de ma nuit. J'avais beau me répéter : « Ils mentent, la plupart mentent », je tremblais dans mon lit, la mort m'avait envoyé ses messagers. La bouche contre ma porte, ils commençaient par les chuchoter, leurs horreurs, d'abord poliment, madame Bâ, j'ai perdu un bras sous Verdun, madame Bâ, mon œil gauche est resté aux Éparges... Bien vite, l'affaire s'envenimait. Du fait des familles. Chacune poussait son cheval. Ne te laisse pas faire. Tu es bien plus blessé que lui. Madame Bâ, il a cinq morceaux d'obus dans la tête et tu ne lui offres même pas une chaise ?

Heureusement, la police arrivait sur le coup de huit heures. Je lui faisais du café. Tant bien que mal, elle calmait les plus aigres, organisait la queue. Et voilà, j'en avais jusqu'au soir à démêler le vrai du faux pour les beaux yeux des Français, leur économiser des Légions d'honneur.

Il faut dire que le vrai était rare, dans tout le fatras qu'on me présentait, le faux dominait, le faux prenait ses aises, le faux s'étalait, régnait en maître. Marguerite n'est pas une inhumaine. Elle sait que les dates ne changent rien au fond de l'affaire : l'épouvante demeure l'épouvante, quel que soit son label, 14-18, 39-45 ou 54, Dien Bien Phû. Mais j'avais des consignes, la Grande Guerre, rien que la Grande Guerre. Alors je torturais les quémandeurs. L'un après l'autre, je leur mettais le nez dans leurs tromperies. Rien de plus facile, pour moi : le père de mon père m'avait tant parlé de ses quatre années en France, je les connaissais heure par heure, tranchée par tranchée.

– Vous prétendez avoir combattu au Chemin des Dames ?

– Affirmatif, madame Bâ !

– Je n'en doute pas. Alors, vous vous rappelez sans doute le temps qu'il faisait au matin du 16 avril 1917 ?

– Je me souviens, attends, je me souviens, je ferme les yeux, ça y est, il pleuvait, comme toujours en France.

– Hélas, malgré le printemps, il neigeait. Et c'est ce froid qui a fait rater l'assaut ! Au suivant.

Ou, de façon plus expéditive et cruelle encore, j'interrogeais :

– Dites-moi, grand-père, quel âge aviez-vous en 1917 ?

– Vingt ans, tout au plus.

– Vous avez donc dépassé le siècle.

J'avançais ma main vers sa tempe et, entre le pouce et l'index, je lui prenais une mèche.

– J'ai déjà vu les vieux se teindre en noir, mais les jeunes se teindre en blanc, ça je découvre !

– Torturer ainsi les ancêtres ! Dieu ne te le pardonnera jamais, madame Bâ.

Abrégeons : un seul candidat fut retenu pour la décoration suprême. Car un seul parmi tous les imposteurs et faux vieillards pouvait être garanti cent pour cent Poilu, toutes preuves disponibles à l'appui, authentiques et authentifiées. Abdoulaye Omar Ferdinand Dyumasi, né à Médine aux alentours de l'an 1894, donc centenaire largement dépassé. Qu'y pouvais-je s'il avait engendré Ousmane, qui m'avait engendrée, bref, s'il était mon grand-père ?

À l'annonce de ces conclusions, une nouvelle volée d'injures, une supplémentaire bordée de crachats frappèrent Marguerite. Favoritisme. Juge et partie... Il n'importe. Je tiens mes dossiers prêts pour ceux que la vérité tant soit peu concerne.

Notre famille innombrable attendait, des dizaines d'aïeux, aïeules, oncles et tantes, cousins, cousines, enfants, conjoints, immobiles car écrasés les uns contre les autres dans le grand salon bien trop petit. Pour la plupart des inconnus même si émergeaient çà et là de troublantes ressemblances, tiens, celui-là a le nez de Papa, ces yeux enfoncés dans les orbites on dirait ceux de Grand-mère... Pauvre famille comprimée ! La bouche ouverte tant l'air était rare, et tous les yeux tournés vers la porte close d'où viendrait le glorieux ancêtre. Et d'où nous parvenaient les fracas d'une dispute, des voix de femmes de plus en plus aiguës, elles se battaient pour le choix du boubou, bleu, je te dis, c'est la première couleur du drapeau, idiote, sur le blanc la Légion ressortira mieux ! Ces glapissements exceptés, on n'entendait rien que les grincements menaçants du gros ventilateur Frigeavia : ses pales dorées passaient et repassaient à frôler les têtes – nous avons beaucoup de géants parmi nous –, l'attache au plafond ne semblait pas bien solide, un drame se préparait, mais qui aurait, dans cette chaleur, osé demander qu'on éteigne ?

La porte s'ouvrit et il parut. Le plus que centenaire. Notre point de départ à tous, celui qui nous avait un à un, par le chemin de six ventres de femmes, extirpés du néant, une longue et maigre forme bleue, poussée par deux de ses filles déjà arrière-grands-mères, sans doute celles qui avaient gagné la guerre de la couleur du boubou, il avançait, pauvre flamme épuisée. Tous, tant bien que mal dans cette presse, nous avons tendu les bras vers lui. Il fallait le protéger. Il paraissait si fragile. Trop tard.

Il s'arrêta, se retourna vers nous, tous ces visages un peu semblables et si différents, sa descendance. Nous voyait-il ? Ses paupières se rejoignaient presque. Soudain, alors que la terre entière s'était tue, même l'âne dans la cour, même les mouches agonisantes sur le papier collant, même les oiseaux du cailcedrat géant, il ouvrit grand les yeux, s'étonna. Et mourut.

D'abord dressé, debout. Et puis la forme bleue s'inclina lentement vers nous comme pour un ultime salut.

Je vous épargne la suite. Les cris, la bousculade, le fleuve de larmes. La douleur et les mesquineries (je te l'avais dit, le bleu ne lui porterait pas chance). L'enterrement, immédiat, selon la coutume de l'Islam, la lente procession de la famille sous la lune. Les interrogations chuchotées au retour du cimetière : la décoration française, on peut la remettre à un mort ? Bien sûr, à titre posthume. Ça veut dire quoi, posthume ? Ça veut dire vivant après la mort. Alors on ne change rien ? Évidemment.

Dans la nuit, au lieu de compter les moutons, pour m'endormir je calculai :

Chemin des Dames-village de Médine : à vue de nez et à vol d'oiseau migrateur, 4 500 kilomètres.

17 avril 1917-11 novembre 1998 : 81 ans + 6 mois + 24 jours, soit 29 772 + les 29 février des années bissextiles (20 jours supplémentaires) = 29 792 jours.

29 792 jours × 24 = 715 084 heures.

La Légion d'honneur qui serait remise demain à feu mon ancêtre était arrivée jusqu'à nous à la vitesse horaire moyenne de 4 500 000 mètres divisés par 715 008 heures = *6 mètres/heure*. Le cadeau de la République française au dernier combattant africain de la Grande Guerre était donc un escargot.

Cette constatation irréfutable, accompagnée de la vision d'une médaille où les branches dorées de l'étoile étaient remplacées par des cornes grises et souples, prolongées de petits yeux noirs ironiques, me réjouit tant que, malgré ma tristesse, je plongeai en souriant dans le sommeil.

La Légion d'honneur allait-elle supporter notre climat brûlant ? Craignant qu'elle ne se perde dans l'enchevêtrement de pistes qui mènent à notre village, je partis à sa rencontre dans la Peugeot pick-up du maire, lustrée de neuf pour l'occasion.

Je ne m'étais pas trompée. La limousine au fanion tricolore tournait et retournait dans le sable comme une mule aveugle attachée à son puits. Accueillie tel le Sauveur – que ferions-nous sans vous, madame Bâ ? –, je remis les officiels dans le droit chemin. L'ambassadeur s'était fait accompagner d'une jeune collaboratrice des services consulaires, une blonde prénommée Florence. Elle s'était habillée comme pour un cocktail, tailleur vert pâle et hauts talons.

Pour l'accueil (enthousiaste), je résume. Les adolescents offrirent leur fantasia habituelle, cinquante pour cent chevaux, cinquante pour cent mobylettes. Les femmes prouvèrent leur passion pour la France par d'interminables youyous. Quatorze tambours appelèrent longuement à la guerre (étrange contresens : ce 11 novembre, on fêtait l'armistice). Les enfants poussèrent leur chansonnette aigrelette, *En passant par la Lorraine*. Neuf discours officiels accablèrent l'assistance. La Légion d'honneur, épuisée par son voyage, prenait quelque repos dans sa couchette capitonnée de velours bleu marine.

Et, de nouveau, nous montâmes vers le petit bois, séjour des morts. L'ombre des acacias protégeait les tombes, des tas de sable presque invisibles, une plage boursouflée çà et là par la mer qui se retire. Devant le dernier monticule, l'ambassadeur s'arrêta. Il suait à grosses gouttes blanches. Était-il dans les attributions d'une Mme Bâ de lui éponger le front ? Redoutant que ce geste de simple hygiène ne soit interprété comme le signe d'une trop grande intimité, je m'abstins.

La musique se tut, garde-à-vous général. La collaboratrice, Florence, sortit délicatement la médaille de sa couchette, la tendit à l'ambassadeur, pointes bien repliées, pour ne pas le piquer, et la phrase officielle retentit :

– Abdoulaye Omar Ferdinand Dyumasi, au nom du Président de la République, nous vous faisons chevalier de la Légion d'honneur.

Je connais le protocole : à ce moment-là, celui qui remet doit embrasser celui qui reçoit. Mais comment embrasser un mort ? Les yeux perdus, les doigts crispés sur le ruban, l'ambassadeur appelait à l'aide. D'un imperceptible mouvement du menton, Mme Bâ lui montra le sol. Le Français se pencha, déposa la Légion. À l'instant, tous les regards convergèrent sur elle, la fleur rouge, blanc et or, allongée sur le sable, la récompense suprême, le cadeau de la France, l'escargot glorieux et multicolore, enfin arrivé à destination après quatre-vingt-une années de voyage.

Le genre humain tout entier pleurait. Le règne végétal rendait lui aussi hommage, chaque espèce à sa manière, les herbes en inclinant la tête, les arbres en agitant doucement leurs branches. Les insectes ailés semblaient eux-mêmes atteints par l'émotion : mouches et guêpes voletaient à bonne distance sans oser s'approcher. Seule une scolopendre gravit lentement la minuscule éminence et vint inspecter l'objet. Personne ne la dérangea : elle avait sans doute reçu mission du défunt.

L'ambassadeur s'apprêtait à repartir, corvée remplie. Mais nul ne s'intéressait à la main qu'il tendait et retendait, personne ne prêtait attention à ses au revoir. On l'entraînait vers le cailcedrat. Tubulures noires, lanières de plastique jaune, le fauteuil légendaire lui avait été réservé, celui où feu le héros du Chemin des Dames s'était laissé dévorer à petit feu par ses souvenirs d'horreurs. Pas moyen de s'échapper : c'est trop gentil, mais alors pas longtemps, hélas, le travail m'appelle. Ma famille hochait la tête, pauvre ambassadeur, elle avait son idée, elle lui versa du thé, lui offrit des gâteaux secs, prenez vos aises, monsieur le représentant de la France toute-puissante, et puis écoutez-nous, puisque vous ne connaissez pas notre langue, Marguerite traduira.

La première dernière volonté, c'est-à-dire le premier mensonge, fut un murmure sorti d'un amas de pagnes noirs sous lequel, depuis l'annonce du drame, se tenait la veuve, l'ultime compagne du décoré. Centenaire également, elle avait, pour demeurer l'unique, réussi, par toutes sortes de moyens violents ou sournois, à chasser une à une du monde des vivants la meute toujours renouvelée de ses rivales, coépouses, ces idiotes qui n'ont pour arme que leur jeunesse. Il fallait la voir se promener au cimetière, celui du bois d'acacias, en suivant un parcours connu d'elle seule, car les traces de ces malheureuses avaient depuis longtemps disparu. Elle s'adressait à chacune en des termes orduriers et ses ricanements glaçaient le sang.

En approchant mon oreille des pagnes, je compris le

sens du murmure que je m'empressai de communiquer à la foule :

– Marguerite, tu diras à ton Français que mon mari, en mourant, a demandé l'électricité pour le village.

Je vous ai raconté la fin de Chemin des Dames, vous savez qu'il est mort sans prononcer un mot, mais que pouvais-je faire, sinon transmettre à voix haute et ferme cette pure invention ?

Enhardis par ce culot, les fils de la veuve, demi-frères de mon père et donc mes oncles, s'engouffrèrent dans la brèche : moi, il m'a parlé le matin même, Paris lui manquait, ne serait-il pas possible de prier très respectueusement la France de bien vouloir installer ici une antenne pour recevoir la télévision ? Moi, sous le sceau du secret, il m'avait avoué sa terreur de la diarrhée : un pays richissime comme la France n'aurait-il pas les moyens d'offrir un filtre pour l'eau du puits ? Et le chemin qui mène à la route, monsieur l'ambassadeur, vous l'avez vu pendant l'hivernage ? Le vrai rêve de mon père, c'était qu'un camion français, un jour, Grands Travaux de Marseille ou Bouygues, y déverse un peu de goudron...

Puis la génération suivante, mes cousins, mes cousines, entra dans la danse des sollicitations : vous vous rappelez comme il pleurait devant le toit de l'école effondré ? La France ne pourrait-elle pas calmer ce chagrin ? Tu as bien raison, ma sœur, mais sa plus grande honte n'était-elle pas l'odeur ? Tu te rends compte, me répétait-il, si un jour l'armée française se souvient de moi, matricule 175297, et qu'elle vienne me rendre visite, comment l'accueillir dignement tant que notre égout ne sera pas couvert ?

À la quatrième ou cinquième dernière volonté, l'ambassadeur avait tenté de l'humour : vous êtes sûrs qu'il a vraiment eu le temps de souhaiter tout ça avant de mourir ? Ne serait-ce pas vous, par hasard, mes chers amis... ? Devant les regards offusqués du village entier, pour éviter l'incident, il avait vite rengainé son ironie et notait, notait sans relâche sur un petit carnet rouge. Aidé par Florence qui, elle, remplissait un cahier d'écolier.

Vers le milieu de la nuit, une violente dispute éclata.

— Grand-père, avait dit ma voisine, tremblait de mourir dans une région sans église.

— Tu rêves, ricana une femme qui nous faisait face. Je n'ai jamais connu meilleur musulman.

— Tu n'es pas le genre de personne à qui l'on raconte ses secrets. Il avait rencontré le vrai Dieu en France.

— Menteuse ! Infidèle ! Sous-épouse de polygame ! Mangeur de Créateur !

Les deux protagonistes s'étaient levées, toutes griffes dehors. Il fallut l'autorité d'un vieux pour les faire rasseoir.

Vaillant ambassadeur ! Accablé de fatigue, les yeux brûlés de tant écrire à la mauvaise lumière d'un groupe électrogène, le buste soudain cassé en deux, avalé par le sommeil mais parvenant l'instant d'après à se redresser, fouetté par une volonté surhumaine. Notez son nom, Monsieur le Président : André Lewin, peu de vos compatriotes ont donné une aussi belle image de l'administration française, croyez-moi ! J'avais envie de ramasser la Légion d'honneur assoupie dans son écrin et de l'épingler sur la poitrine de votre collaborateur.

Voici maintenant le pire, que je n'ai révélé à personne, Monsieur le Président ; le plus scandaleux, l'inqualifiable, l'injure absolue à la générosité française. Peu à peu, ma famille commençait à manquer d'imagination, forcément, depuis le temps qu'elle inventait des dernières volontés. On ne savait plus quoi faire vouloir au mort. Une femme est allée discrètement chercher le catalogue d'une de vos sociétés. Elle porte un nom militaire, La Redoute, je crois. Un peu à l'écart, éclairée par une bougie, elle piochait dans les pages et suggérait de nouveaux souhaits à tous ceux qui voulaient participer à la fête mais n'avaient plus la moindre idée. Je me souviens d'une réclamation urgente de couvertures chauffantes, du vœu, prétendument mille fois exprimé par notre ancêtre, de recevoir pour Noël une cafetière automatique Krupps, d'un besoin pressant de machine à ramer, d'une irrépressible envie de fer à souder... Florence avait depuis longtemps rendu les armes. Elle était partie s'allonger dans la Peugeot officielle. Ses pieds blancs dépassaient par la portière ouverte. Nos chats s'amusaient avec ses escarpins.

Au soleil qui finit par se lever, nous offrîmes le plus étrange des spectacles : une famille innombrable endormie pêle-mêle sur le sable, tous les âges enlacés ; assis sur un fauteuil jaune et noir, un homme blanc oscille dignement d'avant en arrière et répète d'une voix douce : merci, mesdames et messieurs, j'ai inscrit toutes vos requêtes, nous n'avons rien oublié ?

Un peu plus tard, j'eus pitié et m'approchai :

– Je crois que vous pouvez maintenant vous en aller.

L'ambassadeur range son carnet rouge dans une poche intérieure. Je le revois : un calepin à l'ancienne, de ceux que ferme une lanière de caoutchouc. Sans doute pour empêcher les mots de s'évader. Rien de plus volatil qu'une dernière volonté. L'ambassadeur se lève. Le lin de son costume est aussi chiffonné que son visage. De la main gauche, il vérifie qu'une ultime dernière volonté ne lui a pas volé sa cravate. De la droite, il remercie de nouveau, à la cantonade. Son geste avorté serre le cœur. Mi-timide mi-solennel, il salue les affalés, il gagne à petits pas raides sa voiture. Où la collaboratrice, Florence, tant bien que mal, se recoiffe. Tout sourire, et rougissante, elle dit et redit son émotion :

— Je viens d'arriver dans votre continent. Alors vous imaginez, être ainsi reçue au sein d'un village au plein cœur de l'Afrique...

— Revenez quand vous voulez, mademoiselle.

— Vraiment ?

— Quand vous voulez. Je vous emmènerai en tournée. Et vous comprendrez mieux pourquoi tant des nôtres veulent partir.

— Je n'y manquerai pas.

Pendant ces adieux, le chauffeur agite violemment le fanion tricolore, celui de l'aile avant droite. Un tel amour de la France, de si bon matin : a-t-il perdu la tête ? Son sourire me rassure : ne vous inquiétez pas, madame Bâ, je secoue seulement la rosée.

16ᴵᴵ Une lueur bleue au bout du monde

– Oh, oh, Mme Bâ soi-même ! Quel honneur de recevoir une inspectrice dans notre modeste école !

– Le mois dernier, je n'avais que ma classe, j'étais comme toi, Demba. Alors pas la peine de faire des salamalecs. Relève un peu le nez de ton cahier et dis-moi ce que tu vois par la fenêtre.

– Vous croyez que mes lunettes ne fonctionnent plus, madame l'inspectrice Bâ ?

– Je n'ai pas besoin de ton humour, monsieur le directeur-instituteur, ni de grandes descriptions logiques. Réponds seulement à ma question : ici, qui fait quoi ?

– Si ça vous intéresse... Les trois garçons de Muusa se disputent un ballon jaune à moitié crevé. Jaara Dansira revient du puits en roulant des hanches, comme à son habitude. J'espère qu'un jour sa bassine pleine de linge lui tombera de la tête. Sur la plateforme à palabres, nos cinq grands-pères discutent. Ils ont l'air furieux, ils bavent, je ne croyais pas qu'il leur restait assez de colère. Jomo, notre réparateur de mobylettes, regarde son pied : peut-être qu'il se prépare à voyager ? Oh, oh, chez les Cissokho, on s'agite : Sira, l'aînée, épluche les oignons, Fenta prépare le feu, la troisième, j'ai oublié son prénom, elle découpe le mouton, vous devriez essayer leurs brochettes. Devant sa boutique bleue de téléphones, Douga est assis. Il doit dormir puisqu'une poule lui picore tranquillement le bas de son tee-shirt France Telecom.

– Bon. Si je dis conséquemment que, sur la place principale de notre bonne ville de Yélimané, les enfants jouent, les hommes parlent, attendent ou roupillent, et les femmes travaillent, est-ce que je trahis la vérité ?

– Non, madame Bâ ! La vérité peut vous remercier. Personne ne l'a mieux scrupuleusement décrite !

– Parfait. Nous sommes donc d'accord : ici, il n'y a que les femmes qui travaillent. Range cette vérité dans ton cerveau et revenons à ton registre. Je lis. Enfants recensés : 552. Garçons : 272. Filles : 280. Garçons scolarisés : 54. Filles scolarisées : 23. Qu'est-ce que tu répliques à ça, monsieur le directeur ?

– Hélas !

– Je suis d'accord avec toi : hélas ! Hélas, hélas ne sert à rien. Hélas est le mot le plus inutile de la langue. Hélas est l'hymne des impuissants. D'après toi, si les femmes, un beau jour, décident toutes d'arrêter de travailler, qu'arrive-t-il à l'Afrique ?

– L'Afrique n'existe plus.

– Excellent ! De nouveau nous sommes d'accord. Alors tu vas me faire le plaisir de changer tes chiffres. À ma prochaine visite, je veux autant de filles que de garçons sur les bancs de l'école.

– Vous oubliez les traditions, madame l'inspectrice...

– C'est toi qui vas les oublier, les traditions, comme tu vas oublier le mot « hélas ». Si vous, les hommes, vous perdiez tous un peu de votre mémoire, ça vous aiderait pour agir. Je compte sur toi.

Tel était le combat principal de Mme Bâ, l'ex-institutrice, récemment promue à l'Inspection. Un combat régulièrement livré dans chacun des villages de sa circonscription. Et non moins régulièrement perdu. Dans une famille, du matin jusqu'au soir, une petite fille rend des services utiles. Pourquoi l'envoyer à l'école où l'on passe sa journée à bâiller et bavarder, assis sur un banc ? De toute façon, dès dix, douze ans, il faut penser au mariage. Et qui a jamais constaté que l'écriture et la lecture façonnaient les meilleurs mariages ?

Ce matin-là, dans le gros village de Tambacara, comme je posais ma question rituelle (« Alors, monsieur le directeur, que vois-tu par la fenêtre ? »), deux personnages nouveaux firent leur apparition sous le soleil : un petit véhicule vert sombre, de marque Renault, rareté dans nos contrées de sable où règnent les arrogants 4 × 4 ; et sa conductrice, une jeune femme blonde, autre rareté, immédiatement fêtée par les enfants, madame, madame, un crayon, un bonbon, pourquoi tu t'es peint les cheveux ? Pourquoi ta peau est blanche et rouge ? T'as brûlé ?

Notre visiteuse fendit non sans mal la foule de ses admirateurs et s'avança vers nous, grand sourire et main tendue :

– Bonjour ! Je suis Florence Launay, agent consulaire à l'ambassade de France...

Présentation inutile : en cette jeune personne lumineuse j'avais reconnu mon amie des dernières volontés, celle qui transportait la Légion d'honneur.

– Vous m'aviez invitée. Alors, me voici ! Je suis venue. À titre tout à fait officieux. Profitant de mes vacances...

– Vous avez bien fait. Bienvenue en Afrique !

Le village tout entier faisait cercle autour d'elle et la détaillait sans rien dire. Elle perdait pied peu à peu. Elle tanguait. Elle avait dû partir sur un coup de tête. Et maintenant elle se trouvait, seule et abandonnée, au cœur de la brousse.

– La plupart de nos demandeurs de visas viennent de votre région...

Elle hésitait. Sa voix s'était mise à trembler, comme si elle allait pleurer. Elle nous regardait tous. Elle prit son souffle. Elle se lança :

– Voilà. Je voudrais comprendre pourquoi vous, Africains, vous voulez tous partir de chez vous.

Ô la vaillante petite, aborder ainsi, sans préambule, les vraies questions ! Et quitter ses bureaux climatisés pour venir s'intéresser à nous ! Mme Bâ décida de la prendre sous son aile. Mme Bâ va être franche avec vous. En cet instant, Mme Bâ n'était pas habitée par la seule bienveillance. Une stratégie toute simple s'installait dans sa tête. Rien n'est plus précieux pour un Africain que l'amitié d'un agent consulaire français. On ne sait jamais. Un voyage à Paris peut devenir à tout moment nécessaire. Autant faire amie avec cette touchante demoiselle.

Je m'approchai et lui posai maternellement les deux mains sur l'épaule.

– Alors vous avez choisi la bonne saison. Garez votre voiture à l'ombre du manguier, autrement, dans cinq minutes, il se pourrait qu'elle commence à fondre. Je vous attends.

Un cortège s'était mis en marche. La demoiselle avait été entraînée par les enfants.

– Pourquoi avez-vous tous l'air si grave ?

Elle interrogeait à sa droite, à sa gauche, elle voulait savoir.

– On porte quelqu'un en terre ? Je ne vois pas le corps. Et les pleureuses ? On m'avait dit... Je n'entends rien.

Elle babillait ainsi, elle n'arrêtait pas, comme une petite fille après une grosse frayeur. Il n'y a pas mille manières de se rassurer : on parle, on tend la main, on allume une lampe... Les voix des Blanches ont des aigus qui gênent. Il fallait le lui faire gentiment comprendre.

– Ce n'est pas en questionnant qu'on perce les secrets.

– Pardonnez-moi.

La longue file muette avait quitté les dernières maisons et cheminait lentement au milieu d'une angoissante étendue : un champ planté de pieux effilés.

La bavarde ne put retenir sa langue :

– J'ai vu des photos de la guerre. On dirait des défenses antichars.

Mme Bâ sourit :

– Tu permets que je t'appelle Florence ? Merci. Florence, nous n'avons pas peur des chars. Qui voudrait nous envahir ? Non, c'est notre manière à nous d'avertir le ciel : ne t'avise surtout pas de nous tomber sur la tête, tu seras piqué avant. Je plaisante. Jadis, l'année dernière, ou celle d'avant, ce champ était un bois, des dizaines d'acacias apportaient ombre et fraîcheur, et un refuge pour les conversations amoureuses. Il n'en reste que ce que vous voyez. Bravo, les chasseurs de combustibles ! Ils ne se donnent même plus la peine de se baisser, c'est trop dur pour eux. Avec leurs haches, ils frappent à hauteur de la taille. Résultat, cette horreur. Mais le plus triste est à venir.

Le village descendit ainsi, lentement, au pied de la colline. Puis le village s'arrêta. Il avait atteint sa destination. Un village n'est pas une foule comme une autre. Un village arraché à la protection de ses murs ressemble à une tortue sans carapace, un escargot sans coquille. Il montre ce qu'il a toujours caché, ses ombres, ses blessures. Ses vieux plus que vieux, ses épaves. Personne ne manquait. On avait vidé jusqu'au dernier recoin pour l'événement. Les plus faibles avaient été portés, les quasi-morts, les très enceintes. Ils reprenaient souffle, assis sur les tas de briques.

Les yeux, tous les yeux ne quittaient pas le creux où, cinq mois durant, avait vécu la meilleure amie du village, la mare. Cataractes et autres purulences tropicales déduites, il devait bien y avoir cinq cents prunelles occupées à guetter.

L'eau, en se retirant, n'avait laissé que des craquelures profondes, un indémêlable écheveau de rides, comme si la terre, en cet endroit, avouait enfin son âge immense. Il ne restait plus qu'une flaque minuscule, là-bas, un miroitement gris picoré avec rage par les inévitables aigrettes. On n'entendait que le grésillement des mouches.

La tache grise rapetissait, rapetissait, disparut. À cet endroit, le sol demeura sombre quelques instants, puis s'éclaircit. Jusqu'à se fondre dans l'ocre général. Les aigrettes continuaient leur activité saccadée.

– C'est fini, dit le maire.

– L'eau reviendra quand ?

– L'eau, ça s'appelle la pluie. Elle n'arrive qu'en juin. Parfois juillet. Dans une moitié d'année.

– Et en attendant ?

– Rien, nous n'avons qu'une pompe. Une pompe n'a jamais remplacé une mare.

Elles dînaient.

Il n'y a pas d'autre restaurant à Tambacara. Une planche renversée sur deux piles de pneus ; une lampe-tempête suspendue à un portemanteau ; un menu du jour, unique et permanent : brochettes de chèvre ; pour les boissons, Fanta ou Coca ? Des canettes « spécial fraîcheur », alignées sur les étagères d'un imposant réfrigérateur américain. Dont manquent les deux portes.

La nuit était tombée, avalant d'un coup le village. Ne restaient que des ombres qui passaient et repassaient sans jamais s'arrêter. Et des bruits. Le raclement d'une sandale contre la pierre, le heurt d'un seau contre le puits, le beuglement soudain d'une vache résonnaient dans le noir. Peu de Blancs supportent sans trembler leur première soirée dans les ténèbres africaines.

Plus que jamais, la Française était dévorée par le besoin de parler. Elle entrebâillait la bouche, ses lèvres palpitaient, mais aucun son ne franchissait la barrière éclatante de ses dents. Elle devait se rappeler son humiliation de l'après-midi. Mme Bâ lui vint en aide : vous aimez votre métier ? Elle n'aurait pu viser plus juste. La jeune femme se mit à vibrer.

– Oh, je le sais bien, nous sommes méprisés. Les gens se moquent des affaires consulaires et de l'état civil. Et pourtant, un nom, notre nom, qu'y a-t-il de plus important ? C'est le maillon et c'est la chaîne, ce qui nous distingue et ce qui nous relie. Chaque fois que j'établis un papier, j'ai l'impression de baptiser, vous comprenez ?

Mme Bâ opinait. Elle n'avait jamais vu de près l'émotion d'une blonde. À la lumière tremblotante de la lampe, elle suivit, fascinée, les palpitations de cette peau transparente comme de l'eau, ces vagues de rougeurs qui passaient comme des nuages, les ondulations de l'imperceptible duvet, comme si un vent puéril s'amusait à souffler sur lui. Mme Bâ n'y tint plus, avança la main pour caresser. S'arrêta juste à temps. Malheureuse, c'est une consule, ton consul ! Quelle était donc cette maladie récente qui s'emparait d'elle, ce désir de caresser des peaux blanches ?

De l'autre côté de la place sablonneuse, une foule caquetante assiégeait la boutique de téléphones. Passé vingt heures, le coût des communications diminuait de moitié. Mme Bâ regarda sa montre. Ces familles déchirées par l'exil n'auraient plus longtemps à attendre pour s'envoyer des nouvelles par-dessus le Sahara et la mer Méditerranée.

On n'arrêtait plus Mlle Launay. Elle était remontée aux sources de sa vocation. Au commencement, la France était comme l'Afrique, elle n'avait pas d'état civil. On avait chargé les curés de faire le travail. Vous savez que notre premier registre date de 1328 ? « L'état des paroisses et des feux »... C'est émouvant, non ? La plupart des diplomates nous tiennent pour quantité négligeable, nous les consulaires. D'après eux, ne valent que les grandes questions insolubles : le statut de Jérusalem, la menace islamique en Asie centrale... Mais que seraient les relations internationales si nous n'avions pas de nations ? Et qui définit les nationaux, si ce n'est l'état civil ?

La sueur lui venait aux tempes. Je la laissai s'exalter. Elle était touchante, avec son grand désir de rangement. Encore une qui voulait mettre de l'ordre dans l'Afrique. Un beau sentiment l'animait. Pas question de le lui raboter. Notre réalité s'en chargerait. La douce demoiselle aurait le temps de se perdre dans nos complexités. Je me contentai de lui faire remarquer que nos métiers se ressemblaient.

– Moi, j'enseigne aux enfants à donner un nom aux choses. Toi, tu apprends aux adultes à se nommer eux-mêmes.

Je n'aime rien tant que l'étonnement des Blancs devant nos éclairs d'intelligence. Et la honte qui suit cet étonnement. J'entends avec délices ce qu'ils se disent en eux-mêmes : ces Noirs auraient-ils le même cerveau que nous ? Mais bien sûr, raciste que je suis. Oh, pourvu qu'elle n'ait rien remarqué !

– Pardon, balbutia-t-elle.

La lampe-tempête, qui fumait depuis longtemps, finit par rendre l'âme.

– Qu'est-ce que vous pensez des étoiles ? Depuis toujours, je suis sûre que ce sont des dents.

– Des... dents ? Vous voulez dire des molaires, des canines ?

– Les dents de la nuit. La nuit n'aime pas les humains. Vous avez vu comme elle empêche nos nuages à pluie d'éclater ? Elle trouve ridicules notre agitation permanente et nos rêves minuscules. Elle ricane à notre pitoyable spectacle. Alors, forcément, on voit ses dents. Si elle pouvait, si elle n'était pas si haute, elle nous mordrait. Je me suis arrêtée de grandir juste à temps.

Au loin s'élevait, rageur, le grondement d'une mobylette.

– Parfois, on entend aussi le cri des hyènes, dit Mahamadou, le patron du restaurant. Vous ne voulez pas un dessert ? J'ai du Nutella.

Une masse blanche passait et repassait, un énorme bouc, tenu en laisse par un burnous sans visage. Peut-être était-ce celui du terrain d'aviation, qui avait accueilli l'avion des Baby-foot ? Depuis le temps, il n'avait donc pas trouvé preneur ? De l'autre côté du sable, le ton montait entre le téléphoniste et ses clientes.

– Ça fait une heure que j'attends et mon fils est malade !

– Rends-moi mon argent, j'ai été coupée !

– Qu'est-ce que j'y peux, moi, s'il n'y a pas de ligne ? Ah, enfin, Aulnay, qui a demandé Aulnay ?

Une à une finirent par être appelées toutes les villes de la banlieue parisienne, je les connaissais bien, tous les Soninkés connaissent Saint-Denis, Villiers-le-Bel, Montreuil, Aulnay, Drancy... On aurait dit le refrain d'une chanson triste.

– Alors, que pensez-vous de notre village ?

– Mon Dieu, je n'y avais jamais pensé : comment peut-on vivre sans eau ?

– Vous n'avez pas remarqué un autre manque ?

– Vous manquez de tant de choses !

– Je ne parle pas de choses.

Elle regarda autour d'elle avec l'attention d'une bonne élève face à une équation difficile inscrite au tableau noir.

– Il manque, il manque...

Elle fronçait les sourcils.

– Mon Dieu... Il manque les hommes.

– Et voilà ! Chez nous, vous pouvez être tranquille. Votre vertu ne risque rien. Entre quinze et soixante ans, ils sont tous partis, la plupart en France. Sans l'argent qu'ils envoient, nos villages mourraient de faim.

– Les pauvres !

– Ça, leur vie n'est pas douce, là-bas.

– Et pourtant... Non, je n'ose pas...

– Dites toujours. Je serai seule à entendre.

– On respire mieux sans eux.

Une autre que Mme Bâ, une moins délicate aurait poursuivi l'interrogatoire, aurait forcé la demoiselle à avouer son triste secret. Je me contentai de lui caresser les cheveux. Solidarité de femmes.

– Moi aussi, j'ai connu ce genre de dégoût.

De petites larmes timides lui coulaient des yeux.

– Allons, allons, ça passera. Un beau jour, sans prévenir, l'envie d'eux nous revient.

Le lendemain, j'étais partie de bon matin, appelée par ma belle responsabilité d'inspectrice. Inspectrice de l'Éducation nationale malienne ne signifie pas seulement contrôler, surveiller, visiter, faire surgir du néant budgétaire des livres, des cahiers et des craies, obliger les familles à envoyer leurs filles à l'école, reconstruire des murs après la pluie, défendre les bibliothèques contre les rats, lire la nuit les circulaires du ministère, recevoir le jour les experts en didactique de la Banque mondiale, de l'Agence de la francophonie, de Pédagogues sans frontières, de Retraités pour le développement, etc., etc.

Inspectrice veut dire aussi bergère, gardienne de troupeau, coureuse de brousse pour retrouver les instituteurs en fuite. C'était l'un d'eux que je devais chercher ce jour-là. Comme des dizaines de ses collègues, accablé par l'ennui de la vie au village, il avait disparu corps et biens, abandonnant sa classe. Que fait le maire, dans ces cas-là ? Il appelle Mme Bâ. Et que fait Mme Bâ ? Elle arpente la région sur sa mobylette jusqu'à ce qu'elle tombe sur le fugitif. Alors engueulade, moqueries, menaces et, sous les applaudissements et par la peau du cou, Mme Bâ le ramène à son poste. Triomphe de courte durée, sans doute. Qui a quitté quittera. L'attrait de la ville est trop fort. Mais qu'est-ce que la vie elle-même, sinon une victoire on ne peut plus provisoire ?

C'est donc l'humeur chantante, aussi poussiéreuse que fière du devoir accompli, que Mme Bâ revint. Sans avoir besoin d'être questionnés, les voisins se trémoussaient d'excitation et gloussaient :

– Ta Mlle Launay, les millionnaires l'ont invitée.

Il fallait s'y attendre. Entre puissants, on s'accorde.

Impossible de s'égarer. Pour trouver le chemin qui conduit chez un millionnaire, il suffit de lever la tête. Chez nous, rien n'est bas comme un village : sitôt nés, le sol nous reprend dans sa bouche ; regrettant de nous avoir laissés partir, il nous ravale. Nos toits de tôle dépassent à peine le sable. Seuls émergent la grosse boule crème du château d'eau – quand la communauté internationale a eu la gentillesse de nous en faire cadeau –, les coupoles et minarets de la ou des mosquées et les maisons des millionnaires.

J'arrivai à la fin du couscous.

– Bienvenue, madame Bâ. Vous êtes ici chez vous. L'instruction est la mère de la réussite.

L'invitant était le plus ancien, le premier riche que le village eût jamais connu. Après trente-deux années d'usine Renault, il était revenu de France avec une valise de fer, et avait commencé de tout acheter. Les deux autres, retraités plus récents, ne juraient que par Citroën, leur société à eux. Ni l'âge ni la fortune n'avaient émoussé leur combativité. N'est-ce pas, mademoiselle Florence, que la R16 a révolutionné l'industrie automobile ? Enfin, Bilal, elle est bien trop jeune pour s'en souvenir. C'est ça, le problème avec Renault, un passé glorieux, mais aucun renouvellement. Je suis sûr que mademoiselle a un faible pour la

CX. Le ton montait, les vieilles voix se cassaient, elles muaient à l'envers, retrouvaient les aigus de l'enfance, pour un peu le trio en serait venu aux mains.

La paix survint grâce au catalogue de La Redoute posé sur la table basse. Mes amis, mes amis, au lieu de nous disputer, si nous profitions de la présence d'une très élégante et très jolie Parisienne – vous êtes parisienne, n'est-ce pas ? à la bonne heure –, pour lui demander conseil ? La proposition souleva l'enthousiasme : c'est que, voyez-vous, nous avons beaucoup d'épouses, et des jeunes. Privilège de millionnaires ! Ils se mirent à feuilleter.

– Nous vous devons un aveu, mademoiselle Launay, nos femmes ne portent pas seulement des boubous. Elles sont comme vous. Elles ne rêvent que de fantaisie.

Les trois têtes chenues s'étaient rapprochées à se toucher, elles s'émerveillaient devant les images, comme des enfants. Alors, mademoiselle Florence, une Aïcha de dix-sept ans, est-ce que ça lui plaira, la chemise néoromantique nervurée pur coton, référence 4356241 ? Et mon Halima, un peu replète, qu'est-ce que vous pensez de ça, page 81, la jupe trapèze à poche kangourou devant, couleur camel, référence 6385001 ?

– Typiquement le genre de manteau, là, page 62, à porter dans une Citroën Xantia.

– Encore un qui n'a jamais essayé la R25 Pallas. D'après toi, pourquoi le président Mitterrand l'a-t-il choisie, hein, pourquoi ?

La guerre était repartie. Et l'arrivée des sucreries au miel ne la calmait pas. N'importe quel autre spectateur serait mort d'ennui ou d'hilarité. Tout au contraire, notre amie s'intéressait, partageait les enthousiasmes : « quelle belle chose que la fierté de son métier » ! présentait ses excuses : « je dois vous avouer n'être pas très compétente dans le domaine automobile », minaudait : « alors mon pays, la France, vous a quand même donné votre chance », n'oubliait pas l'envers du décor : « j'ai vu *Les Temps Modernes* de Charlot, j'imagine toutes vos années à la chaîne »... Quant aux conseils pour les achats, elle se montra aussi parfaite : « au lieu de cette chemise maille fantaisie, pourquoi ne pas tenter ce fond de robe en maille interlock, notez, page 374, référence 6483453 ? Pour la vraie lingerie vous n'avez pas besoin de moi, je vous laisse à vos secrets. »

Tant de qualités ne pouvaient que raviver les sens d'hommes âgés, certes, mais conservés dans la verdeur par la double magie de la richesse et de la fréquentation, épisodique et régulière, de jeunes épouses. Elle fut trois fois demandée en mariage, avec la garantie d'un confort inconnu à Tambacara, bidet et abonnement à Canal +. Trois fois elle refusa, mais avec une si grande gentillesse qu'elle réussit à ne fâcher aucun de ces potentats.

Notre hôte lui avait pris la main et ne la lâchait pas.

– Dommage, dommage. Mais peut-être la nuit vous portera conseil. Allez, je vous raccompagne à la concession. Marguerite, j'aime ton amie. Si beaucoup de fonctionnaires lui ressemblent, je comprends mieux tes relations d'intimité avec l'administration française. Une seconde, j'appelle mon chauffeur. Vraiment ? Vous préférez rentrer à pied ? Décidément, ce soir, les femmes ont des goûts étranges.

Sur le chemin, nous rencontrâmes un homme. Assis à l'écart, au pied du grand fromager, il ne bougeait pas. J'expliquai la situation à Florence.

Partout sur terre, l'homme digne de ce nom cache son chagrin. Il porte beau, souvent même il sourit. Comment reconnaître qu'il cache en lui un lac de larmes ? L'enquête est plus facile en Afrique : nous aimons tant vivre ensemble qu'un homme seul et immobile a bien des chances d'être envahi par la détresse. Un homme seul mais qui marche n'est pas seul, même s'il chemine au milieu du désert. Il vient de quitter un morceau de sa famille pour rejoindre un autre morceau. En avançant d'un pas puis d'un autre, il tisse. Les tisseurs sont des vainqueurs de solitude.

– Mais celui-ci est immobile. Il est donc vraiment seul.

– Tu as tout compris.

J'avais depuis longtemps identifié le pauvre garçon. L'habitant de Saint-Denis, croisé à Kayes deux jours auparavant, et alors si joyeux de retrouver sa famille et son village après trois ans d'absence.

Notre millionnaire s'approcha.

– Tu sembles bien désespéré.

– Je repars demain.

– Déjà ? N'as-tu pas fêté hier ton retour au pays ?

– À quoi sert de rester ? Je n'ai plus un cadeau. Mes deux femmes et mes enfants m'ont tout pris. Et maintenant, tu vois quelqu'un autour de moi ? Plus même un enfant. Je n'intéresse personne.

– Arrête de pleurer.

— Pardonne-moi.

De la manche il s'était séché les yeux. Il levait la tête vers l'ancêtre comme un enfant plein de confiance.

— Tu voudrais bien me donner ton secret ?...

Méfiant, le millionnaire se recula.

— Ne t'inquiète pas. Je te demande un secret qui ne te coûtera rien. Un riche, c'est quelqu'un qui se fait dévorer. Comment as-tu fait pour préserver ton bien ?

— Je ne suis jamais revenu. Jamais avant la retraite. Janvier 1965-février 1997, 386 mois de France, 11 712 jours.

— Autant de temps sans revoir le village ? Tu n'es pas devenu fou ?

— Je t'en ai assez dit pour cette fois. Ou tu vas devoir me payer. Me payer cher, ah, ah, ah ! Bon voyage.

Le millionnaire continua sa route, majestueux et malin. Une fois pour toutes, il avait fait comprendre qu'il ne donnerait jamais rien. Sauf ses mains à toucher ou embrasser. Et le contact d'une main de millionnaire est la meilleure chose qui puisse vous arriver dans une vie. Elle vous transmet l'énergie et la chance, les deux mères de la fortune.

Je m'apprêtais fièrement à partir pour le Grand Nord. Selon toute probabilité, jamais aucun inspecteur, jamais aucune inspectrice ne s'étaient rendus là-bas, dans ces régions inconnues, porter la bonne parole pédagogique. J'emportais mes armes à moi : trente-cinq *Langage – Lecture 1re année*, collection « Le

Flamboyant », tous ceux que j'avais pu trouver et cinquante kilos de circulaires. J'allais monter aux côtés du chauffeur maure, dans le vieux pick-up (prêté par le chef de Cercle : « Quand je pense que tu voulais monter là-haut sur ta mobylette ! Prends mieux soin de toi, madame Bâ, tu es folle, mais je t'admire »), quand la demoiselle accourut :

— Vous m'emmenez ?

— Je vous préviens : c'est loin !

— Justement, c'est là que je veux aller.

— Dans ce cas...

Nous roulions depuis déjà longtemps. Difficile de se parler quand les trous, ornières et autres accidents du chemin vous secouent le corps en tout sens. Mais rien, pas même les pistes africaines, ne peut faire taire durablement une Française bavarde. J'attendais la reprise de sa palabre. Elle ne tarda pas.

— Je croyais que Yélimané était le bout du monde, madame Bâ.

— Le bout du monde n'existe pas. De l'autre côté du bout du monde, il y a des villages, encore et toujours des villages.

— Vous voulez dire que, dans cette région... le Mali n'a pas d'état civil ?

La stupeur (ou était-ce un cahot plus violent que les autres ?) lui tordait le visage.

— Comment voulez-vous ? Ces populations sont tellement dispersées. Et tellement prolifiques.

— Vous devriez demander l'aide des mormons.

– Qui sont ces gens-là ?

– Les membres d'une secte américaine. Joseph Smith est leur prophète. Il a fait don au monde de la Révélation en 1841. Et cette Révélation ouvre à tous les croyants les portes de la gloire céleste.

– Merci à Joseph Smith ! Mais ceux qui sont nés avant 1841 ?

– Justement, madame Bâ. Vous posez la bonne question. Ces ancêtres doivent aussi pouvoir bénéficier de la Révélation. Comment faire ? Joseph Smith a trouvé la réponse : c'est aux vivants de baptiser les défunts, tous les défunts, depuis Adam et Ève.

– Encore faut-il les connaître !

– Quel plaisir de discuter avec quelqu'un comme vous, madame Bâ ! On ne perd pas la moindre seconde en explications inutiles. Les mormons ont créé la Société généalogique. Ils ont creusé le désert de l'Utah, madame Bâ. Dans des caves immenses, ils entreposent les archives les plus complètes jamais rassemblées. Je vais leur écrire, leur demander de venir s'occuper du Mali. Et on y verra bientôt plus clair. L'humanité est une seule famille, madame Bâ.

– Et vous croyez que les Noirs font partie de cette famille ?

J'aurais dû lui épargner mon ironie. Elle voulait m'expliquer, se rendre utile. Et moi, l'imbécile, je l'avais vexée.

Chaque fois qu'un groupe d'habitations se présentait, je faisais arrêter un instant le pick-up. Une foule nous entourait. Je demandais le nom du lieu.

– Ici, c'est Gernu Kurumba.

– Vous avez une école ?

– Hélas, elle est bien gâtée !

– Je reviens demain, avec quelques livres.

– Merci, oh merci ! Tu n'aurais pas un chewing-gum ? Un Bic ? Un Coca ?

Et la même scène désespérante se reproduisait deux ou trois heures plus tard.

– Ici, c'est Iringodèbè.

– Ici, c'est Biladjima.

– Ici, c'est Marityamba.

La nuit tombait en même temps qu'une fatigue immense sur nos épaules et nos paupières de voyageuses au long cours. Je voyais bien que mon amie, de plus en plus molle, alanguie contre mon épaule, était en train de perdre espoir. Dans un si vaste territoire, comment construire un véritable état civil ? Les mormons eux-mêmes n'arriveraient à rien.

Une lueur bleue parut à l'horizon. Un phare timide comme la lampe d'une chambre d'enfant dans la maison déserte.

– Cette fois, nous arrivons peut-être au bout du monde.

Personne. Au contraire des autres villages, aucune petite troupe gesticulante n'était là pour nous accueillir. L'obscurité nous enveloppait. Nulle autre lumière que la lueur. Comment voulez-vous qu'au bout du monde on installe l'électricité ?

Nous avancions.

Toujours personne. Seulement guidées par la lueur qui tremblotait sur la façade d'une maison, là-bas, à l'extrémité de la ruelle principale. Une voix nasillarde résonnait dans l'air. On avait dû enfermer un gros insecte quelque part dans une boîte, et il protestait. Enfin, nous parvînmes à la source du reflet bleu. Le village le plus reculé du monde, dont plus tard j'apprendrais qu'il s'appelle Marasane, était là, tout entier réuni. Hypnotisé par un poste de télévision posé sur l'estrade à palabres. Les bambins allongés devant, presque collés à l'écran, comme si c'était une glace à lécher. Quel est le fruit dont la couleur est bleue ? Les vieux avaient leur place habituelle au pied d'un arbre dont on ne devinait que le tronc, énorme. Et le reste de la population entassé, en désordre, les uns debout, les autres assis sur tous les sièges possibles, pneus, bassines, seaux ou licous d'animaux. Une voiture avait été avancée contre l'estrade. Un drôle de véhicule inutile. Il lui manquait les roues. Son capot était levé. Un câble en sortait, branché sur les accus, et rejoignait l'appareil.

Au milieu du bleu, une dame à grand chapeau blanc pérorait devant un micro. Elle appelait : Miss Bretagne, Miss Picardie, Miss Pays basque. Chaque fois, une jeune fille s'avançait sur le devant de la scène. Applaudissements dans le poste et sur la place. Elle était demi nue. Elle ne portait qu'une couronne et un maillot de bain.

– Mesdames et messieurs, et vous aussi chers téléspectateurs, je vous rappelle le numéro : 08 53 53 53 53 ; vous allez maintenant voter pour élire Miss France 2001.

L'image sautait sans cesse, comme si elle frissonnait. Ce frémissement me rappelait quelque chose. Je fouillai, fouillai dans ma mémoire comme dans un grenier. Un objet de mon enfance. Il aurait bien voulu me faire plaisir, revenir jusqu'à moi. Mais c'était comme si une poussière nous séparait, la cendre de toutes ces années écoulées.

Soudain, le souvenir surgit, comme neuf, débarrassé de toute sa gangue : le *jouet scientifique* qu'on m'avait offert pour mes dix ans. Cadeau à peine reçu jeté aussitôt dans le fleuve Sénégal, rappelez-vous.

La lueur tremblotait exactement comme l'aiguille de ma boussole. Tout devenait clair : la boussole et la télévision étaient de la même famille néfaste. Une machine à fabriquer de l'exil. Un piège qui vous force à regarder loin de vos racines, toujours vers le Nord, au-delà du bout du monde.

— Vous comprenez maintenant, mademoiselle, pourquoi tant de Maliens frappent à la porte de la France ?

16ₘ L'aquarium

Je vous le jure : sur le chemin du retour j'ai résisté de toutes mes forces. Vous imaginez que je mourais de curiosité : pour une fois que j'avais à ma disposition, à mes côtés, pour un long trajet, une spécialiste ! Il me semblait entendre à mes oreilles l'impatience de mes sœurs et frères africains, tous, un jour ou l'autre, demandeurs de visa. Mais enfin, Marguerite, tu es trop bête ! Profite de l'occasion ! Et enfin nous saurons comment ça fonctionne vraiment, un consulat de France, ce qui se trame derrière les hygiaphones...

Fidèle à l'éducation de Mariama (respect des mystères d'autrui en toutes circonstances), je me taisais, malgré l'envie de savoir qui me dévorait.

Soudain, honte sur moi, j'ai cédé :

– Mademoiselle Launay, sauf si c'est interdit, bien sûr, confidentiel défense, vous pourriez me raconter un peu votre métier ?

Un large sourire l'a illuminée. Envolée la fatigue du voyage, oubliés les cahots. Le bonheur d'évoquer sa passion la transfigurait. Une fois lancée, elle ne s'est plus arrêtée jusqu'à Yélimané. Et vous pensez si ma mémoire a tout retenu, goulûment, le moindre détail.

« L'aquarium est une sorte de cave, une pièce carrée sans fenêtre aux murs tapissés de rayonnages métalliques, au plafond verdâtre, mangé par de grosses taches grises d'humidité. Tout le monde, chez nous, emploie ce mot : l'aquarium. Même l'ambassadeur. Chaque semaine, à la réunion générale, il nous raconte ses démêlés avec Paris. J'ai envoyé un nouveau rapport au Département. Cette fois, Paris sera bien obligé de voter les crédits de rénovation. L'année prochaine, je vous en donne ma parole, vous ne reconnaîtrez plus notre vieil aquarium...

« Nous sommes huit, dans l'aquarium. Trois titulaires : Hélène, notre chef, la soixantaine, des cheveux gris, de longs bras distingués et deux ennemis personnels : son ordinateur, qui ne répond jamais à ses questions. Et le ministère, qui n'a pas jugé nécessaire de former les personnels au maniement du logiciel, la future arme fatale contre les fraudeurs. Quelles que soient la chaleur ambiante et la largeur des taches qui lui mangent sa robe dans la région des aisselles, elle parvient, on ne sait comment, à ne sentir que le savon Yardley vétiver. Cette femme est l'exemple même de l'être humain qui se respecte. Puis nous avons Henri, qui porte un diamant dans l'oreille. C'est notre grand vérificateur. Il passe sa vie au téléphone pour s'assurer que l'hôtel Le Marrakech, 45, boulevard Paul-Vaillant-Couturier, à Montreuil, a bien réservé une chambre au nom du sieur Coulibaly Mahamadou, du 17 juin au 16 juillet 1999 ; que le garage Modern' Mécanique, quartier de Badalabougou (Bamako), emploie vraiment une dame Traoré Cécile, que le chèque de garantie de 30 650 francs CFA émis par M. Coulibaly est plus qu'une simple photocopie... Enfin moi, juste sortie de l'École de Nantes, la dernière arrivée. Cinq recrutés locaux complètent notre équipe : Christine, une géante, ex-infirmière, chargée, vu sa compétence, des visas sanitaires. Aïcha et Djamila, mes collègues à l'accueil, deux binationales franco-marocaines, intarissables sur leurs vies intimes. M. Leccia, le Corse, il paraît qu'il faut toujours un Corse en Afrique, responsable de la trésorerie. Chaque vendredi soir, il nous dit adieu, je quitte l'aquarium. Cette fois, c'est sûr. Je rejoins mon cousin au casino de l'Hôtel de l'Amitié. Et chaque lundi, on le retrouve, tristement penché sur ses colonnes de chiffres. Pour finir, Xavier, natif de Toulouse et fou de musique. Il traite les dossiers toujours délicats des échanges culturels : comment s'assurer que quinze personnes sont vraiment nécessaires pour accompagner Mory Kanté au festival des musiques métisses de Limoges, et qu'ils sont tous artistes, et qu'ils vont tous revenir au Mali, le concert donné ? »

Un à un, tandis qu'elle parlait, revenaient les villages traversés à l'aller. Marityamba. Biladjima... La piste était comme un fil de laine que nous rembobinions peu à peu. Je tendis à Mlle Launay ce qui nous restait de boisson. Une demi-bouteille d'eau minérale brûlante. Elle grimaça.

– Merci. Je préfère continuer. Après tout, parler d'aquarium, ça devrait désaltérer, non ?

– Justement, pourquoi cette appellation « aquarium » ?

– Un jour, je vous invite. Vous comprendrez tout de suite. Nos antiques climatiseurs n'arrêtent pas de rendre l'âme. Il paraît que les crédits de remplacement sont votés. Mais on n'a jamais vu un crédit voté, c'est-à-dire non arrivé, réfrigérer quoi que ce soit. Nous suons donc, tous les huit, titulaires comme contractuels, la buée obscurcit nos lunettes et, plus souvent qu'à leur tour, les formulaires 13-0021 se trouvent irrespectueusement maculés par les gouttes salées qui tombent de nos fronts ou du bout de nos nez.

« Et puis les hygiaphones. La rangée de vitres rayées derrière laquelle la foule sans cesse renouvelée de nos clients africains scrutent (et commentent) le moindre de nos gestes. Ces hygiaphones percés de petits trous pour les mots et d'un plus vaste pour les papiers. Nous sommes des poissons, huit poissons prisonniers de vous, les Africains. Fermez les yeux, madame Bâ, écoutez la chanson quotidienne du consulat. « Au suivant. Mais non, dans l'autre sens ! Vous me rendrez fou. Comment voulez-vous que vos documents passent dans le bac ? Poussez encore. Parfait. Voyons ça. Bonjour, monsieur Touré. C'est vous, monsieur Touré, c'est bien vous, n'est-ce pas ? Car votre photo est d'un sombre ! Approchez-vous de la vitre. Dites-moi, je me trompe ou votre front a rapetissé ? Vos cheveux poussent plus bas. Et le lobe de vos oreilles, là, il est devenu minuscule, les souris vous grignotent la nuit, c'est ça ? Vous me jurez que c'est vous ? L'appareil était mal réglé, bien sûr, bien sûr. Pour le doute, on verra plus tard. Alors, qu'est-ce que vous m'apportez d'autre ? Commençons par le commencement. L'attestation d'emploi au Mali. Car, avec le chômage actuel, inutile d'espérer un travail en France, vous savez ça ? Bon. Il y a vraiment une société BPI à Kayes, Boulangerie et Pâtisserie Industrielle ? Parfait, on téléphone. À propos, vous avez apporté l'argent. Pardonnez-moi, il manque 2 000 francs, c'est 16 500, la courte durée.

Vous trouvez ça cher ? Demandez à vos amis américains. C'est 50 000 pour visiter New York. Passons à autre chose. Raison de votre voyage ? Parlez plus fort, je n'entends pas. Revoir la famille ? Bien sûr ; elle a bon dos, la famille africaine. Où habiterez-vous, déjà ? Ah oui, 17, rue des Quinconces. Ça donne dans quel boulevard, la rue des Quinconces ? Vous avez oublié, Gabriel-Péri, ça ne vous dit plus rien, quel dommage ! Dites-moi, vous déclarez être allé deux fois chez nous, avant de revenir bien sagement. Donc vous connaissez Paris ? Parfait. Ils ont quelle couleur, les taxis parisiens ? Jaune, vous êtes sûr, comme les taxis maliens ? Hélas, monsieur Touré, nous aimons la diversité en France, vous ne seriez pas un peu menteur, monsieur Touré ? Nos voitures sont de toutes les couleurs. Vous avez des trous de mémoire ? Comment donc ? Allez, reprenez votre dossier. Et la prochaine fois, apprenez mieux votre leçon. Raciste, je suis raciste ? Contrôlez vos propos, monsieur Touré. Au suivant... »

Je ne la reconnaissais plus, l'Afrique a de ces effets, parfois, chez les jeunes gens tempérés. Un rythme prend possession d'eux. Et plus moyen de les arrêter. Je posai ma main sur son front.

– Vous ne voulez pas dormir un peu ?

– Où sommes-nous ?

– Seulement à Iringodébé. La route est encore longue...

– Je dois continuer.

« Loin derrière les hygiaphones, dans le fond de la salle, d'autres clients, nos habitués attendent tranquillement leur tour. Bakkari, l'envoyé du ministère des Armées : chaque jour, il présente la liste des vrais ou faux militaires soi-disant convoqués à Paris, dans le cadre de la coopération, pour participer à des stages de perfectionnement plus ou moins imaginaires. Bakkari est apprécié de l'aquarium : il prend les refus avec philosophie. Un grand sourire. Je comprends la France. Elle ne peut accueillir tout le monde. Autre grand sourire. Je reviendrai demain. À demain, donc, Bakkari, et bien le bonjour au ministère !

« Il y a aussi le fringant M. Haeberlin, natif de Moernach (Haut-Rhin), quatre-vingt-six ans avoués, jeune époux d'une sublime Fenda, vingt printemps. Depuis son bonheur, il vient régulièrement tenter de faire entrer en France ses innombrables nouvelles belles-sœurs et cousines.

« Les hygiaphones ne nous offrent pas que des tracas. Je me souviens d'un grand jour. Les climatiseurs avaient ressuscité vers une heure moins cinq, juste à temps pour fêter la bonne nouvelle. Dès qu'elle le vit apparaître, aussi géant que timide, Mme Hélène s'écria : "Monsieur Keita, nous avons vos papiers. Vous pouvez partir demain."

« Depuis un mois, il attendait les certificats de l'hôpital de la Salpêtrière pour venir offrir à son frère cancéreux la moitié de son foie. L'aquarium tout entier souhaita bonne chance au donateur et célébra longtemps l'excellence de notre médecine.

« Alors, madame Bâ, que pensez-vous de mon métier ? Quand je vous disais que l'état civil... »

Et c'est là qu'elle s'est endormie. D'un coup. La brave petite ! Mission accomplie.

Monsieur le Président de la République française,

Vous connaissez Mme Bâ, vous savez que vous pouvez lui faire confiance : elle va garder pour elle ces confidences. Soyez tranquille : l'aquarium conservera ses secrets. Peut-être que ce récit vous servira. Vous n'avez guère le temps de visiter ces aquariums, forcément. Pardonnez-moi, mais je crois que vous devriez. Après tout, ces consulats sont vos vrais postes-frontières, aujourd'hui. L'endroit où se ferme (parfois s'ouvre, il faut être juste) la porte de votre pays, la France.

Depuis des séances et des séances, mon avocat se taisait. Aucune inattention ne pouvait lui être reprochée : il ne me quittait des yeux que pour regarder ses feuilles où mes mots, retranscrits et précisés par lui, s'inscrivaient en une ligne de plus en plus longue, qui me faisait penser – obsession de Balewell oblige – à une voie ferrée. Et pas une parole. Sa main courait sur le papier. Il se contentait de hocher la tête. Encore et toujours hocher la tête. Un beau jour, n'y tenant plus, je lui posai la question :

– Maître Benoît, je me suis renseignée. Il paraît que, d'habitude, vous êtes bavard, volubile. Un peu « grande gueule » même, comme tous les autres avocats. Alors pourquoi êtes-vous devenu muet ? Vous êtes fâché ? Sans m'en rendre compte vous ai-je blessé ? S'il vous plaît, maître Benoît, pourquoi un si profond silence avec moi ?

– Le respect, madame Bâ.

– Maintenant que vous avez enfin ouvert la bouche, vous pourriez continuer, juste une phrase supplémentaire ou deux, pour m'expliquer ?

– Le respect que j'ai de votre vie et de vous-même, madame Bâ. Le respect se tait car il n'a rien à ajouter.

16ᵢᵥ Le prisonnier

Pauvre demoiselle Florence, passionnée d'état civil !
La très consciencieuse qui profitait de ses vacances
pour explorer nos « bassins d'émigration », comme on
dit dans l'administration française. Elle voulait rencontrer la Réalité. La Réalité n'allait pas la décevoir.

À notre retour du Nord, nous étions tranquillement
en train de dîner (brochette de chèvre et Fanta).

– S'il vous plaît, madame, oh s'il vous plaît...

Une ombre s'était faufilée près de la jeune femme
consulaire et lui chuchotait à l'oreille. À la manière
dont se tortillait l'ombre et dont s'agitaient les taches
claires de ses paumes, on devinait de la supplication.
De la détresse véritable.

– S'il vous plaît, madame, je suis français, garanti,
Sakho Jean-François, né à Montreuil le 16 septembre
1983 et tout, vous pouvez m'interroger, mais mine de
rien s'il vous plaît, autrement on m'arrête...

Mlle Launay s'était redressée. Fin soudaine des
vacances. Retour au métier. Quelqu'un se prétend mon
compatriote, je lui dois toute mon attention. Même au
cœur de la brousse.

– Je vous écoute.

– Oh merci, madame, allez-y, questionnez.

– Vous avez de la chance. J'ai justement une sœur

qui travaille rue de Paris. Où se trouve le stade nautique Maurice-Thorez ?

– Rue Édouard-Vaillant.

– Et le lycée Jean-Jaurès ?

– Derrière la mairie, rue de Romainville.

– Très bien, très bien, je vous crois ; maintenant, reprenez votre calme, inspirez fort, expliquez-moi. Tout va s'arranger.

– Là-bas, j'ai fait une bêtise, madame, plusieurs bêtises. Quelques vols. Une violence. Mon père n'en pouvait plus. Il m'a envoyé ici. Qu'est-ce que je peux faire ici, madame ? Je ne suis pas africain, madame, je suis né à Montreuil, je suis français comme vous, madame, coin des rues Pierre-Brossolette et Suzanne-Martorel, garanti.

– Je t'ai déjà dit que je te crois.

– Attention !

L'ombre plongea sous la porte qui faisait office de table. Des ancêtres passaient, tout sourire, nos copains millionnaires.

– Tout se passe bien, madame ? Personne ne vous importune ? Que le soir vous soit doux !

Le morceau d'ombre réapparut.

– Ils sont partis ?

– Tu peux revenir. Mais de quoi as-tu peur ? Si tu dis vrai, on va arranger ça. Tu as des papiers ?

– Madame, vous ne comprenez rien, sauf votre respect. Trop naïve, vous êtes. Disparu, le passeport, dès l'aéroport de Bamako, tendu au policier, jamais rendu, déjà vendu une fois, deux fois, la moitié pour mon père, tout bénéfice puisqu'en plus il est débarrassé de moi. Madame, s'il te plaît, qu'est-ce que tu peux faire ?

Florence État Civil s'était levée. Sans doute pour mieux parvenir à avaler le chapelet d'horreurs qu'elle venait d'apprendre. L'indignation la faisait bredouiller.

– Vous vous rendez compte, enfermer un enfant au milieu du désert ! Et pis encore, lui arracher son identité !

Cette dernière agression surtout, comme on s'en doute, lui semblait impardonnable. Dans sa fureur, elle avait élevé la voix. Erreur funeste ! Les ancêtres se retournèrent, revinrent à vive allure. Ils ricanaient.

– Vous voyez bien, madame, que vous étiez dérangée.

Le jeune Sakho avait déjà disparu, dissous dans la nuit.

– Ne vous inquiétez pas. On le retrouvera, votre malfaiteur. Où pourrait-il aller ?

Mon amie ne se contenait plus. Elle menaçait d'en appeler au monde entier, à son ambassadeur, au ministre de la Justice, au président Konaré, à Paris, à l'ONU, aux Droits de l'homme... Elle gravissait un à un tous les échelons hiérarchiques de la morale humaine.

Les millionnaires s'amusaient de plus en plus franchement.

– Madame le Consul a sans doute oublié...

– Et quoi de plus normal, elle a tant à penser...

– Que notre Mali a bel et bien acquis son indépendance.

Mlle État Civil trépignait :

– Ce jeune est français. J'exige, vous m'entendez, j'exige que vous le libériez !

– Qu'en savez-vous ? Vous avez vu ses papiers ?

Rien ne fleurit mieux sur le sable que le mensonge. Bon séjour, madame le Consul, et, s'il revient, lui ou l'un de ses semblables, n'hésitez pas à nous appeler.

Ils repartirent dignement vers leurs maisons à étage, leurs demeures de millionnaires. Mlle État Civil leur aurait sûrement couru après si je ne l'avais retenue.

– Comme vous êtes déroutants, vous, les Français ! Vous vous plaignez de l'insécurité causée par les immigrés. Et quand nous prenons des mesures, vous gémissez encore !

Mme Bâ passa la moitié de la nuit à calmer son amie. Par des arguments de bon sens : tout exil est une cruauté, mademoiselle, la pire des déchirures intimes. Et il est dans la nature de la cruauté de ne pouvoir engendrer que des cruautés. Malgré toute votre bonne volonté, il ne vous sera pas possible de casser cet enchaînement néfaste.

– Faites-moi confiance. Cette affaire ne va pas en rester là. On ne traite pas comme ça les êtres humains !

– Je vous fais confiance, mademoiselle. Mais je fais encore plus confiance aux forces qui nous dépassent.

Le lendemain, elle était partie. Sans me saluer. La journée commençait mal : Mme Bâ venait de perdre sa seule alliée au consulat de France.

16ᵥ Deux ogres

Quand une ville ne vous offre aucun loisir d'aucune sorte, il ne vous reste que la météorologie. Chaque aube de mai, tous les habitants de Kayes, quel que soit leur âge, se réveillent avec la même espérance mêlée d'angoisse : ce jour qui se lève sera-t-il celui du record ? Les plus instruits appellent la mairie : a-t-on des nouvelles de la Corne de l'Afrique ? Depuis des décennies, depuis qu'on mesure scientifiquement la température de l'air, une compétition farouche oppose Kayes et Djibouti, les deux localités réputées les plus torrides du continent. Il nous serait insupportable, à nous Maliens, de nous voir ravir notre couronne. Champions de la chaleur nous sommes, champions nous voulons demeurer.

Ce matin-là, le mercure atteignait déjà 41 °C au thermomètre de la gare. On soupirait, on étouffait, on ruisselait. Mais la fierté l'emportait de beaucoup sur ces quelques désagréments : une fois encore, Djibouti manquerait le titre.

C'est donc par une effroyable canicule, mais dans la bonne humeur générale, qu'un duo d'hommes blancs posa précautionneusement les pieds sur le tarmac bouillant de notre terrain d'aviation. Aucun d'entre nous n'ayant jamais eu l'occasion, jusqu'alors, de rencontrer des ogres, nous en ignorions les habitudes vestimentaires. Une veste bleu sombre à boutons et écusson dorés (plus tard, nous apprendrions son nom : « blazer »), une chemise blanche, une cravate rayée (on les appelle « club »), un pantalon clair. À chacun de leurs poignets brillait un bracelet (une « gourmette »). Lequel était le chef de l'autre ? Facile. Il suffisait de regarder les chaussures, comme toujours. Aux pieds de l'un étincelaient des mocassins impeccablement lustrés. (Par quel miracle avaient-ils échappé aux fuites d'huile de l'avion ? Mystère. Les petites choses noires qui gigotaient sur le dessus se nomment des « glands ».) L'autre, manifestement moins préoccupé d'élégance, avait choisi de bonnes vieilles tennis Adidas.

Les deux hommes gagnèrent en taxi l'Hôtel du Rail (bon pourboire). À la réception, leur réponse à la question rituelle (vous comptez rester longtemps ?) fit sensation : « le temps qu'il faudra ». Jamais personne arrivant à Kayes n'avait, de mémoire d'hôtelier, laissé dans l'incertitude la date de son départ. D'habitude, nos rares visiteurs s'y accrochaient comme un prisonnier à une lucarne entrebâillée, la promesse de la liberté future.

Bref, à peine installés dans leurs chambres, la ville entière se demandait qui pouvaient bien être ces visiteurs, d'autant que sur la fiche remise aux douaniers ils avaient tous deux, à la rubrique « Motif du voyage », indiqué : « Tourisme *et* Affaires ». Le mystère s'épaississait.

Depuis la démission de M. Stéphane, un délégué par intérim avait été envoyé de Paris pour entretenir la flamme du co-développement. L'enthousiaste M. Delmas ne tenait plus en place. C'est lui qui avait couru à l'école pour me donner la bonne nouvelle : « "Tourisme *et* Affaires", vous vous rendez compte, madame Bâ ! Pour braver notre climat, ces hommes-là ont forcément une raison impérieuse. Tourisme et affaires ! Ah, ah, ils brouillent les pistes. Mais on ne me la fait pas, à moi. Ils viennent pour investir. Je le sens. Nous allons gagner notre combat, madame Bâ. Les capitaux français vont sauver le Mali. Restons discrets pour l'instant. Laissons nos amis prendre leurs marques. »

Les informations reçues plus tard dans l'après-midi confortèrent cet optimisme.

Comme d'habitude, à peine avaient-ils commencé leur sieste que notre Eva proposa ses services. « Toc, toc, toc, c'est l'amour qui passe », chantonna-t-elle rituellement en frappant de son index droit, celui que prolonge un ongle violet géant, la première porte, celle du chef. « Toc, toc, toc », vingt minutes plus tard, le même refrain retentit un peu plus loin, devant chez l'adjoint. Une petite foule était accourue dans le hall du Rail dès qu'avait retenti l'incroyable nouvelle : des Français viennent investir à Kayes. Il y avait là le maire, Codev-intérim (le surnom vite donné à M. Delmas), les principaux responsables d'ONG, tous les ennemis de la misère, tous ceux qui luttaient pour un Mali bien nourri, paisible et démocratique. Nous nous regardions sans y croire : serait-il possible que la chance enfin tourne et nous sourie ? Que l'Afrique redevienne à la mode ?

Enfin, Eva descendit pour nous faire son rapport.

Nous nous pressâmes autour d'elle. Alors, alors, raconte. Elle sentait un peu ragoûtant mélange de sueur, de bière et d'eau de toilette, senteur muguet. Notre avidité l'amusait.

– Vous allez être déçus. Rien d'intéressant. Typique sexualité de Blanc. L'un s'en fout, bonjour, bonsoir et atchoum au milieu. L'autre parle tant qu'il oublie de bander.

– Aucun vice, aucune demande... particulière ?

On peut faire confiance au corps composite de notre Eva : ses seins gigantesques plaisaient aux amoureux de féminités épanouies tandis que, plus bas, on aurait dit un adolescent, tant elle était ferme et menue des fesses. C'est dire si elle avait tout pour déceler les préférences les plus intimes de sa clientèle, jusqu'aux moindres tendances pédérastiques. Elle gémit presque :

– Du banal, si vous saviez, de l'ordinaire, j'en ai la nausée.

Nos mines réjouies la stupéfièrent :

– Vous trouvez ça drôle ?

– Mais enfin, Eva, réfléchis. Tu viens de confirmer la bonne nouvelle.

– Tes clients, voyons ! Ils ne sont clairement pas venus pour le sexe.

– Vive le Mali !

– Tenons-nous prêts pour leur apporter de l'aide.

– Vive le Mali !

Certaines périodes se contentent, sans malfaisance, d'engendrer des jours. Elles laissent les humains vaquer à leurs travaux d'humains. Comment Dieu se passionnerait-Il pour nos humbles occupations, tellement mornes et répétitives ? Il bâille. Et quand l'ennui Le torture trop cruellement, Il lâche Son chien. Il réveille la méchanceté du temps. Tout heureux de cette permission, le temps se met à mordre. Ou pire, plus vicieux, il sème une graine de malheur en l'un d'entre nous, dans une famille. La graine se développe, elle grandit sans bruit, invisible, indolore. Et soudain, sans prévenir, elle s'épanouit fièrement, comme un fruit vénéneux. Elle ravage, elle dévaste. La surprise passée, on cherche à comprendre. On remonte à la source, à l'origine première de la calamité.

Souvent, la nuit, je me lève et je marche. Heure par heure, je revis la semaine de notre erreur, lorsque nous ne savions que faire pour venir en aide à nos chers premiers investisseurs, l'avant-garde de la prospérité malienne, et d'abord leur rendre le séjour chez nous le moins pénible possible.

J'avais repris du service à la mairie. Puisque se concrétisaient enfin les folles espérances du co-développement, il fallait unir nos forces. Du matin au soir, je torturais les employés de l'Hôtel du Rail : « La climatisation fonctionne, vous êtes sûrs ? Appelez un réparateur, qu'il se tienne prêt, juré, nous financerons la dépense. Et l'eau n'est pas coupée ? Louez donc un camion-citerne, on ne sait jamais, oui, aussi sur le compte de la municipalité, c'est comme pour le taxi, seulement la Mercedes, nous sommes d'accord ? Et qu'il répare ses vitres arrière. »

La tête toute à mon obsession, le confort des prétendus investisseurs, je délaissais ma maison. Mon petit-fils Michel protestait : Maama ne m'aime plus, elle est encore moins là que d'habitude, elle préfère les touristes, je vais les renvoyer chez eux, je hais les touristes.

Il allait vite changer d'opinion. Hélas !

Chaque jour, vers dix heures, les nouveaux amis du Mali tentaient une sortie. Ils s'approchaient de la porte du Rail, bermudas beiges, chemises beiges, lunettes noires, chapeaux broussards flambant neufs : ne leur manquait que l'étiquette du magasin. Ils se tenaient là, debout, longtemps, l'un contre l'autre, attendant on ne sait trop quel secours, déjà accablés par notre fournaise. Je vous l'ai dit : les distractions sont rares à Kayes. Ce spectacle de choix attirait un nombre croissant d'amateurs. Et malgré nos consignes mille fois répétées de respecter nos invités, l'assistance s'impatientait :

– Courage, Toubabs, notre soleil n'est pas si méchant. On croit qu'on va fondre, mais le corps résiste...

Touchés dans leur fierté de nobles représentants de la race supérieure, les investisseurs ne pouvaient plus reculer. Comme on monte au combat, ils abandonnaient leur refuge ombragé et s'avançaient, altiers, sous notre ciel de fer chauffé à blanc, sur ce plancher de braises jaunâtres baptisées sable on se demande par quel menteur.

Leur dignité ne durait pas, emportée par des torrents de sueur.

– Comment ça se fait, le maigre coule autant que le gros ?

368

– Maman, il y a un puits dans les Blancs ? D'où leur vient toute leur eau ?

– Ils sont dégoûtants, ils pissent par la tête.

Rendons hommage aux deux malheureux : ils progressaient chaque jour. Le premier, ils n'arrivèrent qu'à la station Shell ; le deuxième, il parvinrent à la pharmacie de la Santé Moderne (Dr Niane, gérant). À la fin de la semaine, ils avaient presque rejoint notre rue Magdebourg. Mais, soudain, ils s'arrêtaient net. Malgré les encouragements goguenards (Vous voulez un chameau ?), les conseils quasi médicaux (Plus lents, les gestes ! Respirez moins fort !), côte à côte ils tanguaient, l'œil hagard, la bouche ouverte : ils avaient atteint l'extrême limite de leurs forces. Sans se concerter, ils faisaient demi-tour et, tant bien que mal, s'en retournaient.

Le barman courait à leur rencontre, les portait presque à l'intérieur et sortait l'instant d'après.

– Vous pouvez rentrer chez vous. Le théâtre est fini pour aujourd'hui.

À ces moments-là, j'aurais dû intervenir. Les Bâ sont très appréciés, au Rail. Un mari infidèle, amateur d'étrangères, ne compte que des alliés dans un hôtel. Il me suffisait d'une phrase, une toute petite phrase chuchotée à l'oreille du gérant, complice :

– Et si vous coupiez la clim ?

Nos deux explorateurs, pour l'heure avachis dans leurs fauteuils du bar, tétant leurs verres de bière comme de vieux bébés agonisants, auraient plié bagage et quitté dans l'heure notre enfer pour n'y plus jamais revenir.

L'un des deux, l'adjoint, celui qui ne quittait pas ses Adidas, sans doute un bricoleur, fixait avec angoisse les appareils, nos antiques freezers, des pièces de musée. D'une voix morte, il balbutiait :

– Ça doit se déglinguer souvent, non, ces vieux machins rouillés ?

Jamais ils n'auraient survécu sans le secours de la réfrigération moderne. Hélas, l'idée ne m'est jamais venue. Souvent, au cours de mes insomnies, je me frappe la tête contre les murs pour la punir de sa stérilité. Car la pluie a fini par arriver, quelques averses timides, avant-garde de l'hivernage, suffisantes pour abaisser le mercure du thermomètre jusqu'à un niveau quasi tempéré (37 °C).

Le lendemain, l'accalmie climatique se confirma. Un vent presque frisquet souffla toute la journée, porteur d'ondées gentilles. Nos amis dormirent toute la journée, « la bouche ouverte », commentèrent les serveurs chargés de les surveiller, « on dirait qu'ils sucent l'air de la chambre ». Le soir, ils avaient ressuscité. Les deux épaves s'étaient changées en conquérants. Les yeux brillants et le sourire carnassier. Caché dans un coin du hall, le maire se délectait de cette métamorphose : « Ça y est, madame Bâ, tout commence. Vous allez voir ce que vous allez voir ! Quand un homme d'affaires se met en marche, plus rien ne peut le retenir. Je ne sais pas encore dans quel secteur ils ont choisi de s'impliquer. Mais je sens la bonne affaire pour notre ville, au moins cinq cents emplois. Notez le jour, madame Bâ. Cette date va compter dans notre Histoire. »

Tout à notre joie, nous n'entendîmes pas l'adresse qu'ils donnaient au chauffeur. Ce n'est qu'une demi-heure plus tard que le téléphone retentit :

– Venez vite, ils sont au stade !

C'était mon premier match. Et ce que je voyais confirmait mon opinion : le football est un divertissement de manchots fainéants. Deux ou trois joueurs agitent leurs pieds quelques instants, les vingt autres regardent. Puis le ballon s'en va ailleurs. Et le même manège recommence : une majorité de paresseux, les mains sur les hanches, contemplent l'activité frénétique de quelques camarades. Et ainsi de suite, des minutes et des quarts d'heure durant.

Devant ce maigre spectacle, l'assemblée mâle s'extasiait. Nouvelle preuve, s'il en était besoin, que les amusements des hommes nous demeureront toujours incompréhensibles. Eux et nous habitons décidément des planètes séparées. Les rares femmes ou filles présentes bâillaient, regardaient leur montre ou, subrepticement, l'entrejambe de leurs compagnons.

Au lieu de hurler et de gesticuler furieusement, comme tout le monde, nos amis investisseurs se passaient et repassaient une paire de jumelles, discutaient à voix basse en pointant le doigt sur tel ou tel dribbleur, puis griffonnaient des choses sur leurs cahiers d'écolier.

Ce comportement étrange et plutôt méprisant plaisait de moins en moins à leur voisinage. D'après ce que je pouvais de ma place apercevoir, la tension autour d'eux montait. On grondait, on s'énervait, quelqu'un même leur lança une canette vide qui les manqua de peu.

L'affaire faillit dégénérer quand l'équipe de Kayes, gloire à elle, marqua un but. D'un même élan, la foule se dressa. Seuls nos visiteurs ne parurent pas éblouis par ce haut fait. Ils continuèrent à griffonner comme si de rien n'était. Deux costauds les prirent par le col et les secouèrent : « Applaudissez, Toubabs ! Des reprises de volée comme ça, la France n'en a pas en magasin ! » Si le cours du destin, à ce moment-là, n'avait pas été interrompu par un imbécile, le pire aurait encore pu être évité. Nos deux amis auraient été molestés, chassés sous les insultes, reconduits à l'hôtel, bon voyage, ne remettez plus les pieds ici ! Et mon petit-fils serait toujours près de moi, à grandir tranquillement dans l'amour de son pays et la chaleur de sa famille. Hélas, un homme chétif qui, depuis le début, courait d'un bout à l'autre du terrain sans toucher la balle, porta un sifflet à la bouche. À l'instant, toute l'agitation s'arrêta sur la pelouse. Les deux Blancs profitèrent de l'occasion pour s'éclipser.

À la reprise du match, un moment plus tard, ils étaient revenus s'asseoir. C'est alors qu'une rumeur folle se mit à courir de tribune en tribune : vous savez ce qu'ils ont fait, les Français, pendant la mi-temps ? Ils sont allés dans les vestiaires. Oui, ils ont rendu visite aux deux équipes. Ils ont discuté avec les entraîneurs, vous vous rendez compte ? Il paraît qu'ils ont promené leurs mains sur toutes les jambes. Ce sont des pédés ? Crétin, ils vérifiaient les muscles, ils ont tout noté. Que va-t-il se passer maintenant ? Et si moi aussi je leur montrais mes cuisses ?

La foule ne s'intéressait plus à la partie, elle

commentait à l'infini ces informations incroyables et n'avait d'yeux que pour les deux silhouettes bleues cachées derrière leurs jumelles. Je ne connais rien à ce sport, mais il me semblait que les joueurs aussi avaient bouleversé leurs perspectives. Ils ne se ruaient plus sur le but adverse, ils concentraient leur course vers le milieu du terrain, juste en dessous des deux blazers. Et là, l'homme au sifflet avait beau les rappeler à l'ordre, leur désigner sévèrement la bonne direction, ils jonglaient, ils paradaient comme des paons en chaleur.

Le gérant de l'Hôtel du Rail était assailli. La foule du stade occupait son hall. Tous, joueurs, parents, entraîneurs, ils souhaitaient savoir.

– Alors, alors, ils t'ont parlé ? Comment ont-ils trouvé notre jeu ? Combien de contrats préparent-ils ?

On s'installait. On voulait une réponse. L'énervement montait. Le gérant s'en alla supplier les recruteurs. Ils descendirent de leur chambre à contrecœur. Le blazer chef prit la parole :

– Chers amis, la qualité de votre football est indéniable. Mais il faut encore progresser. Continuez l'entraînement. Nous reviendrons.

La déception fut terrible. Quelques adolescents pleuraient, notamment Mahamadou qui avait marqué six buts. Kayes quitta le Rail la tête basse. On aurait dit un enterrement. D'ailleurs, c'était un rêve que notre ville portait en terre. Un rêve que déjà, sans le comprendre, je haïssais de toutes mes forces.

Je revins à la maison, rassurée. Demain, les deux

néfastes repartiraient bredouilles. Ce n'est pas chez nous qu'ils voleraient des enfants. Bon débarras.

Michel dormit d'un mauvais sommeil. Je l'entendais se tourner et retourner dans son lit. Il balbutiait des phrases mystérieuses, des noms de villes, des mots latins, Real Madrid, Juventus, Manchester...

Le lendemain, je lui promis d'acheter une télévision plus grande, au moins soixante-six centimètres.

– Ainsi, tu pourras mieux suivre les matches.

– Merci, Maama.

– Et si tu aimes toujours autant le foot, pour ton anniversaire je t'offrirai un équipement complet.

– Merci, Maama.

Je croyais le péril écarté. J'aurais dû me méfier davantage. Et je partis tranquille pour ma tournée. Imbécile que je suis.

Jusqu'à l'instant précis de l'embouteillage, la vie suivait son cours paisible. Une jeune grand-mère s'en était allée, tôt le matin, apporter trois cartons de craies et quelques conseils pédagogiques à ses collègues enseignants de Ségaba. Son petit-fils avait profité de cette absence pour s'offrir quelques heures d'école buissonnière. Sa nuit avait été agitée, peuplée tantôt de blazers ricanants, tantôt de supporters hurlant sans fin les mêmes deux syllabes : « Mi-chel », « Mi-chel ! » Pour se remettre les idées en place, rien ne valait une petite heure de jonglerie. Il finit de boire son Nesca-fé, retourna vers son lit, souleva le drap, doucement, d'un affectueux tapotement, réveilla celui qui dormait encore, son compagnon permanent, cadeau du Noël précédent : le ballon. L'exiguïté de la maison interdisant certaines figures délectables, Michel gagna la rue. Et le miracle habituel recommença. « À vous de jouer. » Sitôt que le très jeune adolescent s'adressait ainsi à ses deux pieds, ceux-ci, fiers de cette confiance, entraient dans une folle sarabande. Un bien-être général s'ensuivait, un mélange d'euphorie et de toute-puissance. Michel ne s'amusait plus avec une petite boule de cuir gonflée d'air mais avec la planète entière.

Jusqu'alors, rien de grave, à ce qu'on voit. Le destin se désintéressait totalement de la famille Bâ, occupé qu'il était à une tâche d'une bien plus considérable importance : faire en sorte que les deux recruteurs attrapent leur avion.

Sur le siège arrière (défoncé) du taxi, ils se trémoussaient d'impatience. L'adjoint avait même commencé à secouer par les épaules le malheureux chauffeur.

– Plus vite, imbécile ! Tu as encore un accélérateur ? Ou c'est le moteur qui manque ?

Ils découvraient cette loi étrange de notre Terre : plus les pays sont pauvres, plus nombreuses sont les voitures, du moins les épaves qui en tiennent lieu. Le trafic s'était bloqué pour l'une ou l'autre des raisons classiques à Kayes : une charrette rompt son timon, une canalisation explose, un âne crève ou un réverbère s'abat au milieu du carrefour, la chaussée s'éventre, deux policiers s'invectivent...

Maintenant, les deux blazers ne livraient plus bataille. Ils fixaient, égarés, le capharnaüm assourdissant qui les encalminait. Leurs yeux disaient leur terreur d'être là pour toujours, emprisonnés par l'Afrique, pétrifiés, engloutis. Ils ne pouvaient plus bouger. La sueur brûlante qui leur coulait dans le dos les retenait collés au skaï de la banquette. Jamais ils ne pourraient s'arracher à ce terrible sparadrap. À bout de forces, ils ne criaient plus, ils murmuraient comme des mourants, un duo de mourants furibards.

– On ne m'y reprendra plus, chef, sauf votre respect.

– Ça, j'arrête la prospection chez les sauvages.

Le chauffeur eut pitié d'eux. Ou bien fut-ce le destin qui décida de prendre les choses en main ?

– Je vais tenter quelque chose.

– C'est ça, mon coco, tente. Et réussis. Ça vaut mieux pour toi !

La Renault 12 vira, hoqueta, escalada les restes d'un trottoir, retomba dans du sable mou, faillit s'y enliser, parvint à s'en extirper. Devant elle, la rue 14 était déserte. À l'exception d'un chat roux qui regardait un enfant jongler.

– Tu vois ce que je vois ?

Les deux recruteurs avaient ressuscité. Ils bondissaient sur leurs sièges comme des chiens devant du sucre. Je le connais, mon Michel. Même si je me désintéressais du football, je l'avais vu si souvent s'entraîner. Alors, il pénétrait dans l'irréel. Il se changeait en divinité d'Orient. Ses pieds devenaient des mains et se multipliaient pour mieux célébrer le ballon, le cajoler, le caresser, le lancer en orbite, telle une planète fantasque, la sphère s'en allait pour de déroutants parcours, impossible de la quitter des yeux, elle vous entraînait à sa suite, elle vous donnait le vertige. Je finissais pas crier de peur. L'instant d'après, la magie s'était évanouie. Ne restait plus qu'une boule de cuir usé sur le sol et, à ses côtés, un bambin morveux, l'ex-magicien.

– Arrête tout de suite !

– Mais votre avion ?

– Fais ce qu'on te dit.

– Nom de Dieu !

– Tu as vu ce qu'il enchaîne ? Oh, l'aile de pigeon !

– Putain, cette bicyclette !

– Et là, par-dessus le vieillard, un, deux, trois sombreros de suite !

– Non mais, ce contrôle ! C'est pas possible. Il a de la colle sur les pattes !

– Celui-là, il nous le faut !

– Il y a de l'or chez ce gamin.

Ce que je sais de ce maudit matin-là, je l'ai appris de M. Bonkolo Alassane, notre voisin, le tailleur retraité. Il avait passé tant d'années les yeux fixés sur ses coutures, ses ourlets et ses fronces que maintenant, enfin libéré de ses chaînes, il regardait partout avec gourmandise, il se gavait goulûment du moindre détail de notre petite vie de quartier. L'arrivée de ces deux blazers n'avait pu que réjouir son attention.

Pauvre tailleur ! Combien de fois l'ai-je obligé à raconter la scène, la raconter encore et toujours, la reprendre depuis le début, depuis les heures même qui avaient précédé le début, continue, continue, l'arrêter sur un détail, et puis l'accélérer pour parvenir à la triste fin, hélas déjà bien trop connue ? Cher M. Bonkolo, jamais rechignant, allant même jusqu'à me proposer ses services quand il me voyait par trop désespérée. Il s'avançait, me posait sa vieille main sur l'épaule :

– Tu veux qu'on reprenne l'histoire, Marguerite, peut-être avons-nous laissé passer l'essentiel ?

Qu'il soit remercié pour sa patience, mon cher ami ! Sans doute l'épuisais-je avec mes demandes, sans doute l'obligeaient-elles à replonger dans un passé détesté ? Je le forçais, égoïste que je suis, à se rappeler les mauvais souvenirs de son labeur passé. Raconter ressemble tant à coudre : on assemble, on brode, on accorde, on faufile, on relie, on tisse...

– S'il te plaît, Alassane, puisque tu as la gentillesse... Une dernière fois, je te le jure !

– Ne jure pas, ma voisine ! Je te connais. Tes dernières fois sont comme des mères africaines, elles n'arrêtent pas d'engendrer d'autres dernières fois.

– La Renault 12 de Balau...

– ... a stoppé net. Preuve que, contrairement à ce qu'affirme menteusement la Banque mondiale, au moins un taxi de Kayes possède des freins.

– Au fait, Alassane, au fait, je n'ai pas le cœur à rire !

De nouveau, sans manifester la moindre impatience, il reprit le récit.

Il me semble qu'un film est projeté au ralenti dans la chambre noire de ma tête. Image après image, il avance vers sa fin que je déteste.

Les deux blazers sautent à bas de l'épave jaune et noir. Ils regardent longtemps, sans rien dire, les virtuosités de mon petit-fils. Tout à son jeu, il ne remarque leur présence qu'au bruit soudain que font leurs paumes frappées les unes contre les autres. Tu te rends compte, madame Bâ, ces deux Blancs tout-puissants ont, d'étonnement, ouvert grands leurs yeux et leur

bouche et applaudi ton petit-fils ! Lui continue de sourire, moins de fierté que de plaisir, le plaisir de faire si
bien vivre ses pieds. Les deux s'agacent un peu.

– Tu pourrais t'arrêter une seconde, on veut te
parler.

Michel n'a pas peur d'eux. Il les toise. On dirait que
c'est lui, le maître. Ils baissent la voix. Je ne les
entends plus. Michel redevient sérieux. Un étonnement
immense s'empare de son visage. Il ne se contient plus.
Il s'écrie presque :

– En France ? Une école rien que de foot ?

Je regarde ses mains : elles tremblent. Les deux blazers hochent la tête.

– Rien que du football. Et tu deviendras pro.

– Pro et riche, fais-nous confiance !

– Où sont tes parents ?

Il lève le bras, lentement, comme s'il n'osait pas. De
l'index, il montre ta maison, Marguerite. Ils entrent
tous les trois. Je m'approche. Je les suis sans faire de
bruit. Bien sûr, c'est une erreur, la première de mes
deux impardonnables erreurs, mais comment pourrais-
je te le raconter aujourd'hui si je n'avais pas tendu
l'oreille contre la porte ? Ils parlent d'une autorisation.

– Tu es mineur. Sans autorisation de tes parents, pas
de voyage en France, dit l'un.

– Et pas d'école rien que de foot, dit l'autre. Tu as
bien un père, une mère, quelqu'un, quelque part, qui
peut signer ? Décide-toi. C'est la chance de ta vie.
Nous avons un avion à prendre !

Ton petit Michel pleure. Mille et mille pardons,
Marguerite. Ce chagrin déchirant n'est pas une excuse.
Jamais je n'aurais dû commettre cette seconde erreur,

bien plus grave que la première. Je me présente et prononce les phrases assassines :

– Je suis son oncle. Un oncle, en Afrique, est comme un père. Moi, je peux donner l'autorisation.

Michel saute au cou de notre voisin. L'un des blazers sort d'une poche un papier, de l'autre un stylo. Alassane s'assied. Un tailleur n'est pas forcément habile en écriture. Ses doigts se crispent. Comme s'il était devant moi, je vois le paraphe tremblé sur la feuille blanche, il ressemble à une araignée, une araignée qui a tissé la toile dans laquelle les recruteurs ont emporté mon petit-fils.

Mme Bâ se mord l'intérieur des joues, se ferme la gorge pour contenir sa colère.

– Et tu l'as laissé partir ?

– Comment pouvais-je résister ?

– Et ils t'ont remercié ?

– Voilà que tu recommences ! Pourquoi prends-tu plaisir, chaque fois, à me faire honte ?

– Je veux tout savoir. Je veux que le tableau soit complet.

– C'est vrai, des billets sont sortis des blazers.

– Beaucoup de billets ?

– Tu le sais, je te les ai donnés tous. Presque tous. Je n'en ai gardé que cinq. Juste assez pour me payer de nouvelles lunettes. Comment raconter si l'on ne peut pas voir ?

Michel n'a emporté en France qu'un sac minuscule. « On t'offrira tout là-bas. » Ils sont montés dans le taxi. Mon petit-fils au milieu des deux blazers, comme entre des policiers.

Le récit du tailleur s'arrête là. Pour la suite et fin,

j'ai dû aller pêcher ailleurs. Toute la ville s'était donné rendez-vous au terrain d'aviation. À mon retour, je n'ai eu qu'à tendre l'oreille. Chacun y allait de sa chronique.

La foule avait oublié ses railleries du début de semaine. Finis l'ironie, les moqueries, les sarcasmes... L'heure était à l'adoration. Après avoir tant ridiculisé les deux Blancs, on les chérissait, on les révérait, on les couvait, on les buvait des yeux, on mendiait leur regard comme s'il suffisait de se brancher sur lui pour que se déversent sur la famille la richesse et la gloire. Honte à nous pour ce revirement ! Honte à ces mères prises de folie ! Pour quelle raison brandissaient-elles ainsi à bout de bras leurs rejetons ? Voulaient-elles les faire bénir par le duo grotesque ? Espéraient-elles que le génie du football leur serait par miracle insufflé ? Honte à ces vieux qui s'agrippaient à un ballon pelé, dégoté on ne sait où et aussi décati qu'eux-mêmes ! Quel était leur misérable rêve ? Retrouver d'un coup leur jeunesse et se faire embaucher comme avants-centres ? Honte à la chaleur, assez impressionnée sans doute par la puissance des deux recruteurs pour prolonger son armistice !

Mais Kayes est une pute. Kayes a tellement peu d'espérance en magasin qu'elle s'offre aux premiers venus. La courte marche vers l'avion fut triomphale. Pour un peu, mes concitoyens se seraient couchés sur le sable pour faire tapis de leurs corps et préserver de la poussière les précieuses chaussures des nobles étrangers. Si le chef gardait son air romain, l'adjoint Adidas rayonnait. Enfin de l'Afrique telle qu'il en rêvait : de la joie générale, de grands bébés sautillant partout, des tambours pour réveiller le cœur, et surtout des femmes, des dizaines de femmes, en veux-tu, en voilà, chef, on n'a pas exploré les richesses de tous les quartiers, on ne pourrait pas rester un ou deux jours de plus ?

Dans le tohu-bohu, personne n'avait remarqué la présence de mon petit-fils. Personne n'avait surpris l'orgueil de son sourire. Personne n'avait pris la peine de noter les mains des recruteurs crochées sur son épaule, preuve du prix qu'il avait pour eux. Ce n'est qu'au dernier moment, sur les marches de la passerelle, que des cris retentirent. D'étonnement, puis de colère.

– Mais quel est ce gamin ?

– On dirait qu'il part avec eux.

– Je le reconnais, c'est Michel, le fils de la première fille de Marguerite.

– Qu'a-t-il de plus que nos enfants ?

– Fais confiance à Mme Bâ !

– Oh, celle-là, depuis le temps qu'elle trafique avec les Blancs.

Mon Michel ne s'était pas encore envolé vers la gloire française, via Bamako, que déjà j'étais jalousée, haïe, maudite par tout ce que Kayes compte d'humains de tous âges, sexes et comptes en banque.

Personne n'aurait compris mon chagrin et mon angoisse. C'est donc seule que j'ai mené ma guerre.

La fabrique de Français

Madame Bâ, vous qui êtes si bien instruite,

Madame Bâ, vous qui parlez aussi couramment la langue de Molière et celle de Papa Madi-Kaama, prince des érudits soninkés,

Madame Bâ, vous qui savez marcher d'un même pas décidé dans le grand labyrinthe implacable de l'administration française et dans l'étouffante mangrove d'Afrique, l'inextricable tissage des lois modernes et des coutumes ancestrales,

Madame Bâ, vous qui...

Madame Bâ, vous qui...

C'est ainsi que, grâce à ses rares qualités (modestie oubliée), Mme Bâ se voyait souvent chargée, parallèlement à ses activités pédagogiques, de travaux aussi passionnants que rémunérateurs. Et nécessaires pour joindre les deux bouts. Pour vous fixer les idées, Monsieur le Président, une chaussure Adidas de jeune footballeur passionné coûte chez nous l'équivalent de mon salaire mensuel d'inspectrice, qui représente lui-même le tiers de votre RMI. Voilà pourquoi je me trouvais dans la bonne ville de Kidira, au printemps 1997, une année avant la venue des ogres.

Mission de la plus haute importance, madame Bâ, et, vous l'avez deviné, absolument confidentielle. Non que nous manquions de confiance en vous. Mais, cette fois, les intérêts les plus supérieurs sont concernés. Ce que vous devez savoir, vous l'apprendrez au cours du voyage. À mercredi, madame Bâ. Rendez-vous sur le port. Lever du jour.

Kidira.

Où le couchant du Mali touche le levant du Sénégal.

Où les trains Dakar-Niger changent de locomotive.

Où feu mon trop beau mari avait pris l'habitude de céder aux avances des voyageuses de tous âges et couleurs, selon le rapport que m'en faisaient mes fidèles narines.

On connaît l'obsession malsaine des jaloux : ils veulent savoir, tout savoir, l'ensemble et les détails, quel que soit le prix de douleur à payer.

D'un pas rageur, Mme Bâ, dédaignant le port où on l'attendait, marcha donc vers la gare où tant de fois l'inexpiable et l'impardonné, malgré toutes ces années, avaient été commis. Déjà ses yeux repéraient les endroits probables : là, contre la paroi du hangar (Balewell n'était pas opposé à la station debout s'il trouvait une partenaire à sa taille). Ou sur ce carré de verdure, protégés par le tas de traverses. Ou enfermés dans le bureau de ce douanier somnolent, là-bas, forcément complice. Et ce réservoir rouillé au long tuyau tombant, semblable à la trompe d'un éléphant, aucun doute, encore un complice : il n'avait été planté là que pour offrir aux coupables, quand l'eau ne manquait pas, le réconfort rédempteur de la douche.

Bref, Marguerite, comme prévu, commençait à souffrir.

Il faut croire que Dieu, ce jour-là, avait décidé d'épargner les veuves. Car des cris retentirent, qui l'arrachèrent à sa torture.

– Madame Bâ ? Nous n'attendions plus que vous.

Un homme sec et râblé, la jeune quarantaine, tee-shirt rouge et bleu à la gloire du Paris-Saint-Germain et lunettes Ray-Ban bien calées sur les cheveux, me tendait la main.

– Allez, madame Bâ, dites au revoir au chemin de fer. Je vous propose un moyen de transport autrement plus agréable !

Il m'arracha sans protestation possible à mes fantômes et me mena vers la longue pirogue dont le moteur Yamaha, déjà, hoquetait. D'un pas léger, retrouvant mes agilités d'enfant du fleuve, je sautai.

– Oh, oh, nous avons hérité d'une sportive !

– Je me présente : consul-adjoint Couture. Voici Nathalie, fonctionnaire, et Martine, contractuelle, mes adjointes. De l'autre côté des machines, Jean-Patrick, notre technicien. Bienvenue. Quelque chose me dit que nous n'allons pas nous ennuyer ensemble. Allez, on largue les amarres !

Une intense jubilation l'habitait, un feu joyeux dont les éclats lui dansaient dans les prunelles.

– Les locaux voulaient me faire remettre la mission : route impraticable, travaux sur les ponts... Le refrain habituel. Qu'à cela ne tienne, je leur ai dit, nous prendrons le bateau. Vous auriez vu leur surprise ! Et faites-moi confiance, ils n'ont pas fini de s'étonner.

Depuis combien de siècles n'étais-je pas montée sur l'eau ? Je fermai les yeux pour mieux revoir le moment. Depuis... Depuis... Le film des années se rembobinait lentement.

– Déjà malade, madame Bâ ?

Je souris, agitai la main. Tout va bien. Je ne peux être mieux. Je voyage vers ma vérité. Voilà, j'avais trouvé. Une fois de plus, la faute à Balewell. Du jour où je l'avais rencontré, je m'étais désintéressée du fleuve. Imbécile que j'avais été ! Quelle autre que moi aurait échangé l'éternel, le somptueux Sénégal (1 700 kilomètres) contre l'amour d'un traître ? L'exemple même du marché de dupes.

Parmi les passagers, l'exaltation ne tombait pas. Bien au contraire. Pour couvrir le vacarme du Yamaha, on parlait fort. On criait presque. On aurait dit un banquet de Blancs : à chaque nouvelle bouteille ils haussent la voix.

– Avoue, Nathalie, en passant le concours, tu ne t'imaginais sûrement pas rejoindre un commando...

– C'est vrai que les gens ne connaissent rien au métier consulaire.

– Ils nous croient toujours dans nos bureaux, un tampon à la main, protégés par les hygiaphones.

– Ils sont où, les hygiaphones ? Tu en vois, toi, des hygiaphones ? Oh, tiens, là-bas, sur les crêtes, nos premiers chameaux. Nous nous rapprochons de la Mauritanie. Vous vous êtes mis assez de crème ? Ça va taper, les enfants ! Où en étais-je ?

– Le métier...

– Les consuls sont les derniers militaires.

– Tu as raison, Jean-Patrick. Aujourd'hui, qui d'autre que nous défend les frontières ? D'après toi, pourquoi j'ai quitté l'armée de terre ? On en a encore pour combien de temps ? Tiens, Martine, toi qui es tout près, demande donc à notre beau marin.

– Il dit neuf heures.

– Tant que ça ! Tant pis. Cette fois, nous les tenons, ils ne l'emporteront pas au paradis. Avec les preuves que nous allons rassembler... Paris sera forcé de réagir.

Mme Bâ se sentait de plus en plus mal en dépit de ce voyage qui aurait dû la ravir. Le fleuve Sénégal, trop heureux de retrouver l'une de ses filles, avait beau lui faire fête, étirer langoureusement ses eaux bleues entre les deux lignes vertes des potagers grassement irrigués, elle n'en voyait rien. En pure perte la saluaient les hérons, les aigrettes. Sans succès tentaient de l'amuser les martins-pêcheurs par ces acrobaties fantasques dont ils ont le secret. En vain chatoyaient les pagnes multicolores étalés sur la rive.

Un trop cruel débat interne l'occupait toute. Qu'est-ce qui m'a prise de me joindre à cette mission ? Quelle est cette maladie qui pousse toujours les Noirs à proposer leur aide aux Blancs ? Sommes-nous, comme les papillons de nuit par la lumière des lampes, attirés par la clarté de leur peau ? Sans notre appui, jamais la traite n'aurait si bien fonctionné. Cette expédition ne me dit rien qui vaille. Quelles sont ces trois énormes caisses au milieu de la pirogue ? Si je me rends complice d'une mauvaise action envers mon peuple soninké, moi, Marguerite, née Dyumasi, fille de forgeron et de traditionniste, serai maudite avec ma descendance jusqu'à la vingtième génération. C'est décidé : dès que nous abordons, je leur fausse compagnie.

L'instant d'après, le torrent de ses pensées s'inversait et l'entraînait jusqu'à une conclusion exactement contraire. J'ai la chance d'être invitée dans le milieu consulaire et d'y nouer des amitiés, les plus utiles qui soient en Afrique. C'est décidé. Je reste. Et tâcherai de rendre au mieux tous les services qu'on me demandera.

Occupée par cette furieuse bataille intime, elle ne vit pas les heures passer. D'autant moins qu'elle gardait un peu de son attention pour les débats de ses compagnons de navigation. Et qui la concernaient. Faut-il révéler à cette Mme Bâ l'objectif de notre expédition ? Elle l'apprendra bien assez tôt. Je t'assure qu'il vaut mieux la prévenir. Elle a déjà deviné. Raison de plus...

Pardon pour la République française, mais l'aventure semblait de plus en plus louche. Sous couvert de consuls, ne seraient-ce pas des mercenaires ? Des trafiquants ? Quoi qu'il en soit, je vais faire payer ma collaboration au prix fort.

Enfin, dans le couchant, Bakel parut. Le vieux fort de Faidherbe perché sur un promontoire aussi rouge que le soleil. Bakel, la hautaine et solitaire, l'une des villes les plus belles d'Afrique, si souvent chantée par son père : « Un jour, Marguerite, je te le promets, nous descendrons le fleuve jusqu'à la mer. Tu peux déjà apprendre le nom de nos escales : Bakel, Matam, Podor, et pour finir Saint-Louis, ses pélicans et ses carcasses d'hydravions. » Bien sûr, la promesse ne fut jamais tenue. Le quasi-ingénieur nommait tant, autour de lui, qu'il n'avait plus l'esprit à partir. Comment lui en vouloir ? Au reste, un héritage de mots vaut tous les voyages.

– Madame Bâ, ça vous dérangerait de donner un coup de main ?

Pendant sa rêverie, la pointe de la pirogue avait glissé sur le sable. Le Yamaha s'était tu, silence vite comblé par le gazouillis des petits baigneurs. On commençait à décharger. Et les fameuses caisses pesaient l'enfer. L'équipe les entourait du plus total respect. Attention ! Non, pas comme ça ! Doucement, s'il vous plaît ! À n'en pas douter, il s'agissait d'armes secrètes. Celles dont sont dotés aujourd'hui les consulats pour leur permettre de mener à bien leur nouvelle mission si délicate : défendre les frontières du Nord contre ces hordes affamées venues du Sud. Centimètre par centimètre, elles furent hissées dans un 4×4, lequel fut conduit dans un entrepôt qu'on verrouilla.

– Alors, elle vous plaît, notre base arrière ?

Notre chef n'abandonnait pas un instant son ancien langage de militaire. Il en prononçait chaque mot avec une sorte de ferveur qui ressemblait à de la reconnaissance. Ce devait être sa religion à lui. On peut changer de métier. Beaucoup plus difficilement de religion. Quand on a été, jour après jour, formé pour combattre, la vie ne peut vous paraître qu'une guerre multiple et perpétuelle.

La « base arrière » ressemblait à un pensionnat. De longs couloirs bruyants sur lesquels donnaient des chambres minuscules.

– Qui dort dîne. Vous avez assez grignoté sur la pirogue. Extinction des feux dans quinze minutes. Je vous veux tous au top, demain. Madame Bâ ?

– Oui, monsieur le consul ?

– D'après vous, qu'y a-t-il dans ces caisses ? Je vous laisse toute la nuit pour deviner.

– Merci, monsieur le consul !

Sous-préfecture de D. Service de l'état civil. Une grande salle aux volets clos. Sans doute pour cacher la misère. Mais le soleil n'avait aucune pitié pour l'administration africaine. Le soleil était un traître, tout comme Mme Bâ. Faufilés à travers les lamelles cassées, ses rayons révélaient tout, les murs décrépis, les étagères effondrées, les registres déchirés, entassés sur le sol de terre battue ou dévorés par les rats : peut-être que ces animaux ont de l'appétit pour les biographies humaines ?

Debout dans un coin, le maître de ces lieux misérables répétait :

– Les crédits de rénovation, ils ne sont jamais arrivés. Les crédits... Jamais arrivés.

– Et pourtant, ils sont partis de Dakar, répondait gaiement l'ex-militaire. Je te le garantis. J'ai signé moi-même l'ordre de virement.

– Jamais arrivés.

– Ce doit être la chaleur. Tout s'évapore, dans le Sahel. Alors, pourquoi pas les crédits ?

– Vous ne me croyez pas...

Mon compatriote de peau gémissait presque. J'en étais gênée pour lui. Le Français lui tapait sur l'épaule.

– Je te crois, je te crois. Mais c'est de l'histoire ancienne. Que penses-tu de notre merveille ? Pour une fois, l'administration ne s'est pas foutue de nous. Une IR 2000 de chez Canon. À peine trente secondes de préchauffage, et hop, c'est parti ! Vingt pages A4 par minute. Une mémoire Ram de 16 mégaoctets. Je te fais grâce du reste de la technique. Vous en avez vu de pareilles, les filles ? D'accord, elle est un peu lourde, nous nous en sommes rendu compte, quarante-trois kilos, mais avec elle, croyez-moi, on va pouvoir travailler !

L'arme secrète trônait, insolente, au milieu des détritus. Comme une princesse en train de sortir de sa chrysalide, encore à demi emmaillotée dans la caisse de carton qui m'avait tant intriguée. Selon toute probabilité, d'après les indications fournies, une photocopieuse, même si elle ne ressemblait que de très loin aux antiques machines déjà croisées par Mme Bâ. Le consul adjoint lui flattait les flancs comme ceux d'une bête aimée.

– Grâce à elle, fini le grand brouillard !

– Si je puis me permettre, le brouillard est une calamité rarement rencontrée sur ce continent.

– Tu as tout à fait raison, Martine. Soyons plus précis : fini le bordel ! Au lieu de vous demander des certificats de naissance qui n'arrivent jamais, n'est-ce pas monsieur le préfet ?, pas plus que les fameux crédits, nous allons reproduire tous vos cahiers. Comme ça, plus de problème. Au premier coup d'œil, on pourra distinguer le bon grain de l'ivraie, le vrai Français de l'escroc.

– Malheureusement, présentement...

Le sous-préfet ne semblait pas partager cet optimisme.

– Il se trouve que notre électricité a été coupée.

– Aucun problème. Jean-Patrick !

La deuxième caisse fut apportée. Ouverte. Pour qu'apparaisse l'arme secrète n° 2, un générateur. Aussitôt mis en marche. Et relié à l'arme secrète n° 1 dont tous les écrans prirent une belle couleur verte.

– Au travail, les filles. Je vous l'ai dit : avec l'IR 2000, pas de préchauffage. Madame Bâ, je peux me permettre de solliciter votre aide ? Les patronymes de votre peuple sont si compliqués. Martine et Nathalie, pardon, Nathalie et Martine, il faut respecter la hiérarchie, auront sûrement besoin de vous. Et pendant que les femmes travaillent, puisque c'est, semble-t-il, leur destin sur terre, vous et moi pourrions discuter, qu'en pensez-vous monsieur le préfet ? Une bonne discussion bien franche sur l'évaporation des crédits...

Mme Bâ n'a pas l'outrecuidance de se croire invincible. Elle sait parfaitement que des forces ennemies finiront bien par l'abattre. À commencer par cette tristesse, qui ne la quitte pas, d'avoir perdu Balewell, son amour, son trop bel amour trompeur. Elle peut seulement garantir qu'elle est plus résistante qu'un crédit de rénovation. Ce jour-là, elle ne s'est pas évaporée. Résistance normale, me direz-vous, pour une fille de Kayes, co-capitale de la chaleur mondiale avec Djibouti. Mais jamais elle n'avait travaillé dans une telle fournaise : celle du Sénégal oriental, à la mi-mai, ajoutée aux vapeurs torrides exhalées par les deux armes secrètes.

La partie féminine du commando, le trio Nathalie-Martine-Marguerite, s'était changée en fontaines percées. Car, outre les zones humides habituelles, le front, les aisselles, la cavité du nombril, toutes les autres régions de leurs corps coulaient, sans exception et sans relâche, même aux endroits qu'on aurait jamais cru capables de produire la moindre goutte de sueur : la bosse du genou, la pointe des tétons, le lobe de l'oreille... Ces sources engendraient des ruisseaux qui, s'unissant, formaient des fleuves contre lesquels il fallait protéger les registres déjà tellement agressés par les rongeurs.

C'est dire si chaque duplication était une conquête. D'autant que, régulièrement, tous les voyants de l'IR 2000 viraient au rouge. Dans un soupir déchirant, la malheureuse rendait l'âme. Comment ne pas plaindre son destin ? Ses consœurs recopiaient dans le confort climatisé de quelque capitale de haute civilisation, tandis qu'elle...

– Jean-Patrick !

Le technicien sortait de sa léthargie, se précipitait vers l'évanouie, lui tapotait les joues, lui murmurait des mots doux, au besoin la violentait quelque peu, et la brave bête, après avoir recouvré la santé et des couleurs vertes, reprenait son repas d'archives, son fastidieux travail de photocopieuse : je regarde et je crache vingt fois par minute, je regarde et je recrache. Hommage soit rendu à cette vaillance !

À tour de rôle les femmes abandonnaient leurs tâches et sortaient prendre l'air, un air torride mais presque glacé, comparé à celui de l'état civil.

Pendant ce temps-là, les chefs, enfin les adjoints des

chefs, le sous-préfet et le consul en second, avaient passé la journée à examiner sous tous ses aspects l'épineuse et lancinante question des crédits disparus. Dans un excellent climat, respectueux des lois et coutumes de chacune des administrations, nous expliquèrent-ils le soir, avec fierté et condescendance, comme s'ils nous faisaient pénétrer dans les coulisses d'une négociation capitale pour l'avenir du monde. En fait, comme en témoignèrent celles qui durent entrer dans le bureau pour évoquer devant eux tel ou tel problème posé par les registres, ils avaient très vite renoncé à discuter. L'antique ventilateur, revenu à la vie par la grâce d'un fil électrique branché sur l'arme secrète nº 2, vrombissait comme un avion DC3 à l'instant du décollage. Impossible de forcer la voix dans un four. Alors les deux hommes se contentèrent de se sourire, jusqu'au soir : la France aime le Sénégal, le Sénégal aime la France. Sentimentalité bien utile, plus tard, quand il fallut trouver du sucre pour enrober l'amère pilule de l'escroquerie mise au jour. Un dossier autrement plus dérangeant pour l'avenir des relations entre les deux pays que celui de l'évaporation des étagères.

Vingt heures précises. En bout de table, l'ex-militaire était satisfait.

— Bien. Débriefing. Je n'irai pas par quatre chemins. Vous avez fourni du bon boulot. Malgré la chaleur et le faible appui des locaux. Encore quelques légers ajustements, n'est-ce pas, Martine, et nous constituerons une équipe de premier ordre. Prête à remplir les nouvelles et délicates missions qu'implique aujourd'hui le métier consulaire. Bien. Je sais que certains, certaines s'apprêtaient à répondre favorablement aux invitations de l'habitant. Désolé. Nous prendrons nos repas ensemble. Pour la cohésion de l'équipe. Et pour l'hygiène. Nous avons trop à faire pour être freinés par la dysenterie et autres saloperies. Jean-Patrick !...

Le technicien ouvrit la grande boîte de carton.

– ... Et voilà la surprise. Des rations de combat. Vous allez voir, une cuisine tout à fait correcte. Vous nous donnerez votre avis, madame Bâ. À chacun sa ration. Mais vous pouvez choisir. Regardez. Le menu est inscrit sur le dessus. Ça marche par couple. Entrée et plat principal. Rillettes de saumon ET poulet basquaise. Avocat-crevette ET veau aux nouilles. Et bière à volonté. Nathalie, la glacière est à tes pieds. Comme nous tous, d'ailleurs. Bon appétit !

Il avait raison. Rien à dire, les combattants étaient mieux nourris que les instituteurs. Le pâté de lapin, olives et noisettes, changeait de la chèvre habituelle. Mais quel était ce petit engin métallique découvert sous la boîte de thon à la crème ?

– Ah, ah, on dirait que Mme Bâ n'a encore jamais rencontré de kit de réchauffage. Regardez comme ils sont ingénieux, nos chefs. Vous prenez ce morceau d'aluminium. Bon. Vous pliez suivant les lignes. Et voilà ! Elle n'est pas belle, notre minigazinière ? Maintenant, vous placez dessus votre plat principal. Des morilles ? J'en étais sûr. Des morilles au cœur de l'Afrique ! On ne peut pas dire qu'elle se moque de ses enfants, l'armée française ! Vous glissez dessous cette pastille blanche, oui, qui ressemble à une bougie. Il suffit d'y mettre le feu, avec une allumette. Le tour est joué ! Il n'y a plus qu'à attendre. Nous fournissons même une pince, oui, à côté du sachet de moutarde, pour ne pas se brûler les doigts. Après, je vous conseille le gâteau de riz, très crémeux. Et n'oubliez pas le Nescafé, pour faire passer le tout. Alors, madame Bâ, qu'est-ce que vous en dites, de la vie de commando ?

Puisque son objectif était de se faire adopter, Marguerite joua le rôle que l'on attendait d'elle : merci de votre confiance, c'est un privilège de participer à votre équipe, j'espère qu'un jour mon continent mettra de l'ordre dans son état civil, votre souhait d'arrêter la fraude à la nationalité me paraît légitime, comment feriez-vous, je me mets à votre place, si tous les pauvres de la planète se déclaraient français ?... Etc.

Plein succès.

– Ah, madame Bâ, si tous vos compatriotes parlaient ainsi ! Car, voyez-vous, les malhonnêtes nous forcent à soupçonner tout le monde, même les gens de bonne foi. Nous n'avions que de bons renseignements sur vous, madame Bâ. Personne n'a oublié votre travail au co-développement. Mais votre participation passe nos espérances. Vous occuperez dans mon rapport la place que vous méritez, Jean-René Couture n'a qu'une parole ! Personne ne veut mes œufs à la neige ? Bon. Revenons à nos moutons. Quelles sont vos premières conclusions, les filles ?

Fou rire un rien aigu de Nathalie, la titulaire :

– Vous voulez savoir ? Ils se moquent de nous.

Même gaieté chez Martine, la contractuelle, peut-être un peu plus libre, plus dégagée, l'amusement de quelqu'un qui constate un dommage dans une maison dont elle n'est que locataire :

– Ça, on ne peut pas dire qu'ils se gênent !

– Je plains le poignet droit du greffier.

– À force de signer des jugements supplétifs, il doit souffrir de crampes horribles.

– Et vous en déduisez ?

– Qu'une petite visite amicale au tribunal ne manquerait pas d'intérêt.

– C'est aussi mon avis. Pendant que vous continuerez votre labeur de fourmis avec l'aide de la photocopieuse, j'irai présenter mes respects aux magistrats locaux. Vous m'accompagnerez, madame Bâ ? Vos connaissances en soninké et votre culture juridique me seront d'un grand secours.

Notre technicien, celui qui savait si bien ressusciter les armes secrètes, leva timidement un doigt.

– Je peux vous interrompre ? Qu'est-ce qu'un jugement supplétif ?

– Pardonne notre jargon, Jean-Patrick. On ne peut pas tout savoir, tout connaître de l'état civil et faire merveille comme toi dans le ventre des photocopieuses. À cet égard, je te présente des félicitations officielles, je parlerai aussi de ton travail dans mon rapport...

– Merci, Jean-René.

– ... c'est tout naturel. Martine va t'expliquer. Elle veut passer titulaire. Ça lui servira de répétition pour le concours. Martine, nous t'écoutons.

– Dans la brousse, les distances sont longues jusqu'à l'administration. Quand un enfant naît, on remet à plus tard la déclaration, on préfère profiter d'un voyage à la ville. Et puis on oublie. Un jour, il faut bien présenter ses papiers. Alors on se rend au tribunal. C'est lui qui, après enquête, établit la filiation par le biais d'un jugement supplétif.

– Bravo, Martine, excellent. Continue comme ça et pas de souci, tu vas réussir. Sur ce, bonne nuit à tous. Demain nous attend. Le travail ne manquera pas. Que le monde soit beau dans vos rêves ! Une planète idéale, comme nous la souhaitons tous. Où chacun resterait à sa place. Et où les consuls pourraient donc se reposer. Réveil à six heures. Et retour à la réalité !

Un mur blanc. Une moitié de grille fermée, l'autre manque. Une pancarte de guingois :

Ministère de la Justice
Séance le mercredi

Un vaste terrain vague s'offre à vous. Y règne la paix : des poules picorent, à l'ombre d'un manguier, des hommes préparent le thé, trois carcasses de voitures habitées par des tourterelles attendent sereinement le Jugement dernier. Au centre, un hangar. Sa porte bat. On lui en voudrait presque d'avoir trouvé et réservé pour elle seule l'unique courant d'air de toute la région.

Un couloir gris. Des feuilles de même couleur pendent aux murs. Elles doivent n'attirer que peu l'attention des lecteurs éventuels. Les informations fournies, carrières, droits à mutation, annonces de colloques sur le droit coutumier, concernent des dates très anciennes,

23 janvier 1977, 16 décembre 1986... Les punaises rouillées ne résisteront plus longtemps.

À main droite, successivement, trois bureaux. Secrétariat, greffe, présidence. À main gauche, un panneau solennel : salle d'audience. Au fond, par une fenêtre ouverte, on peut voir un potager protégé par un épouvantail portant robe noire et, sur la tête, un entonnoir renversé.

Voilà le tribunal départemental de Bakel. L'usine à métamorphoses recherchée depuis des années par l'administration française.

— Il y a quelqu'un ? Séré wano ?

Silence. Seulement troublé par les grincements de la porte battante et les murmures lointains des faiseurs de thé.

— Je vais me renseigner.

— Merci, madame Bâ.

En marchant, elle se disait : un jour, je reviendrai ici, menottée. Et mes frères soninkés me condamneront pour trahison.

— Alors ? dit Couture sans impatience ni énervement.

Le calme du chasseur sûr de son fait. Qui prend plaisir, même, à retarder la capture.

— Personne. Sauf un secrétaire perdu dans la contemplation de ses doigts. Revenez mercredi, o na mégni araba n'kota, c'est tout ce qu'il a su me dire.

— Nous avions bien rendez-vous, pourtant. Allons

nous installer dans la salle d'audience. Il y a forcément des sièges.

Plutôt des planches de bois faisant bancs. Sur l'estrade, des deux côtés du bureau, le même monceau de dossiers qu'à la sous-préfecture, tout autant déchiquetés. Une machine à écrire noire dormait sur une chaise, peut-être un chat, oui, un chat alphabétisé grâce à une campagne de l'Unesco : son pelage s'était changé en clavier.

— Ils sont là.

— Que dites-vous ?

— Je les entends. Ils sont là. Et ils ont peur de vous. Ils sont deux, dans la pièce à côté, et ils tremblent. Ils cherchent une défense. Sans la trouver. L'un d'eux répète : je te l'avais dit, d'arrêter. Et l'autre gémit : pourquoi ne me suis-je pas contenté de mon métier ? Derrière la poussière administrative, je sens sur lui une odeur de farine. Ce doit être un boulanger.

— Vous êtes une sorcière, madame Bâ.

— J'ai quelques pouvoirs. Mon père était forgeron.

— Je le remercierai dans mon rapport.

— Ils arrivent.

Deux hautes silhouettes, deux visages, l'un sévère, l'autre enchaînant des sourires grimacés.

— Bienvenue ! Je suis le président du tribunal. Et voici mon greffier. Votre voyage a été excellent ? Et comment va la famille ? Merveilleusement ? Et la santé ? Épatamment ? Et le ministre Villepin ? Vigoureusement ? Et Jacques Chirac ? Supérieurement ? Ces bonnes nouvelles nous réjouissent. Que pouvons-nous faire pour être agréables à la France ?

— Nous dire la vérité...

400

– Oh, là, là. La vérité est un bien vaste pays.

– La vérité sur vos jugements supplétifs.

– Venez dans mon bureau, nous y serons plus à l'aise pour traiter de ces questions techniques.

Le chat-machine à écrire nous regarda partir en ricanant. L'éventail de longues tiges de fer portant les lettres ressemblait à une dentition. Un rayon de soleil l'éclairait : bonne chance, le Français et sa complice. Si vous croyez aboutir à quelque chose, bonne chance !

La suite est doublement risquée. Risquée à raconter. Risquée à lire. L'humiliation tient du miroir, du boomerang, de la maladie contagieuse. Celui qui humilie est à son tour humilié. Et celle, honte sur elle, qui, comme Marguerite, humilie ses frères de peuple, est mille fois maudite, dans les siècles des siècles.

Acte I

Le consul adjoint assène ses coups. Les coups les plus cruels sont toujours des questions et font d'autant plus mal que doux est le ton.

– Monsieur le président, le tribunal hors classe de Dakar établit chaque année moins de sept cents jugements supplétifs pour une population frôlant le million. Ici, vous êtes dix fois moins nombreux et produisez dix fois plus d'actes. Comment expliquez-vous cet écart ?

– Si je puis me permettre, monsieur le consul, celui qui veut tout expliquer de l'Afrique perd la raison.

– Tout à fait d'accord. À vous, monsieur le greffier en chef. J'ai appris que vous étiez boulanger. Laissez-moi regarder vos mains. Pétrir vous a donné dans les doigts une force hors du commun. La force, sans doute, qui vous a permis de signer, dans la seule journée du

22 décembre 1987, 2 073 jugements. Ils vous ont remercié comment, ces 2 073 nouveaux petits Français ?

Misérable greffier-boulanger. Il tremblait de tous ses membres. Il balbutiait que monsieur le consul, dont les trop rares visites honorent la sous-région, devait, s'il lui plaisait, prendre en compte l'extrême spécificité des coutumes sahéliennes. Ce disant, il s'appuyait de tout le poids de ses épaules contre une armoire métallique, comme s'il priait Dieu de l'y faire entrer et de l'y verrouiller à jamais.

– Je comprends, je comprends. Et sans oublier les liens quasi familiaux qui unissent le Sénégal et la France, n'est-ce pas ? Alors, un peu plus de franco dans le cocktail franco-sénégalais, quelle importance ? Toujours d'accord ? Parfait. Mais que vient faire dans notre amitié séculaire et quasi familiale la Mauritanie, un voisin que vous ne portez pas dans votre cœur, m'a-t-on murmuré ? Le 21 décembre 2000, un ressortissant de ce pays a présenté à la sous-préfecture une copie d'un jugement de filiation n° 7201. Or, pour cette année-là, le dernier jugement, en date du 23 décembre, ne porte que le n° 5509...

Plus l'accusation de fraude se faisait précise, accablante, irréfutable, plus le greffier-boulanger se détendait. Un sourire lui était venu aux lèvres, d'abord timide, incertain, pour se changer en éclat de rire quand le consul adjoint lui demanda de montrer les minutes de ses jugements.

Acte II
– Les minutes ? Mais nous n'en avons pas !

La foudre était tombée sur le fonctionnaire français.

– Vous... ne conservez pas les originaux de vos jugements ?

– Pour quoi faire ? En cas de besoin, le demandeur nous raconte l'histoire de ses ancêtres. Pourquoi ne pas le croire ? Vous, monsieur le consul, vous ne croyez pas ce que vous dit votre frère ? Nous lui délivrons son certificat.

Un autre chat s'était mis à ricaner, une autre machine, verte celle-ci, posée sur le bureau du président. Lequel gardait un air grave.

– Tout cela n'est bien sûr pas très régulier, monsieur le consul. Mais nous sommes si loin. Si loin, si vous saviez ! Si loin de nos administrés, de Dakar, des crédits. Tout nous arrive avec tellement de retard, à commencer par l'encre, je me demande pourquoi, et le papier...

Le chef de notre mission serrait les poings, respirait fort. J'admirais chez un ex-militaire, ancien chef de commando, un tel contrôle de ses nerfs.

– Si je comprends bien, n'importe qui, venant de n'importe où, n'a qu'à se présenter chez vous pour devenir français ?

– Il est vrai que de plus en plus de voyageurs nous rendent visite. Inutile de vous dire que nous réjouit cette attention nouvelle pour les beautés de notre région. « Le développement du tourisme paraît le seul moyen pour sortir le cercle de Bakel de son enclavement. » Telle est la conclusion du dernier rapport de la Banque mondiale. Je la connais par cœur. Vous voulez que je vous en prête un exemplaire ?

Heureusement que le président du tribunal s'est

arrêté là. Une seule syllabe de plus, un gramme d'ironie supplémentaire et un coup violent partait qui aurait mis à mal son air grave et sans doute terni pour quelque temps la belle amitié franco-africaine.

– Il y a des moments, madame Bâ, où il faut du courage pour continuer sa mission.

Toute l'équipe mâchait en silence ses rations de combat. Seul Couture monologuait.

– Les preuves sont là. Maintenant, c'est à Paris de décider. Nous transmettrons le dossier à nos autorités. Cette affaire nous dépasse.

Il avait gardé tant d'énervement de sa visite au tribunal qu'il n'arrivait plus à construire son kit de réchauffage. Discrètement, presque tendrement, comme une mère s'occupe d'un enfant triste, Martine vint à son aide.

– Si Paris accepte l'existence au cœur de l'Afrique de cette usine à fabriquer du Français, grand bien lui fasse !

Nous nous taisions, penchés sur nos boîtes de conserve, blanquette à l'ancienne ou veau marengo, des recettes aux noms plaisants que je n'avais jamais entendus.

Je pensais à mon père. Telle aurait été sa nourriture quotidienne s'il avait réalisé son vieux rêve, réussir son examen d'ingénieur. Où se trouvait la rue Saint-Martin, siège du Conservatoire national des Arts et Métiers ? Le muezzin venait de cesser son appel à la prière. Mais nous sentions une autre présence au-dessus de nos têtes, celle de Paris, un gros nuage sévère. Il nous regardait finir notre dîner, nous, les combattants de l'état civil, Nathalie et Martine, la titulaire et la contractuelle, Jean-Patrick, le guérisseur des armes secrètes, et moi, fille de forgeron, une fois de plus embarquée dans une guerre qui n'était pas la mienne. Que de détours emprunte la vie d'une Africaine !

Le consul adjoint avait sorti d'un grand sac une radio et une bouteille au goulot noir protégé par de la cire.

– Je ne vous en propose pas, madame Bâ. C'est de l'alcool. Mais pour les autres, si le cœur vous en dit... Une vieille prune de mon pays. J'espère qu'elle aura résisté à la chaleur. Quelqu'un, ici, connaît le Périgord ? Aucune déception n'y résiste.

Il s'était mis à l'écart, psalmodiait dans un micro.

– Allô Dakar, ici Bakel. Allô Dakar, ici Bakel. À vous... Mission terminée. À vous... Nous rentrons. Départ prévu demain matin dès six heures GMT. Je répète, six heures GMT. À vous... Arrivée estimée à la nuit. Si aucun pneu n'éclate. À vous... Affirmatif.

Kidira, de nouveau.

Le commando m'avait reconduite à la gare. Le train pour Kayes n'allait plus tarder, seulement trois heures de retard.

– Encore merci pour votre appui, madame Bâ. Vraiment.

Couture s'était presque mis au garde-à-vous.

– Sans votre appui linguistique, jamais nous n'aurions pu dénouer l'écheveau de ces épouvantables registres. Et je crois que votre présence au tribunal a été décisive. Grâce à vous, l'ignoble greffier s'est senti en confiance. La vérité n'est pas toujours belle, mais autant la connaître, n'est-ce pas ?

Le cœur me battait. Kidira, pour faire excuser sa méchanceté passée, allait-elle m'offrir le cadeau que j'attendais ?

– Je sais que je ne devrais pas. La loi demeure la loi, quel que soit le nombre de ceux qui la violent. Et loin de moi l'idée de défendre les passe-droits. Mais je voulais juste vous dire... Après ce que nous venons de voir... Étant donné les services rendus... Si un jour ou l'autre... Enfin, pour une demande de visa... je ferai tout mon possible. Voici ma carte.

Poliment, je remerciai.

– Mme Bâ est très sensible à votre offre. Je ne crois pas que j'y aurai recours. Contrairement à tant de mes compatriotes, ma terre est ici, et mon terrain de lutte. Mais qui peut savoir ce que l'avenir, volontiers facétieux, nous réserve ?

Ma première gratitude doit être adressée à mon défunt forgeron de père. Hommage te soit une fois de plus rendu, ô Ousmane ! Sans tes leçons de prévision, sans ton conseil, si souvent répété, d'imaginer toujours le pire et de m'y préparer méticuleusement, jamais je n'aurais songé à nouer ces amitiés consulaires.

Et c'est une Mme Bâ radieuse, un rien présomptueuse, car sûre de sa force, qui retrouva sa bonne ville de Kayes et son métier d'inspectrice.

– Tu as passé de belles vacances, Marguerite ?
– Je les qualifierais d'utiles.

Je savais que, dans le tiroir le plus sûr de ma maison (table de la cuisine), attendait ce petit rectangle blanc :

Couture Jean-René
Consulat général de Dakar (Sénégal)
c/o Ministère des Affaires étrangères
Service de la Valise
128 bis, rue de l'Université
75007 Paris

Mon arme magique. Qui ne demandait qu'un signe de moi pour faire son œuvre.

La défaite du chronomètre

John Poole, le chronomètre à honoraires, me regardait de plus en plus méchamment. Au fil des jours, son mépris s'était changé en colère : une implacable déclaration de guerre. Son gros œil jaune de laiton, strié de deux aiguilles noires, m'aurait foudroyée net, là, dans le bureau, et jetée à la fosse commune s'il en avait eu le pouvoir.

– Tu te rends compte, minable institutrice, veuve pathétique, du temps que tu nous fais perdre à raconter des billevesées ? Nous avons du chiffre à faire, figure-toi ! Un avocat est un gagneur, pas un auditeur libre de contes et légendes. Alors tu prends tes cliques et tes claques, ton boubou, ton patchouli et tu débarrasses le carrelage !

Vous connaissez Mme Bâ. Rien de commun avec ce genre de mégères toujours prêtes à en découdre. Mais si on lui déclare la guerre, Mme Bâ fait front. Souvent, j'avais prié John Poole de changer d'attitude. Sans succès. Il continuait de me toiser, infiniment dédaigneux, concentré de morgue britannico-misogyne. Une possibilité aurait été de saisir la montre, de la jeter sur le sol et d'écraser un à un les morceaux à grands coups de tong. Gardons cette solution en réserve, me dis-je avec sagesse : une telle action, indubitablement efficace, risque d'empoisonner mes relations avec Mᵉ Fabiani. Essayons d'abord l'arbitrage (comme on le voit, le réflexe juridique, acquis il y a longtemps, si longtemps, lors de mes deux années de droit à l'université, demeurait intact en Marguerite).

Je prévins mon ennemi, John, mon petit bonhomme, ouvre bien tes oreilles, ça va être ta fête. Et, me rapprochant du bureau, prenant ma voix la plus suave :

– Maître Benoît, au lieu de parler de moi, pour changer, je peux vous interroger ?

Comme chaque fois que je prononçais son prénom, il sursautait, se dressait à demi, prêt à me suivre au bout du monde et, soudain honteux de cet abandon, resserrait sa cravate club.

– Je vous en prie.

À ma droite, j'entendais les ricanements de John. Il n'allait pas tarder à rabattre son caquet.

– Pourquoi donner tout ce temps, ce temps gratuit à une femme quasi vieille, sans richesse ni influence ? Pourquoi moi ? Quelle idée avez-vous derrière la tête ?

Mᵉ Fabiani souriait avec douceur, avec tranquillité. Comme si depuis longtemps il attendait ma question et qu'il avait eu tout le loisir de s'y préparer. Il souriait mais sans rien dire. À l'évidence, il n'était pas dans ses intentions de répondre encore. Développez, madame Bâ, s'il vous plaît, développez un petit peu. Nous arrivons au cœur du sujet. Le cœur du sujet mérite bien un supplément d'effort, qu'en pensez-vous ? Madame Bâ, un surcroît de précision et de lucidité, même si la précision et la lucidité sont des armes qui peuvent blesser tout le monde.

J'ai compris le message. Sans le quitter des yeux, j'ai poursuivi.

– Pourquoi nous, pourquoi l'Afrique ? J'ai consulté les statistiques : à peine plus de un pour cent du commerce mondial. Si vous vouliez changer d'air, quitter un peu Paris, pourquoi ne pas vous être installé à New York ou Singapour ? Il y a plus d'argent là-bas pour un juriste malin. Ou Rio ? Les femmes y ont la peau brune, d'après ce qu'on dit, presque aussi noire que la nôtre.

– Figurez-vous que j'ai besoin de vous, madame Bâ, de vous et de votre continent. Je n'ai pas trente ans et je suis déjà un homme économique, madame Bâ, un homme économique c'est-à-dire un homme morcelé en dossiers et en hobbies, madame Bâ, en heures et en minutes, en temps toujours utile, toujours payant. Je suis un amas de rondelles. Vous me réapprenez l'unité.

– Je ne comprends pas.

– Le lien, madame Bâ. Vous ne vous en rendez sûrement pas compte, tellement c'est naturel, mais vous reliez tout, le rire et les pleurs, le fleuve et le désert, la musique et la solitude, les vivants et les morts, Chemin des Dames et le petit Michel. Dans votre univers, il n'y a pas d'hospice pour les vieux, tous les âges de la vie sont mêlés. Hélas, je ne suis pas comme vous, madame Bâ : je ne crois plus en Dieu. Mais vous faites de moi un religieux, vous enseignez la langue, madame Bâ, vous connaissez l'étymologie, la racine des mots ; relier et religion ont même origine. Cela dit, il faut aussi que je paie mes factures, madame Bâ. Je crois que si je ne vous renvoie pas à l'instant, mon client suivant va m'abandonner pour un cher confrère. Et ça, je ne le supporterai pas. Alors au revoir, madame Bâ, à demain et, vous l'avez compris, merci pour tout.

Monsieur le Président, il y a des hommes qui vous changent en princesse. Ce n'est pas difficile pour un homme, après tout, de changer une femme en princesse. Il suffit de lui prouver qu'elle vous est utile, infiniment utile. Et pourtant rares sont ces hommes-là, capables d'avouer ce genre de besoin. Le besoin n'est pas toujours une faiblesse, Monsieur le Président.

Telle je suis sortie de son bureau, princesse Bâ, née Marguerite Dyumasi, Africaine soninkée.

Sans un regard pour John Poole.

J'espère que les montres ont des oreilles.

Hélas, ce n'est pas garanti.

Le parc du Djoudj

Un beau soir, une photo du magazine français *Géo* vint effleurer les yeux de Mme Bâ, épuisés et douloureux d'avoir corrigé son trentième devoir consacré à l'accord du participe passé. Si le COD est placé avant, etc.

Une escadrille de pélicans prenait son envol, accompagnée d'une question toute simple : « Voulez-vous partir avec nous ? » Et l'article continuait : « À l'embouchure du fleuve Sénégal, le Djoudj vous attend. Ce parc ornithologique, le troisième du monde par son importance, vous offrira le ballet incomparable et bouleversant de plusieurs dizaines d'espèces. Meilleure saison : mars et avril, lorsque les migrateurs se préparent pour leur grand voyage. » Cinq fois Mme Bâ referma le magazine tentateur en murmurant des « je n'ai pas le temps », « ce serait un mauvais exemple », « que vont devenir mes écoles ? »... Et cinq fois elle le rouvrit. Tandis qu'une voix doucereuse susurrait à son oreille : Marguerite, tu as élevé seule tes huit enfants et le dernier vient de s'envoler, vaille que vaille, pour la vie d'adulte : tu ne crois pas que tu mérites un répit ?

Marguerite, qu'est-ce qu'une semaine, une minuscule semaine d'éblouissements paisibles, dans toute une existence de labeur acharné ? Ces vacances seraient les premières de toute ta vie, et sans doute aussi les dernières. Tu crois que Dieu a placé par hasard sur ta route cette belle image de Sa Création ? S'Il t'offre ce repos, c'est qu'Il estime que tu mérites une récompense. En refusant, ne crains-tu pas de L'insulter, Lui et Son œuvre ?

Un mois plus tard, elle était partie.

D'autant que lui était revenue en mémoire la visite d'un oncle Dyumasi, trente ans plus tôt. Il était spécialiste des oiseaux, habitait le Djoudj et déjà conviait la famille dans son paradis. Invitation violemment repoussée par Mariama, comme on s'en doute : « Je méprise les migrateurs. Où irions-nous s'il prenait à tout un chacun la fantaisie de partir enfanter au bout du monde avant de revenir en sifflotant, comme si de rien n'était ? La survie d'un pays n'est pas une occupation à temps partiel. Au lieu d'aller chercher ailleurs la richesse, il faut la créer chez soi. Tu veux que tes filles se changent en sarcelles ou en cigognes, et tes fils en chevaliers, ces espèces apatrides ? C'est ça que tu veux, Ousmane, des enfants à qui poussent des ailes et des becs, et des billevesées dans le crâne ? Les oiseaux donnent le mauvais exemple à notre jeunesse. Conclusion : en dépit de l'invitation de ton frère, aucun de mes enfants, moi vivante, ne se rendra dans son parc malfaisant. »

Le gardien de l'hôtel-restaurant Djoudj, chambres climatisées ou ventilées, repas soignés, terrain d'aviation, la base idéale des amoureux de la nature, appela un serveur qui appela le maître d'hôtel qui appela le directeur.

Tout autour, des touristes rougeoyants sous leur crème se battaient en duel.

— Moi, j'ai vu cinq spatules.

— Moi, trois aigles pêcheurs.

— Sept vanneaux armés, qui dit mieux ?

Entre deux assauts, ils engloutissaient leurs spaghettis tomate.

— Je cherche M. Dyumasi.

— L'aveugle ? Essayez l'administration du parc, à cinq kilomètres sur la droite. Peut-être s'y trouve-t-il encore ?

Il devait s'agir d'une erreur. Je suivis pourtant la route indiquée. Et soudain voici que mon père s'approche, la même démarche en plus voûtée, les mêmes plis de concentration ravinant le front, la même habitude, vite exaspérante, d'agiter sans cesse les doigts de la main droite comme si les occupaient en permanence d'innombrables travaux invisibles.

— Une fille d'Ousmane ? Une Marguerite ? Drôle de nom ! Très bien, très bien. Tes frères et sœurs se portent bien ? Et ton mari, ah oui, je me rappelle, hélas décédé. Et tes enfants ? Pourquoi personne de chez vous n'est-il venu me rendre visite ? Viens t'asseoir un moment. Et puis nous irons...

Sur son visage immobile, ses yeux allaient lentement de droite à gauche et revenaient par le même chemin avec la triste régularité d'une lanterne de phare qui balaie la nuit.

– Ne t'inquiète pas, Marguerite, mes amis t'ont attendue.

Suivit une longue analyse des relations entre les humains et les oiseaux. J'avais trop longtemps marché pour en bien suivre les détails. Je ne retins qu'une remarque, qui me touchait personnellement : c'est seulement à la mort de ses parents qu'on s'intéresse vraiment aux migrateurs.

– Je ne t'entends plus... Tu es toujours là, Marguerite ?

– Mon oncle, finis-je par murmurer, que vous est-il arrivé ?

Il expliqua qu'un véritable amour se payait toujours d'un prix élevé. Que la passion des oiseaux ne faisait pas exception, car ils habitaient deux fois dans la lumière : celle du ciel et celle de l'eau qui reflète le ciel. Que même la nuit, derrière les paupières baissées, et jusqu'au plus profond du sommeil, cette double lumière continuait d'accompagner le rêveur d'oiseaux : un homme qui aime, Marguerite, n'accueille jamais dans son rêve que les objets de son amour. Que tous ces soleils, ajoutés aux violentes couleurs des plumages, brûlaient les yeux, forcément, jour après jour. Mais je n'ai aucun regret, Marguerite. Cette blessure est la preuve que j'ai aimé. Et ne m'empêche pas de continuer. Tu viens ?

Pour arriver au paradis des oiseaux, il fallait traverser la lune. Un désert jaune coupé de temps en temps par des souvenirs de rivières. Devant le lit vide, la mule renâclait. La caresse un peu brutale d'une branche d'acacia la rappelait à ses devoirs. La carriole descendait en grinçant de toutes ses planches mal équarries et de ses deux essieux rouillés, traversait en grinçant et, toujours grinçant, remontait sur l'autre rive. À chaque grincement mon oncle trouvait une ressemblance :

– Il ne te rappelle rien, Modu ?

– Le « krrk » de la poule d'eau.

– Bravo. Et celui-là ?

– Le « tsit-tsit » du gobe-mouches.

– Erreur ! On dirait plutôt le « ouip-ouip » du bulbul. Décidément, ton oreille doit encore progresser.

– Oui, patron !

Le dénommé Modu, par ailleurs notre cocher, ne devait pas avoir dépassé huit ans, malgré tous ses efforts pour paraître plus, son air solennel et les rides qui creusaient son petit visage chaque fois qu'il réfléchissait à une question. Il m'observait à la dérobée. Que vient-elle faire ici ? Quel besoin a cette femme d'en savoir plus sur les oiseaux ?

Le jaune du paysage disparaissait peu à peu sous le vert d'arbustes de plus en plus nombreux. Puis le vert se déchira pour laisser place au bleu d'une eau large et venteuse. Au bord, la carriole s'arrêta. Une barque attendait.

Mon oncle, pour descendre, prit appui sur mon épaule.

– À partir de maintenant, les yeux de Modu sont les miens.

Je ne vais pas vous ennuyer longtemps. Parler des oiseaux est aussi lassant que commenter la musique. Les oiseaux et la musique se ressemblent : ils sont la liberté même. Mélodies et vols appartiennent à la même famille, celle des insaisissables. Les mots peuvent tout capturer dans leurs filets subtils, tout raconter, sauf la liberté.

Je vous conseille simplement cet endroit du monde, le Djoudj. Et le meilleur de ses guides, Modu. Apprendre à identifier ces innombrables morceaux du ciel (car les oiseaux sont des morceaux du ciel, n'est-ce pas ? sitôt achevées leurs cabrioles, ils reviennent se fondre dans la grande voûte commune, nous sommes bien d'accord ?), cette connaissance est la plus joyeuse qui soit. On dirait qu'à force de nommer et nommer encore, son propre sang se met à pétiller. Une sensation vous prend, inimitable, une souveraineté légère. Peut-être la preuve que les oiseaux, reconnaissants d'être appelés par leur nom exact (ils nous pardonnent avec indulgence nos inévitables erreurs), nous accueillent dans leur royaume de liberté.

De retour aux baraquements de l'administration du parc, écroulée sur le lit qu'avait déplié pour moi l'oncle, je me serais immédiatement endormie, n'avait été cette farandole de points colorés qui me courait dans le crâne.

– Tu les vois ?

– Qui donc ?

– Mais les migrateurs, bien sûr ! Je suis certain que tu les vois, Marguerite. Il suffit d'une fois et ils ne nous quittent plus. Tu comprends pourquoi devenir aveugle ne change pas grand-chose ?

Je me redressai. Les oiseaux avaient gagné. Effrayée par eux, mon envie de dormir s'était évanouie. Alors autant régler son sort à une question qui, elle aussi, me trottait dans la tête.

– Pourquoi doivent-ils monter tant vers le Nord, vers l'Europe, pour se reproduire ?

– Là-haut, la belle saison est brève. Toute la vie se concentre sur quelques semaines. De chaque point de la terre, les insectes surgissent en foule. Bientôt le sol, à peine dégelé, grouille de petites bêtes, et l'air s'en obscurcit. Exactement la nourriture abondante et facile dont ont besoin les bébés oiseaux. Ils n'ont qu'à ouvrir le bec pour s'empiffrer. À ce régime, ils grandissent vite. Deviennent forts en moins de temps qu'il n'en faut pour le dire. Quand revient le froid, ils sont prêts pour regagner le Sud.

– Tous ces voyages n'ont donc pour raison que la nourriture ?

– Qu'est-ce que tu croyais ? La curiosité ? La passion du tourisme ? Une folle envie de changer d'air ? Les oiseaux ne sont pas des humains milliardaires. Avant de rêver, il faut naître, Marguerite, et puis survivre. Le fond de l'existence est une affaire de ventre. Ça n'a rien de très poétique. Je suis désolé. Tu restes pour la nuit ?

Le lendemain, l'oncle, fatigué, m'avait confié à Modu qui voulait me faire réviser ma science, ô combien récente, des cormorans. Je n'étais pas encore très sûre du coloris des femelles.

Je ne les avais pas remarqués. Ils se tenaient bien sages au milieu de notre chaloupe. Un déjà papy, une presque mamie. Ils avaient chacun un carnet et notaient religieusement toutes les explications du guide. Quand nous avons débarqué, ils se sont approchés, main tendue.

— Monsieur et madame Guillaume.

— Nous sommes dans la correspondance.

— Pour être plus précis, employés des Postes.

— Bureau principal, 44, boulevard Rouget-de-Lisle.

— À Montreuil.

— Vous connaissez ? Région parisienne. La Seine-Saint-Denis.

— Et nous sommes agents titulaires.

— Alors forcément, toutes les communications nous intéressent.

— À commencer par les voyages, les grands voyages.

— C'est pour cette raison que mon épouse et moi, nous nous passionnons pour les migrateurs. Et vous-même, madame ?

— Je suis dans l'enseignement.

— Excellent. Excellent et capital. Alors nous sommes un peu collègues : la grande famille de la communication.

Je ne voulais pas les blesser, mes si charmants

compagnons. Et pourtant, ma passion pour la vérité ne pouvait laisser passer cette erreur.

— Je dirais que l'éducation, c'est plutôt de la transmission.

— Tout à fait d'accord ! Et tout à fait comme nous ! La transmission, bien sûr. Nous sommes des transmetteurs, qu'en penses-tu ?

Ils étaient ravis. Loin de les fâcher, je leur avais ouvert des perspectives nouvelles sur leur métier.

— Et les migrateurs, d'après vous ? Vous croyez qu'ils transmettent quelque chose ?

— Oh, ce n'est pas à nous, les Soninkés, qu'il faut poser la question !

— Qu'est-ce que c'est que ça, comment dites-vous ? Les So...

— ... ninkés. C'est mon peuple. Depuis la nuit des temps, nous sommes des voyageurs.

— Comme c'est intéressant !

Nous nous regardâmes en souriant. Je m'appelle Marc. Voici Annie, ma femme. Enchantée. Marguerite, née Dyumasi, épouse de Balewell Bâ, décédé. Quel malheur ! Il y a longtemps ? Voyons, Marc, le temps ne fait rien à l'affaire. L'amitié nous avait accueillis, le plus précieux des royaumes. Avec celui de la liberté des oiseaux.

Ils approchaient de la retraite. « Réussir la dernière étape du parcours » semblait être leur angoisse principale.

— Et vous, madame Bâ, vous êtes bien plus jeune que nous, naturellement. Mais avez-vous déjà réfléchi à la manière de remplir vos journées, quand vous aurez cessé de travailler ?

– Oh, vous savez, une femme africaine a toujours quelque chose à faire. Quelque chose de pénible, en général.

Une à une, ils essayaient toutes les occupations susceptibles, bientôt, de « remplir leurs journées ». Et, décidément, les oiseaux leur plaisaient de plus en plus.

– D'autant que nous avons une réserve à domicile, n'est-ce pas, Marc ?

– Un jour, il faudra que vous veniez visiter notre parc des Beaumonts, dans le haut Montreuil : nous habitons à deux pas.

Dès qu'ils voyagent, vos compatriotes français, Monsieur le Président, tremblent. Ils se voient des ennemis partout, un vaste complot réunissant pêle-mêle les moustiques, les maladies tropicales et donc mortelles, les retards (extravagants) des moyens de transport, les nids-de-poule, le soleil, la pluie... Les rares téméraires à oser braver ces périls cherchent perpétuellement à se rassurer. Par exemple, en trouvant partout des ressemblances entre l'Afrique et chez eux. Cette salade de tomates, on dirait exactement les nôtres. Cette plage, tu ne te croirais pas sur la Côte d'Azur ? J'imagine que de telles similitudes calment : quelque chose de presque français ne saurait être dangereux. Mes nouveaux amis ne faisaient pas exception. Leur parc était « tout à fait comme le Djoudj, en plus petit, bien sûr ».

Et, de retour au campement, nous n'avons fait que parler du département de Seine-Saint-Denis. Comment le conseil général avait décidé de combler les carrières d'où l'on avait extrait les pierres qui ont construit Paris. Comment les migrateurs d'Afrique, voyant une

421

butte calme, avaient pris l'habitude d'y faire escale avant de poursuivre vers le Nord.

– Vous savez que nous accueillons des chevaliers guignettes (*Actitis hypoleucos*).

– Et des oies cendrées (*Anser anser*) et des vanneaux huppés (*Vanellus vanellus*).

– N'embête pas notre nouvelle amie, Marc.

– En tout, cent quarante-six espèces.

– Un jour, nous nous sommes dit : et si nous allions saluer le pays d'où ils viennent ?

– Et nous voilà.

– Mais j'y pense, sans le parc des Beaumonts, madame Bâ, nous ne nous serions jamais connus.

– Tu as tout à fait raison, Annie.

Et nous avons levé nos verres, moi d'eau, eux de vin blanc, à ce fameux parc.

– Vive le parc des Beaumonts qui réunit si bien les êtres humains !

– Et vivent les oiseaux !

– Sans eux non plus, nous ne serions pas là ensemble, sous ce ciel incomparable.

– Parfaitement, vivent les oiseaux !

Qu'est-ce qui m'a prise, dans un si chaleureux climat, de demander combien d'enfants ils avaient ? Quel désir imbécile de me faire admirer (ou plaindre) ?

– Hélas, aucun !

– Et nous n'avons jamais voulu savoir lequel de nous ne pouvait pas, ajouta fièrement Annie.

– Quant à vous, madame Bâ ? Huit ? Quel don du Ciel ! Si l'un d'eux passe par la région parisienne, sa chambre est déjà prête. Sans aucune obligation pour lui. On ne connaît pas la jeunesse mais, faites-nous confiance, on devine son besoin d'indépendance.

C'est ainsi que les Guillaume sont entrés dans la famille Bâ, et réciproquement. Depuis cette rencontre, voilà dix ans, nous correspondons, une carte à Noël, une autre vers avril pour saluer le départ des migrateurs : nous les attendons de pied ferme aux Beaumonts, prévenez-les, Marguerite, avec du mil s'ils n'aiment pas la nourriture de chez nous !

En conséquence, rien n'est plus simple pour moi que de répondre à votre question n° 18. Adresse pendant mon séjour en France ? Mais Montreuil, bien sûr, haut Montreuil, 23 bis, rue Lenain-de-Tillemont, à deux pas du parc des Beaumonts, vous pouvez vérifier. Et c'est là que mon petit Michel viendra sûrement trouver refuge si la France ne l'a pas déjà dévoré.

Au retour du paradis, je me suis arrêtée deux jours, deux maigres jours à Dakar, pas une seconde de plus. Et non sans avoir de nouveau guerroyé avec ma conscience : retourne vite au travail, me répétait Mme Bâ d'un ton de plus en plus sévère, tes enfants et tes enseignants t'attendent, chaque heure de ton repos égoïste fait progresser l'analphabétisme... Marguerite, de son côté, me suppliait de ne pas prêter l'oreille à ces discours de vieille et sèche aigrie. Tu es condamnée à regagner bientôt, et sans doute à perpétuité, ta prison de sable, au milieu du Sahel, et tu ne profiterais pas de cette occasion de saluer l'Atlantique ? Et les bains de mer, tu ignores peut-être que rien n'est meilleur pour la santé ? Surtout celle des femmes ménopausées dont la circulation sanguine, volontiers nonchalante, a besoin de coups de fouet.

D'accord, d'accord, je me rends.

En descendant du taxi-brousse de Saint-Louis, Marguerite Bâ se rendit à l'Hôtel du Lac Rose, une demi-étoile, et, aussi honteuse et gênée qu'une femme commettant pour la première fois l'adultère, sauf qu'il manquait l'amant (et d'ailleurs également le mari), demanda une chambre.

Bien sûr, elle dormit mal. Toujours déchirée par les sorcières, jamais rassasiées, de la culpabilité. Et narguée par un poste de télévision pourtant éteint, et même débranché pour plus de sécurité.

« Ah, ah, répétait dans la nuit l'écran noir et vaguement luisant, ah, ah, Marguerite Bâ, tu vois que toi non plus tu ne résistes pas à mon pouvoir de fascination ! Allez, allez, je te pardonne de m'avoir tant insulté, faisons la paix et allume-moi. En ce moment, tu rates *La Vache et le Prisonnier*, avec Bourvil et Fernandel, des acteurs de ta génération, ou presque, je me trompe ? Et un *Carrefour du rire*, *Coluche et ses amis*, qui ne pourrait que faire du bien à ton humeur. Sans compter les programmes italien, allemand, égyptien et saoudien, si tu préfères l'exotisme. »

Le lendemain, épuisée mais fière d'elle-même (je n'ai pas cédé à la tentation, la boîte magique a susurré en vain), elle prit la chaloupe pour Gorée. Quel meilleur but de promenade, pour une vacancière honteuse de ses vacances, que la célèbre Maison des Esclaves ? Qui oserait lui reprocher ce pèlerinage ? Des dizaines de milliers de pauvres gens, arrachés à leurs villages, emmenés enchaînés ici même, mesdames et messieurs, dans cette cellule minuscule sans fenêtre, avant de passer un à un par l'orifice que vous voyez là et qui débouche sur la mer, le navire négrier, le cauchemar de la traversée, le cauchemar encore pire du travail dans les plantations de canne ou de coton ? Le guide savait y faire. Autour de Marguerite, une foule de Noirs américains pleuraient. Elle se mêla au chagrin. Et revint militante. Décidément, il y a, au fond des Blancs, une méchanceté fondamentale qui ne demande qu'à renaître. Luttons.

Une petite voix dérangeante tentait de se faire entendre. Mais Marguerite l'écarta d'un revers de main, comme on tente d'éloigner l'obstination des mouches. De nouveau, sa nuit fut agitée, secouée par de grands rêves héroïques (Mme Bâ ministre, Mme Bâ monte à la tribune de l'ONU pour dénoncer ce scandale et réclamer, sous les applaudissements du monde, réparation).

La voix dérangeante revint le lendemain, dans le train, assez forte, cette fois, pour se faire entendre. En vrai pédagogue, Ousmane s'efforçait de parler très distinctement. Pourquoi la mort aurait-elle changé ses bonnes habitudes ? « Sans les chefs de tribu, tu crois que les Blancs auraient rassemblé aussi facilement autant d'esclaves ? N'oublie jamais ce que je t'ai appris, Marguerite, le théorème n° 2 : "En Afrique, le pire trouve toujours des complices africains. Nouvelle preuve : le Rwanda." » Merci, Papa. Mais quel était ton théorème n° 1, déjà ? Ah oui, je me rappelle. « En Afrique, le pire n'a pas de fond. »

Dans n'importe quel autre continent, Marguerite se serait rendue dans un commissariat et adressée à l'agent de permanence :

– Bonjour. Mon petit-fils vient d'être enlevé par deux ogres étrangers. À vous de jouer.

Mais les policiers africains ont un cerveau particulier. Un cerveau branché, dans chaque ville, sur le bon vouloir de quelques puissants. Quand le puissant dit : « Regarde », le policier africain regarde, et ce regard peut même aller jusqu'à l'enquête. Quand le puissant dit : « Ne vois rien », le policier africain devient par miracle aveugle.

Alors, quand on est pris par le temps et fille de forgeron, sous-directeur de centrale hydroélectrique, c'est-à-dire quand on est une femme soucieuse d'urgence et d'efficacité, autant aller directement sonner à la porte d'un de ces puissants, manipulateurs de policiers.

– Enfin.

Ses lèvres, ses grosses lèvres d'homme riche, ivre de lui-même et satisfait de la vie, sa complice, ne s'étaient pas donné la peine de bouger. Mais c'était le mot que ses yeux prononçaient, avec la lueur goguenarde du mâle voyant venir à lui, soumise, la femelle la plus rebelle du troupeau.

– Ce que tu es belle ! Les années n'ont pas de prise sur toi, Marguerite. Mesdemoiselles, je vous laisse l'agence. J'ai une affaire importante à traiter avec ma belle-sœur. S'il y a un problème, vous savez où me joindre.

Les deux assistantes de Yuunusu gloussèrent. Inutile de se torturer la tête pour deviner les rapports qu'il entretenait avec ces esclaves maquillées et roucoulantes. L'arrière-boutique ressemblait à ce que j'attendais : la garçonnière type du Malien parvenu. Fauteuils français de cuir Roche et Bobois, table basse en iroko, photos de plages américaines au mur, climatiseur à fond, réfrigérateur miniature avec champagne toujours prêt. L'envie me taraudait de lui lancer sa coupe et ses bulles à la tête, mais que reste-t-il de la dignité d'une femme quand son petit-fils est en danger ?

– Alors, madame Bâ, on daigne se souvenir de son vulgaire beau-frère Ulysse ?

Affalé sur son siège, jambes écartées, il tétait lentement le Moët et Chandon. Il avait fermé les paupières, laissant à sa grosse braguette le soin de me considérer. Certains hommes ne font confiance qu'à cette petite partie boursouflée de leur personne pour les renseigner sur l'état du monde.

– Avouons que je ne t'attendais plus.

L'ennemi de ma descendance exultait. La moindre

parcelle de son immonde personne exultait de contente-
ment. Sans doute, en venant ainsi m'humilier, n'ai-je
jamais, pauvre de moi, donné autant de bonheur à un
homme. Malgré mon habileté au lit. Malgré mon savoir
en cuisine. L'heure de sa revanche avait sonné et il s'y
promenait, émerveillé, comme dans un jardin, le jardin
enchanté de la vengeance. Il prenait tout son temps. On
aurait dit qu'il butinait de seconde en seconde et se
gorgeait du suc de chaque instant, telle une grosse
abeille répugnante.

Il faut dire que je ne l'avais pas ménagé tout au long
de mes années de lutte pour préserver mes enfants de
la grande tentation du départ. À toutes les réunions
familiales, il recevait de moi sa bordée de moqueries
et de ricanements. Maman, pourquoi tu n'aimes pas
notre oncle si gentil ? Parce que.

— Yuunusu, où est Michel ?

— Tu as sans doute appris que, grâce à moi, il a pu
voyager en classe affaires ? Tu te rends compte ? Un
baptême de l'air en classe affaires ! Ces souvenirs-là
vous restent pour la vie. Et la classe affaires, on a beau
dire, ça vous fait respecter. En tout cas le vol s'est magnifiquement passé. Presque aucune turbulence. Et comme
tu as été bien élevée par ton forgeron de père, tu viens
remercier celui qui a tout organisé, je me trompe ?

— Yuunusu, où est Michel ?

— C'est bien ce que je pensais. Tu me remercies.
Chaleureusement.

— Yuunusu, la police n'aime pas du tout les histoires
de kidnapping d'enfants.

— Ma petite Marguerite, figure-toi qu'Ulysse Communications s'intéresse beaucoup au football. Le foot-

ball est une bénédiction pour les malheureux pays pauvres comme les nôtres. Tiens, je vais te faire une confidence. Ne le répète surtout pas. Tu sais l'importance du secret dans les affaires. Ulysse Communications va créer le mois prochain une filiale spécialisée dans les échanges de sportifs.

– Yuunusu, arrête ton cinéma. Où est Michel ? Je te laisse un quart d'heure.

– Tu connais une meilleure école de la vie que le sport, Marguerite ? Un meilleur rempart contre les dérives, hélas toujours possibles, de la jeunesse ? Tu veux des nouvelles de ton kidnappé, comme tu dis ? Quoi de plus naturel ? En voici, Marguerite, des toutes fraîches.

Il farfouilla dans la poche intérieure de son veston et sortit une lettre, plus chiffonnée que le front d'un chien chinois.

– Tu voles mon courrier, maintenant ? De mieux en mieux !

– Arrête de tant me remercier, Marguerite. Je vais me sentir gêné. Mais c'est vrai que notre poste nationale marche si mal. Mieux vaut avoir des amis à l'aéroport.

– Et, en plus, tu l'as ouverte !

– Enfin, Marguerite ! Comme si tu ne connaissais pas notre esprit de famille, à nous, les Bâ ! Comme si un Bâ pouvait se désintéresser de la vie d'un autre Bâ, surtout un Bâ sélectionné par la France ! Bon. Que faisons-nous, maintenant ? On ne va quand même pas y passer la matinée. L'émotion t'empêche de lire ? Tu veux que je te raconte ?

Bien sûr, je lui arrachai le chiffon blanc.

Le 10 mars 2000.
Chère Maama,
Ne t'inquiètes pas.

— Une faute ! Je lui ai dit mille fois que la première personne de l'impératif ne prend pas de *s*. Ça commence bien !

— Madame Bâ, la peste soit des institutrices ! Il écrit, c'est déjà beau. Alors lis. Ou je la déchire !

On est gentils avec moi. J'ai les cartilages mous car je grandis. Je mange comme il faut. J'apprends tous les dribbles et tous les contrôles. On m'a donné un surnom : « La Colle », tu te rends compte de la gloire ? Parce que j'arrive toujours à garder le ballon contre mon pied. Quand je jouerai à Milan, je t'offrirai une Ferrari pour que tu te fatigues moins dans tes tournées. Tu pourras choisir la couleur.

Pour les vacances, bien sûr, j'irai chez oncle Marc et tante Annie.

Vive le football et les grands-mères !

Ton numéro dix préféré.

— Qu'est-ce qu'un numéro dix, Yuunusu ?

— Tiens, tiens. On dirait que Marguerite se souvient de l'existence de son beau-frère. Le numéro dix, c'est le meneur de jeu, le personnage le plus important d'une équipe.

— Parfait. J'ai vu les deux recruteurs. Je me méfie de ces cocos-là. Je pars demain surveiller tout ça. Tu me prépares un billet.

— Je ne te le conseille pas.

— Pardon ?

— Tu accepterais que des parents viennent en classe critiquer le travail des professeurs ? Laisse les entraîneurs faire leur métier. Et ton petit génie deviendra le plus riche Malien du monde.

— Je sens de la mafia dans tout ça, du trafic. Je pars pour la France.

— Comme tu veux, Marguerite. Obtiens ton visa et reviens voir ton beau-frère bien-aimé. Ulysse Communications a le secret des discounts qui font plaisir.

Sa main droite se mit à tapoter doucement le canapé Roche et Bobois.

— Maintenant, rien ne presse, puisque tout est arrangé. Pendant que Michel tape dans son ballon, nous aussi avons le droit de jouer, tu ne crois pas, Marguerite ?

— J'ai à faire.

Les cinq doigts, dont deux lourdement bagués, battaient la mesure sur le cuir noir. L'autre main s'approcha de la chaîne et Sinatra, l'allié fidèle de tous les séducteurs paresseux, entra, sans faire de manières, dans la pièce.

— Tu travailles trop, Marguerite. La vie est si courte. Pourquoi ne viendrais-tu pas là, près de moi, histoire de fêter notre réconciliation, de retisser les liens de la famille Bâ ? Oui, pourquoi ? Donne-moi une seule bonne raison et je te laisse partir.

— Parce que tu me dégoûtes. Depuis le premier jour que je t'ai vu.

Sinatra chanta seul un bon moment.

Stars in the sky were dancing

One night perfect for romance
The night a sinner kissed an angel

— Je n'aime pas le ton que tu prends avec moi, Marguerite. Je ne l'ai jamais aimé.

Yuunusu avait commencé de s'extirper de son canapé piège à femelles. Il s'apprêtait à poser sur la moquette ses mocassins italiens noirs vernis. À bout d'arguments, un homme utilise sa taille. Il se redresse et, de toute sa hauteur supposée, toise la femme, forcément plus faible et courte que lui. Il arrêta net sa manœuvre. Les photos de la famille Bâ avaient dû lui revenir en mémoire, ces clichés où l'on voyait clairement Balewell et sa géante épouse Marguerite dominer tous les autres, y compris ce beau-frère Yuunusu, autoprénommé Ulysse. Il replongea dans son cocon de cuir. Et c'est de là, d'une petite voix de tête, qu'il lança la menace :

— Attention, Marguerite. Tu n'es plus si jeune, malgré ta beauté qui s'acharne à demeurer. À ton âge, tu devrais connaître des choses. Mais tu sembles les ignorer. Alors je vais t'expliquer. Ulysse, grâce à son travail, possède la plus grande agence de tourisme de Bamako. Ulysse peut faire voyager au meilleur prix qui il veut, où il veut. Ulysse a des amis. Beaucoup d'amis. Beaucoup d'amis partout. Des amis parfaits, qui adorent lui rendre service. Heureusement que tu n'es pas une ennemie, Marguerite. Car mes amis savent comment me débarrasser de mes ennemis. Tu ne peux être une ennemie, parce que tu appartiens à ma famille. Tu es seulement méchante. Avec les méchants, mes amis se contentent d'une punition. Au revoir, Marguerite. Et bon visa !

Lorsqu'elle quitta enfin, sous le regard ironique des

deux assistantes, les locaux honnis d'Ulysse Communications, Mme Bâ étouffait de colère. Une colère qui accroissait encore, si c'était possible, sa fureur contre elle-même : quelle imbécile je suis de me mettre dans un tel état pour ce genre de grotesque personnage ! Mais peu à peu, cette colère continuant, elle décida de s'en faire une alliée. Après tout, la colère est le meilleur des désinfectants. Vas-y, colère, prends tes aises, ne te retiens pas, brûle tout ce qui te gêne.

Ladite colère profita de cette autorisation. Elle osa s'en prendre au tabou des tabous, le peuple même du défunt mari, merveille du monde. Impudents Peuls ! Pour qui vous prenez-vous à diriger maintenant des agences de voyages ? Seuls les Soninkés sont voyageurs, vous n'êtes que des nomades. Et celui qui n'a pas compris la différence entre nomades et voyageurs, celui-là est un imbécile ou pire : il joue l'imbécile pour mener plus tranquillement ses trafics.

Tyrannique et malhonnête Bamako ! Pourquoi les Soninkés doivent-ils toujours passer par toi ? Pourquoi la piste d'aviation récemment construite chez nous, à Kayes, est-elle trop courte de cinquante mètres ? Pourquoi ne pourrons-nous jamais nous envoler directement pour Paris ? Moi, je connais la raison : les commerçants de la capitale veulent continuer à nous racketter ! Avec la complicité des Peuls !

D'avoir ainsi dénoncé, Marguerite se sentait mieux, assez lucide, en tout cas, pour calmer son courroux : bravo, tu remontes dans mon estime, Marguerite. Mais garde des forces.

Cet ignoble rendez-vous n'était rien. Bien pire m'attendait. L'heure de l'humiliation suprême, tant et si longtemps et si fièrement repoussée, a fini par sonner. J'ai tenu jusqu'à cinquante-cinq ans. J'ai bataillé toute ma vie et voici que je dois céder. M'habiller comme pour une fête, me rendre à la maison de la France, le consulat, choisir mon plus déférent sourire et, à travers un hygiaphone, supplier la France de bien vouloir m'accepter un mois (après, je vous promets, la France, de vous débarrasser de ma présence) pour raisons touristiques (inutile de lui mettre la puce à l'oreille en lui parlant de football).

Sans Michel, jamais je n'aurais accepté de me renier, de me dégrader ainsi. Je m'étais protégée, barricadée, entourée de remparts. J'avais oublié une porte, une seule, mais grande ouverte. C'est par ceux qu'on aime que l'ennemi entre en soi. Quelqu'un qui n'aime pas n'est pas destructible. C'est normal, puisque ce quelqu'un-là est mort. Quel mal peut-on faire à un mort ? Etc.

Ainsi marmonnait philosophiquement Mme Bâ en préparant sa première demande de visa.

Faire appel à Couture Jean-René, le chef du commando de Bakel ? Ou à cette chère Florence, comme elle me l'avait si aimablement proposé à la fin de notre voyage télévisuel au bout du monde ? Pas question. Il demeure en moi une once de dignité. Une Marguerite Dyumasi, fille de forgeron, héritière de ses pouvoirs, même éventés par le temps, n'en est tout de même pas réduite à mendier des passe-droits. Je vais faire comme tout un chacun, me présenter dans la foule anonyme de ceux qui réclament à la France la permission de lui rendre visite.

Je bois de l'eau sucrée pour me calmer, et je mets le réveil à trois heures.

434

La nuit était rouge, grâce à Coca-Cola. « Ici, rafraî-chissez-vous la vie. » Sur le fronton du kiosque, la réclame palpitait comme une artère mise à nu par un coup de couteau. Un vieil homme, en bâillant, alignait les bouteilles. Plus loin, des silhouettes dressaient des tables, de longues planches posées sur des tréteaux, et les encombraient du bric-à-brac habituel : lunettes de soleil, Kleenex, chewing-gums, cassettes de Salif Keita, Dalida et Claude François, cigarettes, cahiers d'écolier, stylos pointe Bic, préservatifs, touchante sol-licitude de colporteurs, on ne sait jamais, la promis-cuité, en piétinant, une envie pressante peut vous venir, alors mieux vaut se protéger, surtout à l'aube d'un grand voyage...

La France faisait recette. L'avenue du consulat se remplissait de monde. Une file se formait peu à peu dans le noir, on se rangeait par ordre d'arrivée, aucune violence, j'étais avant toi, mais je t'en prie, beauté. L'atmosphère restait encore paisible, joyeuse même. On aurait dit un attroupement de candidats au Brevet, attendant que s'ouvrent les portes du collège. On échangeait des conseils. Pour te loger là-bas, choisis le Val-d'Oise plutôt que la Seine-Saint-Denis. Moi, j'ai trouvé un foyer à Fontainebleau. C'est plus loin, mais il y a de la place. D'ailleurs, plus loin que quoi, hein, quand on y pense ?

Des rumeurs naissaient, enflaient, bientôt contre-dites. Les magasins Tati ont fermé. Le nouveau maire de Paris a accepté de construire une mosquée près de la tour Eiffel.

Bercée par ce brouhaha, rajeunie par cette ambiance d'examen, bien calée entre deux jeunes hommes costauds et doux, soi-disant futurs étudiants de Paris-I en ethnologie musicale, Mme Bâ s'était presque endormie. Son trop beau mari avait, entre autres pouvoirs, celui de s'évader ainsi dans les rêves tout en gardant la station debout. Pas besoin de s'allonger. Ni même de s'asseoir. Sans doute un savoir de nomade peul. Gentiment, il lui avait donné des leçons : « tu te détends, tu penses à l'autre côté du sable ». Marguerite ne réussissait l'exercice que maintenant. Maintenant que son professeur était mort. Les élèves, épouses comprises, sont des animaux capricieux.

Elle se réveilla brusquement. Une guerre venait d'éclater et même Balewell, malgré toutes ses techniques magiques d'assoupissement, aurait été contraint de rouvrir les yeux.

La foule des ombres, tout à l'heure si tranquille, se battait furieusement. Les jeunes, les vieux, les hommes, les femmes, tout le monde luttait, chacun à sa manière, coups de poing, de pied, de griffe, coups de pieux sans doute ramassés dans le caniveau puant, coups de bouteille, coups d'objets les plus divers, venus d'on ne sait quelle planète : ceintures, jouets d'enfant, enjoliveurs de voiture, porte-documents, dictionnaire franco-bambara... Pas un mot, pas un cri, aucun appel, quelques gémissements vite réprimés, seulement l'écho de chocs sourds, des souffles de forges, des halètements suraigus, comme ceux de gens qui s'aiment.

Mme Bâ ne manque pas de courage, vous avez pu

le constater. Mais ce genre de rixe, cette violence brouillonne lui répugnaient. Raison, parmi cent autres, qui l'avait toujours retenue de se joindre à la horde des stades. Elle se recula. Au risque de perdre sa place. D'ailleurs, qui avait encore une place dans ce désordre ? Elle monta sur un banc, pour tenter de comprendre le sens de la bataille.

Difficile de trouver quelque logique dans cette mêlée générale à peine éclairée par les deux lampadaires. Il semblait pourtant qu'un groupe armé de bâtons fins et cinglants, probablement des nerfs de bœuf, avait pris d'assaut la tête de la file d'attente et en chassait sans tendresse les premiers rangs. Les protestataires étaient jetés par terre, piétinés, écrasés. D'autres ombres prenaient leur place. Elles faisaient bloc, s'agrippaient par les épaules.

À deux pas, une dizaine de parachutistes, les forces de l'ordre, un Coca à la main, rafraîchissez-vous la vie, s'amusaient du spectacle, devisaient tranquillement.

La guerre dura peu. Des bousculades d'arrière-garde continuaient. Ça poussait, ça tirait encore, ça protestait mais sans y croire. Les nouvelles places étaient assignées.

Alors l'argent se mit à circuler. Vite. De doigts en doigts. Des rouleaux, des paquets de billets. Une demi-clarté permettait de mieux voir. Et de comprendre le circuit. Les nouveaux premiers de la file payaient le groupe armé. Le groupe armé payait les forces de l'ordre. Merci pour tout.

Le ciel devint tout à fait pourpre, là-bas, vers le fleuve. Les vaincus, la dizaine de cadavres éparpillés dans la poussière, se relevaient lentement. Beaucoup saignaient au visage, aux jambes. Certains pantalons étaient réduits à l'état de lanières qui laissaient voir des plaies profondes. Bientôt ils disparurent l'un après l'autre, cassés en deux et titubants, sans demander leur reste.

Les parachutistes en avaient fini avec leurs Coca. L'heure était à la posture martiale. Ils avaient pris l'air farouche. De la pointe de leur matraque, ils se tapotaient la paume gauche grande ouverte. On ne plaisante pas avec l'armée du Mali.

Le long du mur, sous les arbres, une queue bien ordonnée attendait l'ouverture du consulat.

Le 10 mai 2000.
Maama,

Rond, rond, rond, le ballon,
La terre au bout du pied,
Shoote, shoote, shoote la planète,
Le foot est ton langage,
Un, deux, trois, quatre, zéro,
Ta vie c'est la victoire.

Qu'est-ce que tu en penses ? C'est notre chanson, le début. On va faire mieux. Mercredi, j'ai marqué contre Châteauroux. Sur penalty, mais vrai but quand même. Quelqu'un était venu de Nantes pour nous voir, tu imagines ? Le directeur du centre de formation, non, je rigole, l'un de ses adjoints. Il a demandé mon nom. Je mange des lentilles en cachette, pour mes cartilages. J'ai vu hier un Disney. Les Guillaume m'avaient apporté la cassette Pocahontas. *Tu devrais leur dire que je suis trop*

grand. Moi, je n'ose pas. Ils sont si gentils. On a parlé.
Ils comprennent mon rêve. Eux aussi, je leur donnerai
une Ferrari. Ils n'ont qu'une 206.

Je dis à tout le monde qui tu es : une inspectrice
très puissante. Qui met des mauvaises notes aux pro-
fesseurs. Ils t'applaudissent : vive Marguerite ! Elle
nous venge.

Moi seul je n'ai pas peur de ma terrible grand-mère,
que j'embrasse,

Michel

PS : Samedi soir, sur TV5, regarde <u>absolument</u>
Lens-Lyon. Si tu n'aimes pas Anderson, le Brésilien, il
n'y a plus rien à faire pour toi.

Montreuil, le 15 mai 2000
Chère Marguerite,

Saviez-vous comment on appelait, avant son aména-
gement, notre parc des Beaumonts, vous savez, celui
où font escale les oiseaux migrateurs sur leur route à
destination du Grand Nord ? On l'avait baptisé le ter-
rain de Ben Hur ! Les adolescents découpaient des ton-
neaux et se faisaient tirer par des motos.

Vous voyez que Michel n'a pas choisi le sport le plus
dangereux.

Ah, la jeunesse !

Bien à vous,
Marc et Annie

Par trois fois, Marguerite repartit à l'assaut du consulat de France. Trois autres réveils à trois heures. Trois taxis arrêtés. Par les hasards inutiles de la vie, le troisième était le même que le premier : je vous ai reconnue, madame. On a un chéri, n'est-ce pas ? Je vous jure la discrétion. C'est obligé par règlement, dans notre métier. Mais à titre personnel, laissez-moi vous féliciter, si, si, la passion amoureuse, encore à votre âge, quel bel exemple pour nous, les jeunes !

Trois nouvelles tentatives. Trois débuts paisibles suivis chaque fois de guerres violentes. Brèves et perdues. Le soleil qui se lève voit Mme Bâ saluer de loin le consulat de France et s'éloigner à petits pas : on l'a chassée de la queue des élus, ceux qui auront le privilège de s'approcher de l'hygiaphone et de présenter leur candidature à la France.

Je pourrais apprendre le karaté. Trop lent, trop tard. Trop vieille, quoi qu'en dise le taxi galant. Je pourrais, moi aussi, payer les nervis. Contraire à la base même de l'éducation reçue du Forgeron. Mes enfants, apprenez que les maladies de l'Afrique sont au nombre de deux, deux seulement : l'ignorance et la corruption. Celui ou celle d'entre vous qui favorisera l'une ou l'autre, je le poursuivrai d'une inextinguible malédiction. Papa, ça veut dire quoi, « inextinguible » ? Ça veut dire que les morts, qui n'ont rien d'autre à faire, n'aiment rien tant que torturer certains vivants voyous.

J'ai tout essayé. Il ne me reste plus qu'une solution : appeler Mlle Florence. Après tout, j'ai aidé la France. Au tour de la France de m'aider. Relation réciproque. Autre leçon du Forgeron : seule la réciprocité permet entre les humains des relations de qualité.

Et, pendant ce temps-là, il a beau faire le fier, Michel attend mon secours. Dans chacune de mes nuits recommence le même défilé de cauchemars, toutes les catastrophes qui peuvent s'abattre sur un petit Noir jeté seul à douze ans sur les trottoirs de Paris et de sa tentaculaire banlieue.

Bamako.

Quartier Badalabougou, rive Sud du Niger, entre le pont des Martyrs et celui du roi Fahd.

Un bois d'eucalyptus marquait la frontière. Et, pour ceux qui n'auraient pas compris la différence entre les riches et les autres, les moins que pauvres, les moins que rien, les traîne-misère, quelqu'un avait tendu un long grillage, percé au bas de larges trous mais agrémenté vers le haut d'élégantes torsades, des mètres et des mètres de fil de fer rouillé, perchoir d'innombrables rolliers.

D'un côté, au plus près du fleuve, était la poubelle, un amas indistinct. De tôles, de pneus, de cartons, des portières de voiture, des charrettes renversées, une demi-cabine téléphonique, des conteneurs éventrés. Où vivaient certainement des êtres humains puisqu'on les voyait entrer, sortir, circuler, s'attrouper pour bavarder, comme dans n'importe quel village groupé autour d'une mare. Sauf que cette mare-là était pleine de plastique. Des milliers de sacs plastique accumulés par le vent, qui bruissaient et frémissaient dans les courants d'air. Les chèvres s'étaient mis en tête d'en faire leur pitance. On connaît l'acharnement des chèvres. Elles mastiquaient, bavaient et mastiquaient. Mais le plastique a la vie dure, les sacs ne se laissaient pas dévorer sans lutter, les chèvres toussaient, s'étouffaient, recrachaient ; court répit pour les sacs : les chèvres repartaient à l'assaut, surcroît de bave aidant, deux d'entre elles parvinrent à avaler, ah les braves bêtes !

Plus loin, des bambins, gros ventre en avant, barbotaient dans la boue, ravis par leur jeu : se lancer et relancer quelque chose comme une serpillière. À mieux y regarder, peut-être était-ce plutôt un cadavre de chat gris ?

Au bout d'une sorte de presqu'île miraculeuse de propreté, des femmes, cassées en deux, plongeaient et replongeaient les bras dans l'eau. Après quelque temps de cette gymnastique, elles se redressaient, un morceau de vert vif à la main, ou de rouge, ou de jaune, comme si le fleuve, prenant pitié d'elles, leur en avait fait cadeau. En chantant, elles étendaient leur butin de couleur sur le sable.

Ce spectacle me serrait le cœur.

Balewell aussi, un beau jour, était venu s'échouer sur la rive d'un fleuve. Preuve vivante que la mer n'a pas le monopole des tempêtes. Sur terre également se lèvent soudain des vagues énormes, quoique invisibles, des forces malfaisantes contre lesquelles on ne peut pas lutter. Mais pourquoi les êtres humains cherchent-ils toujours près de l'eau leur ultime refuge ? Parce que l'eau est la vie ? Parce que l'eau qui passe est comme une promesse ? Dans les recoins des gares s'entassent aussi les plus pouilleux des pouilleux. Côtoyer les départs. C'est sans doute la dernière façon d'espérer quand on n'a plus d'espérance.

Et nous, Africains, quelle malédiction nous pousse toujours à fuir ? De la brousse jusqu'au fleuve, du fleuve jusqu'à la ville et de la ville jusqu'à la France. Quel feu brasille sans cesse sous la plante de nos pieds ? Le désert qui avance et nous rattrape, notre sol qui devient sable ? La colonie d'aigrettes qui, d'une butte voisine, considérait le monde, semblait approuver ces pensées de Mme Bâ. Elles agitaient leur tête blanche prolongée de l'interminable bec.

Au fil du courant passaient des plaques d'herbe, certaines plantées de jacinthes ou de nénuphars. Dans le lointain, vers l'autre rive, dressées sur la ligne sombre de leurs pirogues, des silhouettes se déhanchaient lentement et battaient l'air à grands gestes. Elles semblaient appeler. Les pêcheurs bozos lançaient leurs filets. Comme hier. Comme mille ans plus tôt.

Quelqu'un d'invisible me parlait à l'oreille : aie confiance, Marguerite. L'Afrique finira par se sauver. Grâce à ces gestes ancestraux, indéfiniment répétés. Grâce au travail inhumain des femmes africaines. Allons, Marguerite, reprends-toi. Ce n'est pas le moment de lâcher. Repars au combat.

De l'autre côté du grillage était la Californie. Du moins telle que je l'imagine. Des villas claires entourées de hauts murs. Et de larges avenues peuplées de coureurs à pied. L'ange n'allait pas tarder à paraître. Les anges n'aiment pas décevoir. Mlle Launay parut. Le type même de l'ange californien. Casquette bleue, longue visière. Tee-shirt blanc. *I love New York*. Flottant gris. Longues jambes pâles. Reebok grises. À belle allure, elle contourna la résidence de l'ambassadeur d'Espagne (pavillon rouge et jaune), suivie par trois chiens. Une fois devant sa porte, elle les repoussa avec gentillesse, désolée, mes amis, j'ai deux chats chez moi, vous ne feriez pas bon ménage. Et entra.

Il me suffisait d'attendre. Les sportifs détestent qu'on les voie en sueur. Les anges ont-ils besoin de douche ? Je mourais d'impatience. Je ne lui laissai que dix minutes. Et poussai la sonnette.

– Marguerite ! Mon professeur d'Afrique ! Quelle bonne surprise !

L'ange était toujours déguisé en Californienne. Et pour compléter le portrait, elle tenait à la main un verre à demi plein d'un breuvage jaune et moussant. Les Californiennes ont toutes des machines compliquées pour presser les oranges. Un peu de cette mousse demeurait sur sa lèvre supérieure.

– Vous voulez la même chose ?

Mme Bâ déclina. Mme Bâ exprima sa confusion, son vif déplaisir d'ainsi déranger. Mme Bâ expliqua la situation, en utilisant le moins de mots possible. Mme Bâ raconta la guerre qui, chaque nuit, interdisait l'entrée du consulat.

L'ange l'avait prise par le bras et, à travers un dédale de jarres bleues plantées de fleurs françaises, hortensias, géraniums, à l'évidence manquant d'eau, malheureuses, on aurait dit qu'elles appelaient à l'aide, l'entraîna dans sa maison.

– Pour surveiller nos abords, nous avons passé des accords avec tous les corps de l'armée. D'abord les policiers, puis les gendarmes, enfin la garde présidentielle. C'est chaque fois la même chose. Ils résistent une semaine. Après, ils se font acheter. Comme les autres. Ce que vous me dites des paras m'accable. Mais ne m'étonne pas.

Elle tournait le dos. Elle préparait le thé. La queue-de-cheval blonde dégoulinait comme une plante de la casquette bleue. Les moustiques avaient dû s'énerver de la voir courir si vite. Ils n'avaient pas ménagé ses jambes. De grosses cloques rouges témoignaient de leur colère.

— Nous ne savons plus comment faire.

— Vous pourriez donner des rendez-vous.

— Nous avons essayé. Par courrier. Mais les demandeurs se sont plaints. Ils étaient convoqués à la poste. « Bonjour monsieur, bonjour madame. Quand il a vu que votre lettre était adressée au consulat de France, notre chef s'est permis de l'ouvrir. Dans un souci de protection : la protection fait partie intégrante du service public, n'est-ce pas ? Cette correspondance est si précieuse. Et si fragile. Pour un rien, elle s'égare, elle s'évapore. On attend la réponse de la France. Qui n'arrivera jamais. Et pour cause, la France n'a rien reçu. Alors notre chef vous propose un accompagnement spécial. Dix mille francs CFA. Qu'est-ce que c'est que dix mille francs CFA pour une remise en mains propres au consul, garantie ? »

— Quelle horreur !

— Le téléphone n'est pas mieux. Voilà. Je reviens tout de suite, le temps d'une douche. Je vous laisse vous servir. Si vous le voulez plus fort, attendez cinq minutes.

Mademoiselle avait dû parler du thé. Le thé est le

compagnon favori des femmes seules. Avec le jardinage et la peinture. Mais faire pousser la moindre fleur est si difficile à Bamako. Reste la peinture. Mlle Launay peignait, bien sûr. Elle avait installé son atelier minuscule au fond du salon, dans une sorte de véranda. Un chevalet, une palette à peine tachée. Un attirail de modeste, comme elle. Aucune prétention au génie. Seulement une occupation pour remplir le vide, entre les heures de consulat. De ce point de vue-là, c'était réussi. Une foule occupait les murs. Des silhouettes très allongées, sans visage. Les visages sont trop difficiles pour une peintre débutante.

– Ne regardez pas ça. J'ai trop honte. C'est fou ce qu'on a dans la tête, non ?

Elle était revenue, ressemblait à une étudiante américaine, jean et chemise vert pâle.

– Où en étions-nous ? Ah oui, le téléphone. Sachez que ça ne marche pas non plus. Nos demandeurs appelaient le consulat, appelaient, appelaient... Jamais libre. Après enquête, nous avons compris. Cinq petits futés s'étaient installés sur notre numéro et bloquaient les lignes, en toute complicité bien sûr avec deux, trois bons copains, des agents des télécommunications maliennes. Vous avez deviné : celui qui payait trouvait par miracle la voie dégagée. Nous ne savons plus comment faire. Si vous avez une idée... Oh, vous ne vous êtes pas servie !

Le papotage dura. Son gentil babil ne cessait pas. On aurait dit qu'elle profitait de ma présence pour faire provision de conversations, elle bourrait sa maison de mots avant l'hivernage.

– Mais je parle, je parle... Et vous, madame Bâ, et

ce petit génie du football, votre petit-fils, n'est-ce pas ?
Tout va bien ? Les hommes sont mystérieux, avouez,
les bébés comme les vieillards. Se passionner tant, et
dans le monde entier, pour un même ballon rond...

— Justement...

Au fur et à mesure que Mme Bâ racontait, la visite
des ogres, les menaces du cher oncle Yuunusu-Ulysse,
le visage de la consule se décomposait. En dépit de son
poste, elle n'avait pas encore exploré tous les bas-fonds
de l'espèce humaine. Ses peintures n'iraient pas en
s'égayant.

— Et vous voulez vous rendre compte sur place, évidemment. Vous avez le dossier ? Parfait. Donnez-le-
moi. Je vais le remettre personnellement demain matin.
Mon Dieu, mon Dieu, laisser seul un enfant de douze
ans, il n'en est pas question. Jeudi après-midi, ça ira ?
Vous pourrez prendre l'avion le soir même. Vous voulez que j'appelle l'agence de voyages ?

Sa bienveillance s'était emballée.

— Méfiez-vous quand même, mademoiselle Launay.
Ce trafic est fructueux. Il doit impliquer des puissants,
des haut, des très haut placés.

La jeune femme n'écoutait plus, déjà tout à sa
croisade.

— Je vous appelle dès demain, faites-moi confiance,
madame Bâ.

Montreuil, le 1ᵉʳ juin 2000.
Chère Marguerite,
Plaignez notre parc des Beaumonts ! Il vit ces

447

temps-ci des jours difficiles. Figurez-vous qu'hier matin, les autorités, le maire Jean-Pierre Brard à leur tête, inauguraient la nouvelle mare et les cascades, futurs rendez-vous des oiseaux aquatiques. Qu'ont-ils découvert ? Je vous le donne en mille. Une voiture, oui, une voiture, au beau milieu de l'eau, et calcinée. Un groupe de jeunes Noirs, venus de la cité voisine, le Bel-Air, s'esclaffait. Leurs chiens bien-aimés, pitbulls et rottweillers, pataugeaient joyeusement. Peut-être que les fils de vos Maliens immigrés n'ont pas encore tout à fait la fibre écologique ? Affaire d'éducation, sans doute.

Quoi qu'il en soit, tel est le monde d'aujourd'hui.

Affectueusement,
Annie et Marc.

PS : Marc me supplie de préciser, comme si c'était nécessaire ! que nous ne sommes pas devenus racistes. Nous vous donnons simplement les vraies nouvelles de Montreuil. Le mois dernier, une centaine de Roumains ont débarqué d'on ne sait où. Ils squattent un bâtiment technique. Ils utilisent la source comme toilettes. Certains de leurs enfants ont douze ans et n'ont jamais connu la moindre école. C'est à l'institutrice, madame Bâ, que je parle. Vous imaginez ça ? En Europe ? Au milieu de l'an 2000 ? Une association s'est constituée. Nous nous demandons si nous n'allons pas la rejoindre. Le croiriez-vous ? La retraite est un surmenage.

Le 12 juin 2000.

Ô ma Maama terrible,

Nos amis de Kayes, les deux recruteurs que tu connais, sont venus au centre. Ce mercredi-là, je n'ai joué qu'une moitié de mi-temps. Ils ont longtemps discuté avec M. Takis, l'entraîneur. Un jour, je te le présenterai. Il est sévère mais je sais que c'est pour mon bien. En partant, ils m'ont serré la main : continue à travailler, Michel, ne nous fais pas honte. Tu as une bonne marge de progression.

Certains jours, c'est dur. Toutes les nuits, avant d'éteindre la lampe, j'encourage mes pieds. Il faut qu'ils comprennent que tout dépend d'eux.

Maman a disparu. Aucune nouvelle. Elle est aussi dans un centre de formation ?

Les Guillaume m'ont donné pour ma fête un maillot blanc du Real. Mais je ne veux pas jouer en Espagne.

Michel

Montreuil, le 17 juin 2000.

Chère Marguerite,

Soyez rassurée !

Si, par malchance et cruauté, sa majesté Football rejetait notre Michel, nous avons préparé pour lui une position de repli : garde animateur au parc. Qu'en pensez-vous ? Avec formation payée et, à la clef, un véritable diplôme.

Nous en avons parlé à M. Hervé, qui dirige, à la mairie, la mission Environnement. Il serait d'accord.

Quoi de mieux qu'un Africain pour expliquer aux visiteurs l'avifaune africaine ?

Pour l'instant, ce projet reste secret, vous l'avez deviné. En dépit de sa gentillesse, le cher Michel nous jetterait nos oiseaux à la tête.

Mais, le moment venu, le filet est là, bien tendu. Pour récupérer sans mal l'acrobate trébuchant. N'est-ce pas le rôle des parents, adoptifs ou de sang ? Laisser aller l'adolescent au bout de son rêve, et garder les bras bien ouverts pour le rattraper, si jamais il chute ?

Ça y est, Marc à son tour quitte la Poste. Vive la retraite ! Le vin d'honneur est fixé au 24, à 16 heures. Quel dommage de ne pas vous avoir parmi nous !

Il se joint à moi pour vous souhaiter la paix. La grand-mère qui est en vous peut dormir tranquille, bercée par des koras semblables à celle que nous avons rapportée. Elle repose, en ce moment, sur le lit de Michel. Je suis sûre que vous aimerez le maillot du Real que nous lui avons offert. Il l'a punaisé au mur. Qu'est-ce que le Real ? Un club de Madrid. Et pourquoi le Real ? Parce que le dieu Zidane y joue. Vous voyez, notre science en ballon rond progresse.

Les Guillaume

PS : Dans votre dernière lettre, vous nous demandiez qui est Lenain de Tillemont, ce monsieur qui a donné à notre rue ce nom pas très pratique, beaucoup trop long. Grâce à vous (paresseux que nous sommes), nous avons mené l'enquête : c'est un historien janséniste (1637-1679). Le jansénisme est une variante de la religion chrétienne qui croit que la destinée des

humains est fixée dès leur naissance. Rassurez-vous,
telle n'est pas notre opinion. Nous espérons que ce
drôle de bonhomme ne vous empêchera pas d'accepter
notre hospitalité. Réglez vite vos problèmes de visa.
Nous vous attendons.

J'ai résisté jusqu'au bout de mes forces. Je ne l'ai
appelée qu'au tout dernier moment, à l'ultime seconde,
juste comme je me sentais mourir. Je vous le jure, on
peut mourir, mourir vraiment d'impatience.

– Des nouvelles, madame Bâ ? Quelles nouvelles ?
Vous voulez sans doute parler de mes parents ? Quelle
gentillesse de penser à eux ! Ils détestent tant me savoir
si loin, une fille unique, vous pensez. Ma mère est tombée l'autre jour, on a craint pour le col du fémur...

Manifestement, l'ange Florence ne voulait plus se
confier au téléphone. Le téléphone avait été rayé de la
liste de ses amis. L'ange parlait trop et trop vite, et
d'une voix trop aiguë. Les anges aussi ont peur. Pourvu
que l'ange ne raccroche pas : c'était mon seul appui
sur terre. Je suis entrée dans son jeu :

– Alors là, j'ai quelque chose pour vous, mademoiselle Launay, une tisane pour raffermir les os, garantie
cent pour cent efficace à tout âge. Où puis-je vous la
remettre ?

Et l'idée géniale m'est venue d'un coup, la proposition apaisante :

– Que diriez-vous du Muso Kunda, le tout nouveau
musée de la Femme ? Samedi matin vous convien-
drait ? Ça vous changera de vos visas.

Elle a accepté tout de suite. Elle devait partager mes illusions, celles que j'avais à l'époque, à savoir que les femmes entre elles sont moins cruelles, que par suite un musée de la Femme est l'endroit le plus doux, le plus tendre du monde.

Ce musée était le bébé de Mme Konaré, l'épouse du Président, l'hommage enfin rendu à « la longue marche des femmes maliennes ». Suite aux restrictions budgétaires et aux manœuvres antiféministes de la Banque mondiale, la première dame avait dû rogner son ambition. Le bâtiment n'était qu'une villa plutôt modeste, sur la route de Koulikouro.

Dès l'entrée, le ton militant était donné. Un panneau présentait les textes juridiques fondamentaux, du décret français Mandel, 15 juin 1939 (la validité d'un mariage suppose le consentement de la femme), à la loi malienne du 27 août 1992 (toute femme a droit à gérer un commerce indépendamment de son époux).

Je croyais être arrivée la première. La longue marche de Mme Konaré ne faisait pas recette. Seul un couple d'universitaires américains contemplait gravement de vieux clichés coloniaux, poitrines nues et militaires goguenards.

– Madame Bâ, madame Bâ...

Je n'ai pas dû l'entendre tout de suite tant me fascinait une sorte de sculpture noire, un encensoir géant. En toute occasion, pour plaire à l'homme, la femme doit sentir bon.

– Madame Bâ...

Je finis par suivre le chuchotement. Mlle Launay s'était réfugiée tout au fond, devant les vitrines. Toutes les ethnies du Mali en habit de cérémonie.

– Ah, vous voilà ! Je ne vais pas pouvoir vous parler longtemps. J'ai lutté pour vous, croyez-moi. Impossible. Vous gênez, madame Bâ. Indésirable en France. Qu'avez-vous fait aux agences de voyages ? Ce sont des puissances ici, vous le savez comme moi. Que se passe-t-il encore ?

Elle avait sursauté.

– Rien qu'une lampe. Elle vient de griller. Rassurez-vous : dans tous les musées africains, les lampes grillent, même dans les musées neufs.

– Et ça ne servira pas de protester. L'ambassadeur est malade, parti se faire opérer. Le consul général n'est pas là non plus. Convoqué à Paris, ministère de l'Intérieur. Réunion sur la reconduite des sans-papiers. Mon Dieu, qui vient ? Vous pouvez jeter un coup d'œil ?

– Rien de grave. Une classe de gamines conduites par leur professeur.

– Pardon. Je suis ridicule. Je vais tenter de me calmer. Vous avez vu cet indigo et ces boucles d'argent ?

– C'est le costume de cérémonie soninké. J'étais vêtue ainsi, le jour de ma noce.

– Oh, madame Bâ, qui s'acharne contre vous, quelles forces, quel démon ? En ce moment, tout dépend de la consule adjointe, Mme Lançon. Méfiez-vous d'elle. Je ne peux pas en dire plus. Je déteste dénoncer. Sachez pourtant qu'elle a une relation avec un collègue du service des visas, un recruté local. Comme par hasard, il s'occupe des séjours culturels. Ou sportifs. Bref, il traite les groupes. Pas besoin de vous faire un dessin. Qui part, qui revient, comment savoir ? Tapez haut, madame Bâ, si je puis me permettre ce conseil, malgré mon devoir de réserve. Le plus haut possible. Bien sûr, je continuerai à vous aider de toutes mes forces minuscules. Ça vous embêterait de me laisser sortir la première ? Je vous embrasse, madame Bâ. Ah çà non, je ne suis pas fière de mon pays ! Je vais demander mon retour. Peut-être que je n'ai pas la vocation de l'état civil, après tout ? Et sûrement pas en Afrique.

Ainsi s'achève, Monsieur le Président de la République française, le formulaire gratuit 13-0021 de Mme Bâ.

Au grand soulagement des ongles violets et démesurés de la secrétaire Marysa : Tu n'aurais pas pu avoir une vie plus simple, madame Bâ, et moins enchevêtrée ? Je me casse les doigts à taper tant de pages... C'est elle qui a remplacé Roxane, la démissionnaire. Marysa, rien ne lui fait peur. Ni les menaces au téléphone ni les charmants cercueils miniatures envoyés par la poste. Elle n'a pas fini sa période d'essai que, déjà, elle régente le cabinet. Me Fabiani va devoir filer doux.

Un conseil en passant, Monsieur le Président. Quand vous viendrez de nouveau rendre visite à l'Afrique, ménagez-vous des entretiens secrets avec les secrétaires : en elles réside le vrai pouvoir. Les dictateurs à vie, ministres ou directeurs ne sont que des marionnettes. Les ongles violets tiennent tous les fils.

Perdu derrière son grand bureau, mon cher Benoît me sourit tristement. On dirait qu'il ne veut pas finir. Il feuillette et refeuillette notre œuvre commune.

– Vous voyez, Marguerite, comme nous sommes, nous, gens du Nord. Au début de l'histoire, nous nous impatientons. Et puis, au fil des jours et des mots...

– Maître Fabiani, mon petit-fils attend.

– Bien sûr, bien sûr, madame Bâ. L'esprit toujours aussi pratique, n'est-ce pas ? Jamais de sentiment, jamais d'états d'âme. Et moi, où avais-je la tête ? Juste trois mots, trois petits mots pour finir, une tradition dans notre métier : *Sauf à parfaire.*

– Pardon ?

– *Sauf à parfaire,* madame Bâ. Ainsi concluent leurs mémoires tous les avocats consciencieux. Quel être humain raisonnable peut prétendre à la perfection, madame Bâ ?

– Comme vous voudrez. Je reprends donc la dernière phrase. *Il résulte de tout ce qui précède que j'ai, Monsieur le Président de la République française, l'honneur de vous présenter un recours gracieux contre la décision en date du 17 septembre 2000 par laquelle votre dame consul général adjoint a rejeté ma demande de visa. Sauf à parfaire.* Je signe où ?

– Merci, madame Bâ.

– Et maintenant ?

– Hélas, il nous reste le plus pénible : attendre.

– Ça répond vite, un Président ? Ça répond à temps pour sauver un enfant sans défense ?

Décision contestée

RÉPUBLIQUE FRANÇAISE
MINISTÈRE DES AFFAIRES ÉTRANGÈRES

N° 13-0021

FORMULAIRE DE DEMANDE DE VISA DE COURT SÉJOUR / TRANSIT
(formulaire gratuit)

N° | | | | | | | | | |

CACHET DU POSTE	EMPLACEMENT DU TALON
Consulat Général Bamako	

IMPORTANT :
- TOUTES LES RUBRIQUES DOIVENT ÊTRE COMPLÉTÉES EN MAJUSCULES. EN CAS D'ERREUR OU D'OMISSION, IL NE POURRA ÊTRE DONNÉ SUITE À VOTRE DEMANDE. LE FORMULAIRE DOIT ÊTRE DATÉ ET SIGNÉ PAGE 2.
- LES MEMBRES DE FAMILLE DE RESSORTISSANTS COMMUNAUTAIRES AU SENS DU DÉCRET 94-211 DU 11 MARS 1994 MODIFIÉ N'ONT PAS À REMPLIR LES RUBRIQUES 17 À 25 À L'EXCEPTION DES POINTS 15, 19, 20, 22 ET 23.

1. NOM BÂ

2. AUTRES NOMS (NOM DE LA NAISSANCE, ALIAS, PSEUDONYME, NOMS PORTÉS ANTÉRIEUREMENT) DYUMASI

3. PRÉNOM(S) Marguerite **4. SEXE(*)** M F x

5. DATE ET LIEU DE NAISSANCE 10 08 47 À Kayes **6. PAYS** Mali

7. NATIONALITÉ(S) ACTUELLE(S) Malienne NATIONALITÉ D'ORIGINE Malienne

8. SITUATION DE FAMILLE : a) (*) CÉLIBATAIRE MARIÉ(E) x SÉPARÉ(E) DIVORCÉ(E) VEUF(VE)

b) CONJOINT : NOM BÂ
AUTRES NOMS, PRÉNOMS Balewell Gueladio
DATE ET LIEU DE NAISSANCE 16 12 37 À Djenné NATIONALITÉ(S) Malienne

SI VOTRE CONJOINT VOYAGE AVEC VOUS ET EST INSCRIT SUR VOTRE DOCUMENT DE VOYAGE, COCHER LA CASE SUIVANTE

c) ENFANTS : NE REMPLIR LA RUBRIQUE "ENFANTS" QUE SI CEUX-CI VOYAGENT AVEC VOUS ET SONT INSCRITS SUR VOTRE DOCUMENT DE VOYAGE.

NOMS, PRÉNOMS	DATE DE NAISSANCE	LIEU DE NAISSANCE	NATIONALITÉ(S)

Mme Bâ voyagera seule.

d) NOM ET PRÉNOM(S) DES PARENTS

9. NATURE DU PASSEPORT OU DU DOCUMENT DE VOYAGE
(*) PASSEPORT ORDINAIRE X AUTRE DOCUMENT (PRÉCISER LEQUEL)
NUMÉRO 90115 212A ÉTAT OU ENTITÉ ÉMETTEUR DU DOCUMENT Préfecture de Kayes
DÉLIVRÉ LE 05 03 98 À Kayes EXPIRANT LE 05 03 03

10. ADRESSE PERMANENTE 25, rue Magdebourg - Kayes

ACTUELLE SI VOUS ÊTES DE PASSAGE OU RÉSIDENT TEMPORAIRE

11. LE CAS ÉCHÉANT AUTORISATION DE RETOUR VERS LE PAYS DE RÉSIDENCE
(*) TITRE DE SÉJOUR NUMÉRO FIN DE VALIDITÉ
VISA DE RETOUR NUMÉRO FIN DE VALIDITÉ

12. PROFESSION Institutrice, inspectrice de l'Éducation nationale

13. EMPLOYEUR Ministère de l'Éducation nationale, Bamako, Mali

14. ADRESSE PROFESSIONNELLE Rectorat de Kayes N° de télécopie

(*) Mettre une croix dans la rubrique correspondant à votre réponse.

1/2 64/VI

Mémoire complémentaire

Encore un effort, Monsieur le Président : l'histoire de Mme Bâ n'est pas achevée. Le récit n'est pas tout à fait mort. Vous voyez : quand je lui passe un miroir devant les lèvres, un peu de brume paraît. Preuve qu'il lui reste un minimum de souffle et quelques mots. Vous êtes d'accord, n'est-ce pas ? On ne peut abandonner un récit comme ça, avant d'être bien certain qu'il a fini de vivre.

Ne craignez rien, néanmoins : il n'en a plus pour longtemps. L'extrémité est proche. Et je vais abréger. D'autant plus que me voilà seul, désormais. Ma cliente a disparu. Je n'ai pas sa verve, moi. Je suis d'une région taiseuse, pas d'un grand pays de palabres comme la patrie des Soninkés.

Pour être tout à fait complet, je dois vous informer qu'une enquête est en cours. Grâce à la passionnée d'état civil, cette Mlle Launay – vous vous souvenez ? la voyageuse au bout du monde. En l'absence de ses supérieurs, ambassadeur et consul, elle a osé saisir l'Inspection générale, 23, rue Lapérouse, 75116 Paris. Osé certifier la véracité de toutes les informations présentées par Mme Bâ dans sa requête. Osé contester la décision de rejet prise le 17 septembre 2000 par sa chef, consul adjoint, Gabrielle Lançon. Osé, même, faire état d'« agissements contraires à la loi et à la morale » (ce sont ses propres termes) au sein du consulat. Vous conviendrez comme moi qu'il faut saluer son courage. Bien sûr, le droit la protège. D'abord l'article 28 de la loi du 13 juillet 1983, portant statut général des fonctionnaires[1]. Et puis la jurisprudence constante depuis l'arrêt du Conseil d'État Langneur (10 novembre 1944).

Mais vous savez comme sont les familles : aucune n'aime voir révéler ses turpitudes. Et moins encore lorsque la vérité émane du membre le plus infime de la famille.

Mlle Launay, qui aime tant l'administration, peut dire adieu à sa carrière ! Quels que soient les résultats de l'Inspection. Seuls un signe de votre part, une publique manifestation d'estime pourraient laver son front de cette tache autrement indélébile. Voyez ce que vous pouvez faire. Et revenons au sujet principal.

Rien.

Rien au courrier. Les cercueils exceptés.

Peut-être se seraient-ils tenus tranquilles si vous aviez daigné nous accuser réception, Monsieur le Président ? Tout se sait à Bamako. Et je ne vois pas pourquoi les cercueils seraient moins bien informés que le

---

1. Je me permets de vous le rappeler : « Tout fonctionnaire, quel que soit son rang dans la hiérarchie, est responsable de l'exécution des tâches qui lui sont confiées. Il doit se conformer aux instructions de son supérieur hiérarchique, sauf dans le cas où l'ordre donné est manifestement illégal et de nature à compromettre gravement un intérêt public. Il n'est dégagé d'aucune des responsabilités qui lui incombent par la responsabilité propre de ses subordonnés. »

reste de la population. Un mot de vous et ils regagnaient, penauds, leurs terriers. Mais comme vous vous taisiez, comme, jour après jour, la boîte aux lettres de ma cliente restait vide de toute missive à en-tête de votre Présidence, les cercueils en ont pris à leur aise. Personne ne le leur reprochera... Pas plus que je ne me permettrai de vous accabler. Vous avez tant à faire !

Sachez seulement que Mme Bâ Marguerite, née Dyumasi, était triste, si triste de votre silence ! Au fil des pages, toutes ces pages qu'elle avait si soigneusement rédigées pour vous, elle s'était attachée. Dans son âme hautaine, mais aussi généreuse et sentimentale, vous étiez devenu comme un très grand frère. Pardonnez-lui cette naïveté.

Je ne me souviens pas de tous les cercueils. Seulement du dernier. Par rapport aux miniatures du début, il avait bien grandi. Déjà la taille d'un enfant. À peu de centimètres près, celle de Michel au moment de sa rencontre maudite avec les recruteurs. D'ailleurs, deux chaussures de football étaient grossièrement peintes sur le dessus. Il fut déposé place de la Liberté, devant le siège du ministère de l'Éducation nationale. Sans doute vers la fin de la nuit. En tout cas, il attendait Mme Bâ au matin de la réunion annuelle des inspecteurs (« Bilan de la décennie contre l'illettrisme. Stratégies comparées »).

– Marguerite, un gros paquet pour toi !

Vous imaginez la réaction de ma cliente quand, devant tous ses confrères, elle coupa les nœuds, déchira le papier, et que parut la volumineuse offrande. Non, d'ailleurs, personne, pas même vous, je crois, n'aurait pu prévoir le calme de Mme Bâ, ni son sourire de reine : « Tiens ! Moi qui me croyais si populaire ! J'ai dû pousser une porte interdite. » Et elle rentra dans la salle sans plus s'occuper de la boîte noire.

Qu'est-ce qu'une femme ? Mme Bâ.

Comment ne pas mettre toutes ses forces au service d'une telle incarnation de la souveraineté souriante ?

Salut à la Régie des chemins de fer du Mali !

Reconnaissant, avec une bonne foi des plus rares dans l'univers volontiers autosatisfait des services publics, que ses trains avaient du retard, cette société décida, un beau jour de 1969, d'aider ses clients à prendre patience. Elle aurait pu, il est vrai, choisir une autre stratégie et lutter pour améliorer la ponctualité des mouvements. Mais, intelligente et réaliste, elle savait qu'une telle guerre était perdue d'avance : le mauvais état des voies et des matériels, allié à une certaine indolence du personnel, interdisait tout progrès dans ce domaine.

Mieux valait accepter ces retards comme des données intangibles, tout en agissant pour les rendre supportables. Voire agréables. Il faut dire que lesdits retards dépassaient fréquemment les six heures et pouvaient atteindre la semaine. N'importe quelle autre administration, confrontée à un tel problème, se serait contentée, après rapport d'une commission mixte, psychologues/architectes, de repeindre la salle d'attente en bleu, teinte de l'apaisement.

Au lieu de ce genre de mesurette, il fut décidé de prendre le taureau par les cornes. Que préfèrent les Africains ? Palabrer. Et après ? Faire l'amour. Et avant et après ? Écouter de la musique et danser. La solution était trouvée.

Les Chemins de fer du Mali allaient ouvrir à Bamako, en bordure des quais, un établissement où, en attendant le départ, les voyageurs pourraient se livrer à leurs occupations favorites. Ainsi naquirent simultanément deux légendes : le Buffet de la Gare et son orchestre résident, le Rail Band. Créateurs : Tidiani Koné (griot-trompettiste) et Djely Mady Tounkara (guitariste). Bientôt rejoints par le fils de prince, albinos de génie, Salif Keita, puis par le balafoniste guinéen Mory Kanté.

Pardonnez ces précisions, Monsieur le Président, les fous de musique africaine, comme les amateurs de jazz, aiment l'accumulation des informations. Et d'ailleurs, dans le cas où, au rappel de ces noms, vos jambes, sous le bureau officiel, ne se mettraient pas soudain à s'agiter joyeusement, que vaudrait cet amour pour l'Afrique que si souvent vous proclamez ?

Bref, c'est à ce Buffet de la Gare, « cathédrale de l'attente, vous ne trouvez pas, Benoît ? », que Mme Bâ me donna rendez-vous.

– Alors, comment trouvez-vous notre Buffet ?

Elle surprit mon regard d'adolescent timide, bouleversé par l'enchevêtrement des couples.

– Vous cherchez le fantôme de Balewell, n'est-ce pas ? Il est vrai que cet endroit aurait dû lui plaire, un vrai paradis de la drague. Eh bien, figurez-vous qu'il détestait. Ce cher Peul préférait le silence, les cajoleries poétiques, les longues marches côte à côte sur le sable et sous les étoiles. Chacun sa technique. Ici, je suis tranquille : aucun fantôme à redouter.

C'est au Buffet que, tout au long de ces jours éprouvants, nous échangeâmes nos absences de nouvelles.
– Alors ?
– Rien.
Heureusement que la guitare mandingue de Mama Sissoko nous prenait dans ses bras et nous entraînait loin, loin de nos préoccupations, loin de la France, dans un pays où on répond au message reçu, où on ne laisse jamais sur le seuil quelqu'un qui souhaite vous rendre visite.

C'est au Buffet, sur une musique de Salif, la longue mélopée *Mali Denou*, que je fis ma demande.

À cet instant, un petit retour en arrière s'impose. Vous voyez, Monsieur le Président, les conteurs africains m'ont contaminé. Mais c'est ma dernière digression, je vous le jure.

Vous vous souvenez du bout du monde ? Bamako-Kayes-Yélimané. J'étais venu y saluer Mme Bâ.

Qu'est-ce qu'une femme ?
La route avait été longue, mais j'avais la réponse.
Qu'est-ce qu'une femme ?

Mme Bâ. Marguerite Bâ, née Dyumasi, qui était tellement là. Présente. Infiniment présente.

Les autres êtres humains, j'avais toujours eu l'impression qu'ils flottaient, ballottés sans cesse par le vent des circonstances. Moins des personnes que des hypothèses, des feuilles mortes. Un concours de hasards les avait conduits ici, un autre aurait pu les guider ailleurs. Ils n'étaient pas propriétaires d'eux-mêmes, mais locataires, ils passaient de chambre en chambre, ils se logeaient à la journée ou à l'heure, souvent bien moins.

Mme Bâ était toute à son travail, distribuant des craies pour l'instant. Un à un les bâtons blancs. Comme autant de trésors. Et elle était là. Où qu'elle aille. Et depuis toujours. Elle n'avait sûrement pas même eu besoin de naître. Pourquoi voulez-vous des preuves de mon existence ? Je suis là. Où que j'aille. Et depuis toujours. Vous n'avez pas compris ? Je suis l'Africaine. C'est-à-dire qu'aucun être humain n'est arrivé sur cette terre avant moi. La première à quitter la condition d'animal, à se dresser sur ses pattes de derrière et à guetter de haut le monde, c'est moi.

La regardant, je me disais : enfin je sais pourquoi je suis venu. Venu de si loin. Et deux fois venu. De France en Afrique. Et de Bamako jusqu'à cette extrémité du monde.

Mes confrères mâles français, pour rencontrer leur première femme, n'avaient eu qu'à monter l'escalier ou prendre l'ascenseur et pousser une porte. Moi, ce long, si long voyage m'avait été nécessaire.

– Oh, que je suis seule. Et fatiguée.

Rien qu'un murmure, sept mots à peine émergés du silence.

De retour de son inspection, tard dans la nuit, Mme Bâ s'était effondrée. Sur le siège le plus proche : un gros sac de bouillons Maggi oignon/épices. La seule lumière de Yélimané éclairait à demi son visage épuisé, c'était le néon de la cabine téléphonique, là-bas, tout près, de l'autre côté de la ruelle sablonneuse. Telle que je la connaissais, Marguerite devait déjà regretter sa plainte. Une Africaine avance dans les jours sans jamais rien dire de ses peines, maître Benoît. Pour gémir, nous avons des pleureuses professionnelles. Mme Bâ se taisait. On n'entendait plus que des appels : Douga, tu as Montreuil. Aminata, tu vois que tu as bien fait d'attendre, je te passe Melun. Suivaient des flux de conversations de plus en plus fiévreuses, accélérées vers la fin.

Quelle audace m'a pris ? Mon voyage, si long voyage, m'en avait-il donné le droit ?

Je me redressai. Je la regardai dormir. En ce moment, je suis plus grand qu'elle. Je me souviens que je me répétais cette phrase imbécile, pour une fois que je suis plus grand qu'elle : ça ne se reproduira pas de sitôt. J'avançai mes doigts sur la tête de Mme Bâ, ils caressèrent ses cheveux, descendirent vers ses paupières et lui essuyèrent ses larmes.

Plus tard, peut-être cent ans ou mille ans plus tard, je sentis des mains se poser sur les miennes, je sentis des lèvres se poser sur mon front. J'entendis la voix que désormais je connaissais si bien : « Merci. »

Voilà.

Rien de plus.

Déjà, Mme Bâ s'en était allée. Vers sa chambre minuscule de la maison des jumelages. Sans doute dormait-elle déjà.

Ce rien de plus avait suffi pour déclencher en moi une manière de folie. Des phrases me tournaient et retournaient dans la tête, semblables aux animaux peinturlurés d'un manège : qu'est-ce qu'une femme ? Comment savoir ? Une chose est sûre, je l'ai trouvée. Ma première. Mon interminable. Mon unité. Mon voyage abouti...

Et lorsque le doute, une petite voix aigrelette, parvenait à se faire entendre – « tu es bien sûr, Benoît, tu ne rêves pas ? », une volée d'arguments irréfutables la faisait taire à l'instant : quand mes doigts se sont posés sur sa tête, Mme Bâ n'a pas protesté. Mme Bâ m'a embrassé, oui ou non ? Mme Bâ n'est pas du genre à embrasser n'importe qui.

Telle fut ma nuit : glorieuse et sans sommeil. Vous voyez, Monsieur le Président, je fais comme Mme Bâ. Je m'ouvre à vous, je vous parle ainsi qu'à un grand frère.

Le lendemain, pour revenir à Bamako, j'avais réussi à me procurer cette rareté : un billet d'avion. Logique, vu mon état : je ne touchais plus terre. Mme Bâ avait tenu à m'accompagner (quand une inspectrice infiniment consciencieuse décide d'abandonner en son milieu un stage sur les nouvelles méthodes d'enseignement de la grammaire, c'est qu'elle aime, non ?).

Ce matin-là, nous marchions donc côte à côte sur le tarmac, Mme Bâ et moi.

Moi, fier, si fier, vous avez vu qui m'escorte ?

Comment voulez-vous qu'une main fasse preuve d'intelligence quand tout le corps de son propriétaire n'est que bêtise ? Ma main droite, en conséquence, s'approcha de l'épaule gauche de Mme Bâ et s'y installa. En propriétaire. Mesdames et messieurs, créateurs du ciel, de la terre et de l'eau, apprenez ceci : Marguerite Bâ est mon amour. Un amour incontestable et réciproque. Mme Bâ et moi, c'est pour toujours ; Mme Bâ est à moi.

Le pilote avait retiré sa casquette très galonnée. À l'évidence pour saluer la grande nouvelle. Mme Bâ tourna lentement la tête dans ma direction. Ses yeux, l'espace d'un instant, fixèrent ma main. Une main que je sentais trembler au bout de mon bras. Elle appelait à l'aide : Tu m'as installée là ; et maintenant, imbécile, qu'est-ce que je fais ? Je ne sais plus comment ma main se débrouilla pour disparaître, rentrer sous terre. Durant des jours, elle n'accepta plus aucun ordre de moi.

Une fois encore, pardonnez cette longue digression, Monsieur le Président, vous n'avez pas oublié que nous sommes en Afrique où, à l'inverse de Paris, tout est rare sauf le temps. Revenons au Buffet de la Gare.

Ma folie m'avait repris. Camouflée, détournée, mais folie quand même.

— Épousez-moi, madame Bâ. C'est la solution la plus simple. Une fois française, plus besoin de visa ! Vous êtes en France chez vous. Sitôt Michel retrouvé, nous divorçons.

– Pauvre Benoît...

Dans les yeux de Mme Bâ, reparut le regard, frère jumeau de celui qui, sur le terrain d'aviation, avait accablé ma main. Un regard qui, tour à tour, s'étonne, méprise et s'apitoie.

– Pauvre Benoît ! C'est ça, pour vous, le mariage ?

« Pauvre Benoît ! Pauvre Benoît ! »

Elle ne se répétait pas. C'est sa voix qui devait rebondir contre les parois de ma tête.

– Tu es encore bien jeune. On n'épouse pas pour franchir une frontière. Ou alors... En tout cas, pas les frontières terrestres. Je n'ai qu'un mari : Balewell. Au cas où tu n'aurais pas compris, la mort ne change rien. Vois ces jeunes diablesses, là-bas, comme elles brûlent la piste ! Pourquoi ne vas-tu pas faire connaissance ? C'est de ton âge.

De nouveau le Buffet de la Gare.

– Maître Benoît, je ne voudrais pas que ce double malentendu gâte notre exemplaire relation d'amitié.

Elle avait sorti un cahier d'écolier.

– J'ai donc réfléchi. Et pris des notes, pour ne rien oublier. Écoutez-moi. Et, surtout, ne m'interrompez pas. Les répétitions de l'orchestre vont bientôt reprendre et on ne s'entendra plus.

– Allez-y, madame Bâ.

Elle prit sa voix de conférencière, un peu plus aiguë et solennelle que la vraie.

– En bonne héritière des manies classificatrices de mon père et de ma mère, l'âge venant, avec sa cohorte d'expériences plus souvent lourdes que légères, il me semble pouvoir aujourd'hui ranger les hommes blancs qui s'intéressent à une femme noire en trois catégories :

Premièrement, les touristes sexuels avec leurs quatre variantes :

les amateurs d'exotisme : nous plaisons parce que nous sommes différents ;

les esthètes : nous plaisons parce que la nudité noire est plus belle que la blanche ;

les paresseux : nous plaisons parce que, pauvres, nous sommes plus faciles ;

les techniciens : nous plaisons parce que nous pratiquons mieux l'amour.

Deuxièmement, les touristes humanitaires : nous plaisons parce que nous manquons de tout. La charité trouve avec nous un terrain de jeux inépuisables.

Troisièmement, les touristes pédagogiques : nous plaisons parce qu'il y a tant à nous apprendre, notamment à faire moins d'enfants.

— Bravo, madame Bâ !

— Je vous ai dit de ne pas m'interrompre. En vous, maître Benoît, se retrouve, comme dans un bon cocktail, bien mêlées dans le mixeur, un peu de toutes ces catégories. Première conclusion positive : vous n'êtes pas monomaniaque, au contraire de tant d'autres. Nous vous intéressons pour de multiples raisons. Bravo. Je crois que mes consœurs et moi, nous le méritons.

Ses yeux ne quittaient pas le cahier. De temps en temps, elle s'arrêtait pour réfléchir.

— Mais il y a plus : une dernière catégorie, beaucoup plus rare, celle des préhistoriens, à laquelle il me semble que vous appartenez d'abord. Et, vous allez voir, ce n'est pas de ma part un mince compliment.

« Je m'explique. Certains, dont vous, viennent aussi en Afrique chercher et rechercher le début du monde. Pour ces préhistoriens, ces amateurs de commencement, une femme noire est l'héritière directe de la première mère.

– Je... Je suis d'accord, madame Bâ.

– J'entends déjà mon quasi-ingénieur de père rugir à mes oreilles : décidément tu n'es pas une scientifique, Marguerite. Aurais-tu oublié, mauvaise élève, que rien ne démarre jamais sans l'union d'un mâle et d'une femelle ? Cependant, quelque chose me dit qu'avant même le début, c'est-à-dire au vrai début, le mâle était aussi femelle et la femelle aussi mâle. Ce doit être le fleuve, mon fleuve qui m'inspire comme toujours : il n'y a pas de sexe dans l'eau. Et pourtant c'est d'elle que vient la vie.

« Quand vos yeux pour la première fois se sont posés sur moi, vous vous souvenez ? – "Que puis-je pour vous, madame... Bâ ?" –, j'ai ressenti exactement cela : pour vous je n'étais pas qu'une femme mais la plénitude, l'entièreté d'un être humain. Merci, maître Benoît.

– Merci, madame Bâ.

Par chance, ou par malheur, la musique, qui avait éclaté soudain comme un orage, nous empêcha d'en dire plus.

Le Buffet de la Gare encore, la foule des grands jours : suite à des inondations, aucun train n'était arrivé ni parti depuis une semaine. Ultime rendez-vous. Mme Bâ m'a tendu la lettre venue de France :

Montreuil, 10 janvier 2001.

Chère Marguerite,

Serrez les poings, clignez des yeux, inspirez fort, comme l'Africaine indomptable que vous êtes.

Serrez les poings, sifflotez n'importe quoi, votre chanson préférée, par exemple cet air qui vous faisait si tendrement sourire, le soir au campement, quand le jeune guide Modu acceptait de vous prêter son lecteur de cassettes. Quelle époque heureuse vous rappelait-il ? Surtout, gardez cette musique en vous.

Chère, si chère et généreuse Marguerite, tellement présente malgré la distance, cette mer et ce désert qui, depuis notre lumineuse rencontre, ne parviennent pas à nous séparer. L'oiseau qu'à contrecœur nous voilà obligés de vous expédier par exprès n'a rien des gracieux migrateurs dont nous aimons tant suivre, vous et nous, la route souveraine.

D'avance et d'ici, nous entendons vos cris : plus vite, au fait, qu'est-il arrivé ? Notre lenteur est votre faute. Nous avons appris de vous que la vérité qui se dévoile trop vite manque l'essentiel. Vous vous rappelez ce que vous nous avez enseigné, le soir, au campement ? La vérité est dans le chemin vers la vérité.

Mais maintenant, hélas, le moment est venu.

Annie et moi, nous l'avons retardée, la mauvaise nouvelle, autant qu'il nous était possible. Pour vous laisser une nuit, encore un jour de paix. Il s'agit de votre, de notre Michel. Il a disparu.

Samedi matin, avant-hier déjà, nous sommes partis pour Le Havre. Il y avait longtemps que nous ne l'avions pas vu jouer. Les équipes prennent position. Pas trace de votre petit-fils ni sur la pelouse, ni sur le banc des remplaçants. J'ai attendu la mi-temps. J'ai réussi à interpeller l'entraîneur, M. Takis :

– Michel Bâ, où est-il ?

– Connais pas.

Et il s'est engouffré dans les vestiaires. Vous vous rendez compte ? « Connais pas. » Alors que, six mois plus tôt, il nous affirmait, les yeux dans les yeux : « Le petit Michel ? S'il continue à travailler dur, j'en ferai Djibril Cissé. Peut-être même un ballon d'or. »

Rongeant notre frein, nous avons patienté quarante-cinq minutes. Vous connaissez Annie. Quand on refuse de lui répondre, son sang de syndicaliste se met à bouillir. À la fin du match, perdu 2 à 1 par Le Havre, c'est elle qui s'est ruée sur le coach : Michel Bâ, qu'en avez-vous fait ?

– Mais qu'est-ce qu'elle me veut ? Elle est folle, celle-là !

Il s'est dégagé d'un coup de coude et a rejoint ses joueurs.

La foule s'en allait lentement. Nous restions là, perdus, sur le parking. Annie était d'avis de prévenir la police. Je l'ai retenue à grand-peine : tu es sûre que Michel est en situation tout à fait régulière ? Cette démarche pourrait lui nuire. Prévenons d'abord Mme Bâ.

Nous regagnions notre voiture quand un blondinet s'est approché.

– Vous ne savez pas ce qui est arrivé à la Colle... ?

« La Colle », vous vous souvenez ? Comme il était fier de son surnom !

Le blondinet tournait la tête à droite, à gauche, comme un oiseau apeuré.

– Vous ne dites pas que c'est moi, hein ? Autrement, M. Takis me tue. Vous pouvez me raccompagner à Sainte-Adresse ? J'ai manqué le car.

Pendant un long moment, il s'est tu. Il guettait par la lunette arrière. Il n'a recommencé à parler qu'une fois quitté le centre-ville.

« Michel est mon copain. En janvier, contre Châteauroux, un méchant l'a cassé. Tacle par-derrière. Même pas carton rouge. Il ne faut pas croire qu'entre jeunes on se fait des cadeaux. Le foot est féroce. Michel se tordait par terre. Civière. Ambulance. Je l'ai accompagné à l'hôpital. Au revoir le genou, ligaments croisés arrachés. Le lendemain, le coach est venu. Michel bégayait de bonheur et de fierté. Bon... bonjour, monsieur Takis ! Tu vois la chance qu'on a, un entraîneur qui prend si bien soin de nous. C'est pas en Afrique que ça arriverait.

– Je n'ai pas beaucoup de temps, mon petit Michel, je voulais te souhaiter bonne chance.

– Faites-moi confiance, monsieur Takis, je vais me rééduquer comme personne !

Il rayonnait, la Colle, un sourire qui me reste dans le cœur.

– Le médecin ne t'a pas parlé ? Ils sont tous pareils, les blouses blanches, rien dans le slip. Alors c'est moi

qui vais te dire la vérité, mon petit Michel : tu es perdu pour le foot.

La Colle le regardait sans comprendre.

– Allons, allons, ne fais pas cette tête-là. Il y a des milliers d'autres métiers sur terre. Où on n'est pas obligé de se faire tuer par les terreurs de Châteauroux. Le club a payé le chirurgien. Rien à craindre de ce côté.

Il a sorti une liasse de billets, une liasse très mince.

– Voilà pour toi, un pécule de nouveau départ. Bonne chance, mon petit Michel. Content de t'avoir connu !

Et il est parti.

La Colle commençait à se rendre compte. Son sourire se changeait en grimace. Il a jeté les billets par terre.

La porte s'est rouverte. Le coach a tendu son doigt vers nous.

– Pas d'embrouille, mon petit Michel ! Nous sommes d'accord ? Tu t'en vas avec ton fric, bien gentiment. Sinon, c'est la police. Et pas la peine de revenir, on t'a donné ta chance. Mais maintenant, on te connaît plus. Et toi, Patrick, si tu l'ouvres d'un millimètre, tu peux dire adieu au centre de formation.

M. Takis est reparti pour de bon. »

– Le salaud, le salaud, grondait Annie.

– Vous me jurez de ne jamais parler de moi ? Le foot, c'est ma vie, vous comprenez ?

Nous avons juré.

– Et Michel, maintenant, où est-il ?

– Je ne sais pas, je ne sais pas.

Il hurlait, pauvre gamin, encore plus jeune que Michel. Le foot les prend au berceau.

La voiture était arrêtée à un feu rouge. Le blondinet en a profité. Il a ouvert la portière.

Pardon, Marguerite, d'avoir à vous raconter cette histoire-là, vous qui nous avez tellement enchantés de contes, dans le Djoudj !

Telle est la situation.

Connaissant votre nature de combattante, nous sommes persuadés que vous allez accourir. Alors acceptez, s'il vous plaît, notre contribution, les 350 euros ci-joints. Seulement la moitié du voyage, hélas. Depuis qu'Air France détient le monopole pour les vols sur l'Afrique, elle rackette. Honte à elle ! Pardon de ne pouvoir envoyer plus. La retraite commence à faire son effet sur nos finances.

Bien sûr, nous n'attendons pas votre arrivée pour lancer nos collègues dans la recherche. La Poste a le plus dense réseau national. Bien improbable qu'aucun receveur, aucun facteur ne remarque un Michel esseulé qui regarde ses pieds d'un air plus triste qu'il n'est habituel.

Annie et moi vous serrons dans nos bras.

PS : Il va sans dire que vous pouvez user de nos noms, jusqu'à la corde, comme références. Peut-être que les sourcilleuses autorités consulaires seront rassurées par notre double statut de fonctionnaires. Voici les photocopies de nos cartes ainsi que cette curiosité, peut-être pourra-t-elle vous servir, cadeau d'un oncle de Tréguier, retraité de l'inscription maritime : notre arbre généalogique, rien que des Bretons depuis 1789 !

– J'ai trop attendu. Au revoir, maître Fabiani. Merci pour tout.

Le temps que le serveur veuille bien interrompre sa danse pour présenter l'addition, Mme Bâ avait repris sa guerre. C'est-à-dire qu'elle n'était plus là. Aucune trace d'elle à Bamako. Je l'ai retrouvée, après quels efforts, à mon retour d'un voyage urgent à Paris. Dans l'un des endroits les plus périlleux du monde.

Je vous passe les détails de ma recherche, au demeurant facile, étant donné la personnalité de Mme Bâ : logique et obstination.

Gagner la France par avion ? Impossible. Ulysse Communications contrôlait l'aéroport, haut lieu du racket des voyageurs soninkés.

Le train ? Oublions. On ne peut pas lui faire confiance. Les locomotives sont des dévoreuses de maris. Pourquoi respecteraient-elles une grand-mère ?

La route ? Trop mauvais souvenirs à l'Ouest (maudite ville frontière de Kidira). Trop de risques par le Sud (guerre civile en Côte-d'Ivoire).

Restait l'évidence : le fleuve.

Vous le savez comme moi, chaque humain appartient à un élément. Il est de mer, de sable, de vent, de glace, de montagne... Cet élément naturel est sa première famille, sa tribu dans l'ordre de la géographie. Il s'y réfugie quand tout s'effondre autour de lui et en lui.

Mme Bâ avait beau, quand elle se trouvait à Bamako, dénigrer sans cesse le Niger – « aucune

noblesse », « égout puant », « moquette de jacinthes »
– personne n'était dupe, chacun voyait bien ses coups
d'œil subreptices : elle l'admirait de toute son âme. Et
davantage, sans oser se l'avouer, que son cher Sénégal,
tellement plus sage et convenu.

Demandez une carte à votre aide de camp. Suivez le
cours du Niger. Au lieu de gagner la mer, comme tous
les autres fleuves, il monte follement plein Nord pour
s'affronter au Sahara. Eau contre sable, il veut mener
bataille. Le Niger et Mme Bâ étaient donc de la même
race des indomptables, faits pour s'entendre. Elle avait
dû prendre le bateau, l'un de ces paquebots plats qui
profitent pour naviguer de la saison des pluies.

Elle n'avait qu'une semaine d'avance sur moi.
Qu'est-ce qu'une semaine en Afrique ?

Toujours bredouille.

On n'avait vu personne ressemblant à Mme Bâ descendre à Mopti ni à Kabara (port de Tombouctou) ni à
Gomma. En arrivant à Bourem, j'allai, pour reprendre
des forces, m'asseoir au bord du Niger.

Au grand effroi de Marysa, ma toute-puissante
secrétaire (« Mais ce long et très inutile voyage va
conséquemment le casser, monsieur... Les génies du
lac Debo vont lui emmêler les aiguilles »), j'avais
emporté mon compagnon jaune, mon directeur finan-
cier et garde-fou : le chronomètre John Poole. Qui avait
tant effrayé – exaspéré aussi – Mme Bâ. Je le sortis de
sa boîte. Je voulais lui donner quelques leçons. Je lui
montrai la lenteur, devant nous, toutes ces lenteurs,

plutôt, un vrai catalogue. L'indolence du fleuve, la courbe infinie des méandres (certaines formes visibles sur notre planète bercent mieux qu'une chanson, n'est-ce pas ?), la double langueur des pirogues et des aigrettes, au loin la marche imperceptible des caravanes...

– Regarde bien : le temps, le temps véritable, le temps de tout ce qui vit, le temps des humains, le temps des animaux, le temps des palmiers, le temps du fleuve, le temps n'est pas du tout ce que tu crois, une course insensée et saccadée. Alors tu vas me faire le plaisir d'arrêter ta chamade perpétuelle, ta mécanique sans âme. Tu m'entends, John ? Et, s'il te plaît, module désormais ton rythme en fonction de mes clients. Un peu de souplesse, que diable ! J'en ai assez de ton intransigeance. Tu m'entends, John ?

M'avait-il compris ? Comment savoir ? Son cliquetis n'avait pas varié. Mais les Anglais savent demeurer impassibles, même quand des tempêtes intérieures les bouleversent. Alors, pour faire bonne mesure, j'ajoutais une ou deux menaces :

– Nous sommes bien d'accord, John ? Tu changes tes manières ou je serai contraint de me séparer de toi.

Un groupe d'enfants me regardaient en riant.

– Venez vite, le Blanc palabre avec son horloge !

– Oh, le voilà maintenant qui se met à l'écouter.

– Il faudrait le prévenir que les montres ne parlent pas !

Ces enfants disaient vrai : j'avais collé John Poole contre mon oreille. Car – vous allez me prendre pour un fou, évoquer ma fatigue, la violence du soleil sur mon crâne – il m'avait bien semblé l'entendre protester. « C'est moi qui vais te quitter, Benoît. Mme Bâ t'a changé : tu deviens toi-même africain. Je ne sers plus à rien. Qui peut mesurer le temps d'un Africain ? »

À première vue, la ville de Bourem ne paie pas de mine : au bord de l'eau, un amas de cubes ocre, cerné par des pustules plus claires (les tentes rondes des Bellas, les esclaves des Touaregs). Bref, une localité sans charme aucun, pareille à des milliers d'autres.

Pour rendre justice à Bourem, il faut revenir à la carte. Constater qu'à partir de ce point précis le Niger infléchit sa course et redescend vers la mer. Comment ne pas créditer Bourem de cette sagesse retrouvée ?

— Bon, maintenant, Niger, fini de jouer ! Tu as mené ta bataille contre le désert. Comme on pouvait s'y attendre, tu as perdu. Personne ne te reproche ta défaite. Au contraire, chacun admire ton audace, ton courage, ta vaillance. Objectif mille fois rempli. À quoi sert de t'obstiner ? Tu veux vraiment que le Sahara te montre qui est le plus fort ? Tu veux finir ensablé, une bonne fois pour toutes, comme un vulgaire petit oued ? Alors tu vas bien gentiment reprendre ton lit normal et suivre ton destin fluvial et te jeter, auréolé de gloire, dans le golfe de Guinée.

Le Niger ne répond rien. Il est trop fier pour ça. Mais il obtempère, il courbe la tête, vire de bord et gagne le Sud.

Cette leçon, Mme Bâ l'avait-elle également suivie ? Je menai mon enquête. Et constatai ce que je redoutais : Mme Bâ était bien plus folle que le fleuve.

Sur une place, une dizaine de pick-up attendaient, un vrai musée Toyota, des modèles les plus anciens, les BJ 30, 45, aux bombes plus récentes, le BJ 75, six cylindres à essence, 180 km/h garantis, le HZJ 105, le palace des sables... Certains n'avaient encore que deux ou trois clients. D'autres débordaient déjà de passagers. Aucun des jeunes gens ne bougeait, ils dormaient, prenaient des forces pour l'aventure ou regardaient, hébétés, droit devant eux, sans rien dire, comme drogués.

Un homme édenté m'ouvrait les bras, un ancien combattant, il portait un ruban vert à son veston troué.

– Voyage pour Tessalit, l'Algérie, le Maroc, la Libye ? Bon prix. Sécurité. Choisis le véhicule. Rien que du premier choix.

Je mis quelque temps à comprendre l'inscription à la craie sur la pancarte au-dessus de sa tête :

Biro Transport
Ssandika

Je m'adressais à la bonne personne, le représentant du syndicat des transporteurs. Les passeurs s'étaient organisés...

– Une femme grande, d'ethnie soninkée...

Il ne fronça pas longtemps les sourcils.

– Attends, je réveille ma mémoire. Ce sera facile. Hélas, nous avons peu de clientes. Le ssandika se souvient de tout le monde, le transport est une famille. Voilà, j'y suis. Une presque géante, il y a une semaine, c'est ça ? Elle a payé pour un BJ 30, on lui a offert le mieux, un HZJ. Promotion spéciale du ssandika : j'espère qu'elle parlera de nous quand elle sera en France. Tu cours après elle ? Je te donne une place ?

Le plus aimablement possible, je lui demandai quelques instants pour réfléchir.

— Quand on réfléchit, on part pas.

Dans les pick-up, les candidats émigrés étaient sortis de leur torpeur. Ils m'appelaient à grands cris. Hé, le Blanc, viens avec nous ! Non, avec nous ! Tu nous porteras bonheur ! Tu aimes Ben Laden ?... Ils s'étaient redressés. Ils montraient le visage émacié qui souriait sur leurs tee-shirts. Tu veux rencontrer Ben Laden ? Il n'est pas loin, juste vers le Nord. Demande au ssandika, c'est en option...

Pourquoi la jeunesse préférait-elle les héros barbus ? Après le Che, Oussama. Je m'enfuis piteusement.

— Alors, vous avez fait connaissance avec les mafias locales, on dirait ?

Quelqu'un me parlait dans le soleil. Je fis trois pas de côté pour mieux voir. Un culbuto. Le mot m'était revenu en même temps que la forme. Ces jouets-personnages qui s'élargissent régulièrement du haut vers le bas pour finir en boule. Grâce au plomb qui les leste, on a beau les frapper, ils recouvrent toujours leur équilibre. Un culbuto chaleureux, grand sourire et main tendue.

— Gilles Bastian, ressortissant luxembourgeois, ONG Aman Iman : « l'eau, c'est la vie » en bambara. Nous forons des puits.

Je dis mon admiration pour cette belle activité.

— Si vous allez vers le Nord, j'ai une place pour

Kidal. Un bon vieux Cessna 105. Croyez-moi, vous ne perdrez pas au change.

– Le ssandika est dangereux ?

– Votre nouvel ami vous l'a dit : le transport est une grande famille ; cigarettes, armes, drogues, immigrés...

Un autre culbuto, de genre féminin cette fois. La pilote belge (quatre galons) d'Aviation sans frontières était la copie conforme du puisatier : même rondeur conséquente de la taille, même jovialité généreuse.

– Je m'appelle Marie-Pierre.

Avant d'embarquer, elle me tendit une pilule.

– Pardon d'être triviale, monsieur l'avocat, mais mon petit appareil n'a pas de toilettes. Il vaut mieux prendre ses précautions, n'est-ce pas ?

Un vent de sable s'était levé. Une brume jaunâtre cernait l'avion de plus en plus près. La Marie-Pierre aux quatre galons ne semblait pas rassurée. J'étais assis derrière elle, au milieu des bagages. Je voyais les cheveux s'humecter de sueur. Elle parlait de plus en plus. Les grands pays européens n'ont-ils pas honte de si peu donner au Sud ? C'était sa rengaine. Au contraire, la Belgique et le minuscule Grand-Duché du Luxembourg peuvent marcher le front haut. Grâce à un don personnel de la Grande-Duchesse, on vient de nous installer le GPS. Merci à elle. Mais nom de Dieu, à quoi sert de savoir où on est si l'on ne peut atterrir ? Je vais descendre encore un peu.

Dans les éclaircies, nous retrouvions la piste, les traces de pneus, et les camions. Les malheureux, ils avaient l'air de souffrir le martyre, juste en dessous de nous, écrasés par leurs charges, disloqués par les cahots. Ils n'avançaient que mètre après mètre. Beaucoup avaient rendu l'âme, abandonnés çà et là. D'autres étaient soignés avec ardeur. On voyait des capots levés, des corps allongés entre les roues ou plongés à demi dans les moteurs. Les pick-up passaient plus vite. Mais montant vers le Nord ou en redescendant, ils étaient tous également pleins.

— Je ne comprends pas. Drôle d'immigration ! Ils sont aussi nombreux à revenir qu'à partir.

— Figurez-vous que l'Algérie refoule, maintenant, et le Maroc, et la Libye. Tout le monde refoule.

— Combien réussissent à franchir le Sahara ?

— Personne ne sait. Dix pour cent ? Vingt pour cent ?

— Pardon, mais cette fois, vous me semblez voler vraiment bas.

— Dans ce coaltar, vous avez une autre méthode pour atterrir ? Mon Dieu, Marie, Joseph !

Le puisatier dormait. Pour plus de précaution, juste avant le décollage, il avait avalé une deuxième, puis une troisième pilule. Elles devaient avoir des vertus dormitives non prévues par la notice. Il ne se réveilla que l'acrobatie terminée, le Cessna miraculé roulant dans une opacité totale sur une surface qui devait être une piste ou qui en tenait lieu.

— Décidément, j'adore l'avion. Oh, oh, Marie-

Pierre, vous avez vu le col de votre chemise ? Ces suées ne sont pas normales. Palu ou ménopause ? Il va falloir consulter.

Le vent de sable ne cessait pas. On n'y voyait pas à cinq mètres. Comment mener mon enquête ? Je n'interrogeai que trois personnes : un policier, un enfant, le serveur de la pompe à essence. Toujours la même phrase. Avez-vous vu une femme soninkée, une presque géante ? Ma question me semblait de plus en plus fragile à mesure que nous montions vers le Nord. La réponse était toujours la même : un ricanement. « Parce que tu crois, monsieur, que les émigrés s'arrêtent dans les villes et descendent dans les meilleurs hôtels ? » J'abandonnai.

Peu à peu, la brume vira au noir. Et c'est ainsi que vint la nuit. Je ne peux donc vous dire à quoi ressemble Kidal. Car, dès avant l'aube nous étions repartis. Toyota BJ 30. Chauffeur targui : Bonjour, je m'appelle Abderrahmane, ancien de la rébellion. Garde targui : Bonjour, je m'appelle Saïd, ancien de votre université Paris-I (DEUG de sciences), et aussi ancien de la rébellion.

Durant toute cette journée, nous n'avons parlé que de ça, la rébellion. La rébellion était leur seul vrai pays. Que reste-t-il à des nomades quand des instances lointaines se mettent un beau jour à élever des frontières à travers le désert ? De quel droit quelqu'un peut-il interdire à des troupeaux d'aller paître où bon leur semble ? Le puisatier hochait la tête : si j'avais les financements, je multiplierais les forages et pfuit, fini les problèmes ! (Il accompagnait ses dires d'un mouvement très gracieux de la main droite, semblable à celui d'un prestidigitateur qui veut faire disparaître une colombe.) Mais le Grand-Duché ne peut tout faire tout seul.

Pour lui faire plaisir, et détendre l'atmosphère, je lui donnais raison autant de fois qu'il était nécessaire :

– Vous avez raison, Gilles, le Grand-Duché ne peut pas tout faire !

Le paysage ne variait guère. Tantôt nous roulions sur la lune : à perte de vue une croûte grisâtre jonchée de cailloux. Et tantôt sur le fond de la mer : l'eau s'était retirée au-delà de l'horizon, ne restait plus qu'une infinie plage de graviers. Sans doute que les marées prenaient leur temps, sous ces latitudes. La prochaine reviendrait dans deux, trois mille ans.

Soudain, sans prévenir, la voiture s'enfonçait dans un chemin de dunes bordé de torchas, ces arbustes difformes de la famille des euphorbes.

– On les appelle les cheveux blancs de l'Afrique. Ils annoncent qu'à cet endroit, la terre n'a plus d'âge.

Le garde Saïd jouait aussi le guide. Aussi farouche guerrier – de son sac à dos dépassaient, côte à côte, le goulot de sa bouteille d'eau et le canon de sa Kalachnikov – que passionné d'histoire naturelle. Il ne manquait pas une occasion de présenter telle ou telle richesse, ou curiosité, de sa très austère patrie : Oh regardez, un couple d'outardes ! Vous avez vu, là-bas, ces trois tumulus ? Ce sont des tombes. Ne me demandez pas la date. Si vous avez des savants parmi vos amis, ils seront bien reçus. Votre Théodore Monod est venu, il y a longtemps. Mais tout reste à explorer.

Si son petit Michel ne l'avait pas appelée à l'aide, si elle avait eu le loisir de flâner en chemin, Mme Bâ aurait apprécié ces Touareg : aucune maladie de la boussole, chez eux, aucune manie de l'immigration. Ce désert était leur terre, à jamais. Quelle que soit sa dureté. Que personne, seulement, ne s'avise de les asservir.

Depuis le matin nous n'avions rencontré âme qui vive. Rien que des épaves, toutes sortes de squelettes, de toutes sortes de véhicules. Et, maintenant, la lumière commençait de tomber. Depuis un bon moment, le puisatier se taisait. Malgré son naturel optimisme, le doute devait s'immiscer en lui comme en moi : suivions-nous toujours la route prévue ou avions-nous soudain, par une porte invisible, pénétré sur une autre planète, une planète sans direction claire ni points cardinaux, sans jour de départ ni jour d'arrivée, une planète où l'on tourne sans fin, de plus en plus lentement – l'univers des nomades ?

Le rebelle-naturaliste dut deviner notre inquiétude.

– Nous arrivons.

Longtemps, très longtemps après, il faisait déjà presque nuit, heureusement que John Poole ne voyait rien, enfermé dans sa boîte, la colère l'aurait étranglé : « Ces gens-là n'ont aucun sens de la durée ! », un panneau parut sur le côté droit de la route, le premier depuis le début du voyage, un panneau bien connu des candidats au permis de conduire, un triangle orné d'une montagne russe (stylisée) : Attention, dos-d'âne ! Des palmiers surgirent derrière des murailles, des promesses de jardins. Une rivière de sable descendait le long de la montagne noire. Tessalit.

Tout le monde, sauf un groupe d'Américains, dînait sous la tente. Betterave en entrée, chèvre pour suivre. L'Union européenne avait financé un campement moderne, une dizaine de bungalows coquets, mais ils demeuraient vides, portes et fenêtres battantes, infiniment dédaignés sauf par les poules qui y avaient élu domicile. Nomade on est, nomade on demeure, même au milieu de constructions en dur. Une délégation de Saint-Jean-de-Maurienne entourait les officiels locaux, le maire, le préfet, le commissaire. Impossibles à distinguer : entre les pans de leurs chèches, on ne voyait que des yeux brillants. Ce petit monde discutait de l'avenir, le prochain jumelage, le dispensaire à bâtir au plus vite. L'absence d'alcool n'expliquait pas les conversations chuchotées. Pourquoi ces murmures ? Qui avait-on peur de réveiller ? Ou quoi ? Il faut dire que les nouvelles n'étaient pas bonnes. Deux touristes hollandais avaient été égorgés la semaine précédente. Chaque jour, des voyageurs étaient dépouillés. Vous voyez cet Espagnol, là-bas ? On l'a retrouvé hier en slip sur la route d'Aghelloc.

Une guerre couvait. Entre quels ennemis ? Voilà pourquoi Tessalit donnait si fort ce sentiment de ville assiégée.

Pour détendre l'atmosphère, le maire raconta l'histoire d'un de ses administrés, Haroun, dit le « Lion du désert ». Son obsession à lui, c'était la chaleur. Il ne la supportait pas. Il avait juré sur le Coran que jamais, chez lui, même en mai-juin, durant les canicules, la température ne dépasserait vingt et un degrés.

– Et alors ?

– Il a tenu parole.

– Oui, oui...

L'après-midi, Saint-Jean-de-Maurienne avait visité la maison réfrigérée : Vous vous rendez compte, elle est construite sur un puits... un tunnel recueille le vent brûlant... le petit lac intérieur s'évapore... l'énergie dégagée libère le froid... moi qui suis scientifique, je n'ai jamais rien vu de plus ingénieux.

Ils en rajoutaient dans l'enthousiasme. Au moment de signer un jumelage, il fallait moins que jamais sombrer dans le pessimisme. Haut les cœurs ! Et terrassons la fournaise. Les futurs vrais combats de la planète seront climatiques, n'est-ce pas ?

Je ne pouvais m'empêcher de sourire. Jusqu'où montait le thermomètre en ces parages : 45, 46 ? Kayes pouvait dormir tranquille. Ce n'est pas le Sahara qui lui ravirait son record.

L'un des chèches s'était glissé vers nous.

– Vous repartez dès demain, n'est-ce pas ? Je suis le commissaire. J'ai préparé votre protection.

– Nous avons déjà un garde.

– Ce n'est pas suffisant ! Hélas, notre région n'est pas sûre. Vous aurez les deux escortes réglementaires.

Bien sûr, je posai la question imbécile :

– Pourquoi deux ?

Le chèche ne m'avait pas entendu. Il avait déjà regagné sa place au milieu des Savoyards. La réponse vint de Saïd :

– Parce que la première escorte est gratuite. Mais la

seconde est payante, très payante. Les rackets commencent.

Il grondait.

À leur table, au milieu de la cour, les Américains eux aussi parlaient bas. D'où nous étions, accroupis, ils paraissaient d'une autre race, à la fois plus massifs et plus enfantins, presque innocents.

— Que font-ils ici ?

— Ils recherchent Ben Laden, comme tout le monde. Et ils négocient la piste.

— Pardon ?

— Celle de l'ancienne base militaire française. Quatre kilomètres de long, état correct. Regardez la carte. Point d'appui idéal au milieu de l'Afrique.

Honte sur moi, madame Bâ ! Honte à ma couardise ! À la vue de notre escorte, deux pick-up bourrés d'hommes en armes, je faillis renoncer.

Une double bande d'épouvantails. Non que ces soi-disant gendarmes arboraient des mines menaçantes. Au contraire, leurs visages étaient ronds, encore adolescents, et tout à fait joyeux, rigolards même, apparemment ravis de la mission de protection matinale qui leur était confiée. C'étaient leurs tenues qui faisaient frissonner, l'accoutrement que chacun s'était choisi, un amoncellement des plus hétéroclites, du militaire et du civil, voire du vacancier, des capotes kaki, des vestes léopard et des sweat-shirts de basketteurs, des passe-montagnes multicolores et des lunettes de baigneur, des casquettes *I love New York* dialoguant avec les fameux tee-shirts à la gloire de Ben Laden, des cascades de gris-gris, dents de chacal, fœtus de chauve-souris, mêlés à des colliers de jeune fille, des cœurs, des prénoms dorés, un festival de logos, c'était à qui en montrerait le plus, quitte à les aligner, les coudre ensemble, Nike, Reebok, Adidas, Lancôme, les nouveaux galons, les Légions d'honneur de la modernité. Sans oublier les jouets, les couteaux, les machettes gaiement brandis vers le ciel, Allah Akbar !, les bonnes vieilles mamans Kalachnikovs sans cesse polies, caressées, embrassées, deux sur trois décorées encore de guirlandes, on n'était pas loin de Noël.

Déjà prêts pour le départ, assis dans la benne, pieds au-dehors, ils présentaient fièrement leurs chaussures, un invraisemblable catalogue, des escarpins en croco aux brodequins réglementaires en passant par les moon-boots, les Doc Martens ou les santiags de chanteur de rock. Juché sur son siège, un bidon rouge, un rasta d'une maigreur d'agonisant, le serveur de la mitrailleuse, s'était contenté de tongs. Sa coquetterie, il l'avait placée ailleurs, dans des gants de jardin jaune et vert, sans doute en hommage à l'Éthiopie.

Je frissonnai. Comment faire confiance à de tels patchworks humains ? L'incarnation même, jusqu'à la caricature, des déchirements et des rapiéçages de l'Afrique.

Saïd devina mon angoisse, tapota son sac à dos d'où dépassaient toujours la bouteille d'eau et le canon chromé.

– Ne crains rien. Au premier coup de feu, ils s'éparpillent comme des tourterelles.

De nouveau nous roulions sur le fond de la mer. Au bout de deux heures surgit une deux-chevaux, ou plutôt sa carcasse abandonnée sur le bord de la piste.

Saïd fit signe au chauffeur de s'arrêter, se tourna vers moi :

— Quelqu'un qui s'intéresse aux immigrés se doit de lui rendre hommage.

Je descendis. Nos deux escortes, la gratuite et la payante, avaient disparu. De tout côté, la terre et le ciel étaient vides. Le rebelle-naturaliste parlait derrière mon dos.

— Personne n'a jamais su son nom. Il venait de Tessalit à pied. Rien ne retient les gens qui veulent gagner le Nord. Il a dû se sentir mal. La voiture était déjà là, désossée depuis des années. Il s'est allongé dans le coffre. C'est là qu'il est toujours. On l'a seulement recouvert de pierres. Vous venez ? La route est encore longue.

Cette rencontre macabre n'avait pas troublé le puisatier. D'autres angoisses l'occupaient. Dans un long voyage, chacun finit par se laisser envahir par son obsession. Moi, je voyais Mme Bâ partout, affalée là-bas au milieu des cailloux, debout sur la plus haute des dunes et nous appelant à l'aide. Lui, il avait sorti ses notes. Nous l'entendions murmurer : fou, il faut être fou comme moi pour forer ici jusqu'à quatre cents mètres. Il se frappait du poing le crâne.

Les bidons apparurent d'abord, une armée multi-colore, des centaines et des centaines de cylindres cabossés, comme les pions d'un jeu géant. Les habitations ne surgirent qu'après, dans un creux du sable, l'amas habituel de gros cubes ocre.

– Je ne vous ai pas prévenus, Inhalit n'a pas d'eau. Chaque jour, des camions vont en acheter à la mairie de Bordj-Moktar, la première ville algérienne. En prétendant que les troupeaux ont soif. Bien sûr, personne n'est dupe... Et c'est pour ça que je suis là !

Le puisatier avait repris du poil de la bête. L'évidence de son utilité le requinquait. Ses yeux brillaient. Il se préparait à l'exploit, au chef-d'œuvre de sa carrière humanitaire.

On n'entre pas comme ça dans la ville sans eau. Si vous venez dans ces parages, Monsieur le Président, prévenez votre chef du protocole. Il faut respecter scrupuleusement l'ordre chronologique. Visiter d'abord l'habitant numéro 1, M. Sidama, le père fondateur. Il vous montre avec solennité la toute première maison : Je me souviens du jour, le 28 mai 1996, j'étais tout seul et j'ai construit. Je me disais qu'un relais serait utile au milieu du désert. Hélas, comme vous le voyez, nous avons dû l'abandonner. Elle est devenue pissotière.

On félicite. Puis on s'en va saluer l'habitant numéro 2. Il vous fait admirer son œuvre, la deuxième maison – hélas, le terrain a glissé, voyez ce qu'il en reste. Lui aussi raconte : Je passais par là, je me suis dit pourquoi pas ?

Et ainsi de suite. La ville compte plus de mille habitants aujourd'hui.

Partout, le Luxembourgeois était reçu en héros.

– La Grande-Duchesse aura une place à son nom.

– La place principale.

– Celui qui donne l'eau donne la vie.

Etc.

Et le déjeuner d'honneur commença (betterave et chèvre).

Ce n'est pas parce qu'une ville est nouvelle qu'il faut faire fi des rites et de la courtoisie.

J'attendis – tous les présents peuvent en témoigner, le garde rebelle-naturaliste, le puisatier – ... j'attendis pour poser ma question, j'attendis patiemment, j'attendis poliment, j'attendis jusqu'à ce que le dernier des invités eût avalé sa troisième et dernière tasse de thé vert amer :

– Pardon de vous importuner, vous devez rencontrer tellement de monde, mais une femme, grande, d'ethnie soninkée...

– Vous parlez de Marguerite ?

À l'évidence, Mme Bâ était une célébrité à Inhalit. Les autorités 1, 2 et 3 s'esclaffaient :

– Nous accueillons peu de femmes, hélas. Mais celle-là, un phénomène.

– À son âge, demeurer si belle !

– Mais il ne faut pas s'y frotter !

– Avec elle, ils vont devoir filer doux, ceux de son groupe !

– Elle est partie il y a longtemps ?

– Attendez voir...

– Je dirais trois jours.

– Non, quatre.

– De toute façon, le syndicat vous renseignera.

– Pourquoi, c'est votre amie ?

Chez les transporteurs aussi (*Biro des kamions et pic op, ofiss for voyageurs*), Mme Bâ avait laissé des souvenirs émus.

– Une cliente de grande classe.

– De grande allure, vraiment !

– Une princesse, hélas, maltraitée par la vie.

– Nous avons pris soin d'elle.

– Elle a reçu le meilleur véhicule : Toyota HZJ 80.

– Les plus grandes chances de succès.

– Je peux savoir la direction qu'elle a prise ?

Les deux préposés levèrent les bras au ciel.

– Ça, monsieur, impossible de te le dire !

– Le bon conducteur se saisit des circonstances.

– Et qui peut prévoir les circonstances ?

– Regarde.

D'un revers de la main, ils écartèrent les bouteilles de Coca vides. Une vieille carte parut, un Sahara maculé de taches et troué par les cigarettes.

– Vous voyez, il y a des dizaines de chemins possibles. Tamanrasset-Djanet, vers la Libye. Ou bien direct vers Alger par Arak, In Salah, El Golea. Ou encore Reggane et le Maroc... Le sable, c'est comme la mer. Chacun choisit sa route.

– Nous vous le disions : en fonction des circonstances.

J'avais fermé les yeux : qu'est-ce qu'une femme ? Quelqu'un qui ne craint pas d'affronter le désert lorsque, de l'autre côté du sable, la petite voix de son amour appelle à l'aide.

– Quelque chose ne va pas, monsieur ? Le ventre ? Le syndicat a toutes les pilules, radicales et pas chères.

Je remerciai.

Bon voyage, Mme Bâ !

Il ne me restait plus qu'à rebrousser chemin, retrouver Bamako, les dossiers, les deux vigiles de ma vie quotidienne, John Poole et les ongles violets de Marysa. En tout cas, personne, aucun bâtonnier ne pourra jamais m'accuser d'avoir bâclé ce dossier.

– Vous pourriez me trouver un moyen pour redescendre ?

Mes deux amis se sont dressés. Un vrai garde-à-vous.

– L'honneur est pour le syndicat !

– Vous avez frappé à la bonne porte !

– Dès qu'un véhicule se présentera...

– ... un véhicule digne de monsieur, monsieur... ?

– Benoît.

– ... digne de monsieur Benoît se présente, nous appelons monsieur Benoît.

– Dans la minute !

– En attendant, profitez bien d'Inhalit, monsieur Benoît.

Je n'ai pas vu les Ghanéennes. Hélas, monsieur, tu les as manquées de peu, l'imam les a chassées le mois dernier. Il doit bien en demeurer une ou deux tout à fait cachées et à peine plus chères. Elles n'ont pas leur pareille pour aider à occire le temps. Tu peux toujours faire appel à moi quand il s'agit de rendre tous les services.

Je n'ai pas vu la drogue (comment crois-tu, monsieur, que se financent les voyages ?) mais j'ai vu débarquer les gros cartons de dix mille cigarettes rouge et blanc. J'ai vu le bon sourire des commerçants : remercie la France, monsieur, et vos taxes géniales sur le tabac. Sans elles, ma boutique pourrait fermer, et comment je paierais les études de mon fils à Paris ?

J'ai vu passer (à toute vitesse) les pick-up des candidats immigrés : ils brandissaient le poing, on aurait dit des conquérants ; j'ai vu revenir les refoulés, j'ai vu la plupart tituber en posant le pied sur le sable. Je me suis accroupi près d'eux. Cinq jours et cinq nuits durant, j'ai entendu, vraies ou fausses, les histoires les plus tristes du monde : « J'ai été violé », « J'ai été prostitué », « J'ai été soldat dès dix ans », « Dix frères et sœurs attendent mon argent »... J'ai demandé où leur périple vers le Nord s'était arrêté. Casablanca, Tanger (pas de chance, si près du but), Tamanrasset, Tozeur. J'ai demandé s'ils avaient mangé et bu depuis une semaine. À peine, à peine. J'ai demandé s'ils repartiraient. Bien sûr, bien sûr. J'ai vu des ignominies. Monsieur, monsieur, viens vite. J'ai vu des refoulés à la file indienne. J'ai vu des épouvantails, des gendarmes, ma double escorte, les menacer de leurs armes. J'ai vu un capitaine Maïga (c'est son nom véritable) leur soutirer à chacun deux mille cinq cents francs CFA. — Mais je n'ai rien. — Tu ne partiras pas d'ici avant de m'avoir payé !... Et toi, l'avocat, attention à ce que tu vas raconter.

J'ai vu une rue de restaurants déserts. Risto. Resto. Best in Town. Soyez les bienvenus.

J'ai vu des dizaines de refoulés mouler de la terre humide.

J'ai vu des champs de briques sécher au soleil.

Je suis demeuré cinq jours et cinq nuits prisonnier d'Inhalit. Chaque fois qu'un véhicule, n'importe lequel, se préparait à descendre vers le Sud, je m'approchais, palabrais, promettais, menaçais. Chaque fois, un membre du syndicat s'interposait :

— Allons, monsieur Benoît, un peu de patience, vous voyez bien qu'il n'y a pas de place.

— Allons, monsieur Benoît, un peu de bon sens, vous voyez bien que ce Ford va rendre l'âme en chemin.

— Allons, monsieur Benoît, un peu de dignité, vous voyez bien que ce tacot Land Rover est indigne de votre position.

— Allons, monsieur Benoît, un peu de réalisme : à quoi sert de vous battre ? Nous sommes tellement plus nombreux que vous et tellement plus armés. Faites donc confiance au syndicat. Il n'agit que pour votre bien.

Ces paroles doucereuses m'étouffaient peu à peu

tout autant que le sable. Aucune porte, aucun mur, aucun tissu, aucune paupière, aucune lèvre, aucune peau ne résiste à l'invasion du sable.

Enfin, au petit matin du sixième jour, les deux syndicalistes se présentèrent, suivis de toutes les autorités chronologiques.

– Bonne nouvelle, monsieur Benoît. Nous avons pour vous le meilleur des transports. Une place arrière, près de la fenêtre, dans un HZJ 105 dont la climatisation fonctionne, nous avons vérifié. Excellent voyage, monsieur Benoît.

L'instant d'après, j'étais installé.

C'est alors que M. Sidama, l'autorité chronologique numéro 1, m'a tendu deux enveloppes.

– Pardon de vous avoir retenu si longtemps. Mais c'étaient les ordres. *Ses* ordres. Vous connaissez Mme Bâ. Comment lui résister ?

J'ai salué, remercié.

Les quinze autres passagers se sont installés, ils m'ont écrasé. Plus ils m'écrasaient et plus je souriais. Et, par la fenêtre ouverte, j'ai salué de nouveau, encore et encore remercié.

Maintenant nous commencions de rouler, poursuivis par les enfants : Bon voyage, et la prochaine fois, apportez des Bic et des cadeaux ! Nous avons longé le chantier du forage. Le puisatier luxembourgeois n'a pas relevé la tête : il scrutait les entrailles de la terre. Il me semblait qu'autour de lui, les bidons ricanaient. De nouveau disparue, l'escorte. Sans doute occupée quelque part à racketter. J'ai pensé à votre collègue, l'excellent Président du Mali. Je me suis demandé : comment diriger un pays si pauvre ?

Comment prendre connaissance de son courrier quand on est un passager écrasé ? J'ai attendu Tessalit.

La première lettre m'était adressée. La grande écriture bleue, typique calligraphie d'institutrice, m'a fait battre le cœur.

Pardon de vous avoir retenu prisonnier. Mais un avocat doit savoir la vraie douleur de l'immigration. Je me trompe ?

Merci pour tout.

Marguerite Bâ

La seconde lettre est pour vous.

Monsieur le Président de la République française,

Dans mon pays, celui qui arrive, quel qu'il soit, d'où qu'il vienne, on lui fait fête.

Dans mon pays, ce n'est pas l'usage de prévenir qu'on arrive puisque personne n'interdit d'arriver.

Je sais qu'en France la coutume est différente.

Et jamais, la fille de Mariama, la traditioniste, ne voudrait manquer à la politesse.

Alors je vous préviens.

J'ai lutté.

Peines perdues.

Me voilà, contrainte de céder, comme les autres, tous les autres, ceux qui sont déjà venus et les autres, tous les autres qui vont suivre : j'arrive.

Mme épouse Bâ, née Dyumasi Marguerite.

REMERCIEMENTS

Tenter de devenir Madame Bâ n'était pas une mince affaire. D'innombrables voyages me furent nécessaires et bien des lectures.

Ceux qui veulent en savoir plus sur la très riche culture soninkée liront avec bénéfice et passion : *La société soninké*, Éric Pollet et Grace Winter, éditions de l'université de Bruxelles, 1971. *Parlons soninké* de Christian Girier, Paris, L'Harmattan, 1996.

Sur des points plus particuliers ils pourront aussi consulter le beau livre d'Adamé Bâ Konaré *Parfums du Mali*, éditions Cauris, 2002, et l'article d'André-Marcel d'Ans : « Être forgeron dans le Mandé », Revue de l'ACCT, 1992.

Mais je dois d'abord ce livre à toutes celles et ceux qui, au cours de ces années de recherche, m'ont, à un titre ou à un autre, apporté leur aide. Notamment Jean-Pierre Brard, Joël Calmettes, Hawa Camara, Catherine Clément, Christian Connan, Jean-Pierre Cot, Jean-Baptiste Cuisinier, Yves de la Croix, Demba Diabira, Habib Diouf, Jacques Forgeas, Christophe Guillemin, Jean-Pierre Lafon, Frédéric Lenica, André Lewin, Pierre Maurice, Pierre Moussa, Nicolas Normand, Laurence Paye-Jeanneney, Christian Saglio, François Stasse, Jean-Claude Thoret, Pierre Luc Vacher.

Sans oublier mes amis de l'ADCYF (Association pour le développement du cercle de Yélimané en France), de l'Association des Femmes maliennes de Montreuil et de l'Office montreuillois des relations internationales.

Avec une mention particulière pour :

Kamel Benmeddah, conseiller du maire de Montreuil (Jean-Pierre Brard) : il m'a grand ouvert les portes de sa ville, tête de pont du Mali en France.

Douga Cissé, président de l'ADCYF. Je lui dois en grande partie ma connaissance et mes connaissances du Nord-Ouest du Mali.

Ibrahim Litny, économiste de talent, pour l'heure, conseiller de l'USAID. Il m'a fait ce cadeau rare : m'inviter dans sa culture et me faire découvrir son royaume : l'Adrar des Iforas.

Modu Dièye, c'est grâce à ce guide attaché au campement d'Habib Diouf dans le parc du Djoudj que j'ai avancé dans la connaissance des oiseaux migrateurs.

Je saisis cette occasion pour saluer ma famille d'Afrique, mon frère Hamidou Sall et mes deux sœurs Henriette Diabaté et Aminata Traoré. Ce que je leur dois à tous les trois pour le livre et pour le reste et depuis si longtemps ne peut s'exprimer.

Mes confrères écrivains me jalousent le regard de mes éditeurs Claude Durand, Jean-Marc Roberts et Denis Maraval. Je peux leur confirmer qu'ils ont raison.

Qu'est-ce qu'un manuscrit sans fées ? Madame Bâ eut les siennes : Charlotte Brossier et Liliane Rodde.

Enfin pardon à ma famille française. Ce n'était pas facile tous les jours de partager la vie d'un petit quinquagénaire parisien qui se prend soudain pour une Africaine presque géante.

À tous et toutes du fond du cœur, merci.

AVERTISSEMENT

Tous les personnages rencontrés et tous les événements relatés dans ce livre sont les fruits de l'imagination de l'écrivain qui n'aime rien tant que brouiller les pistes, changer les noms et les lieux pourvu que l'histoire déroule sa logique et qu'à la fin la vérité soit dite.

Pardon au Mali, pays que j'aime et dont je respecte les dirigeants, parmi les meilleurs d'Afrique. J'y ai placé une scène peu ragoûtante que j'avais observée ailleurs. Rappelons que la corruption n'est pas un monopole africain. Hélas, en cette matière, la France n'a de leçons à donner à personne.

Quant à l'administration de mon pays, c'est, nous nous plaisons à le chanter, la meilleure du monde. Cette excellence n'empêche pas que certains agents fautent, notamment dans les consulats. Le ministre des Affaires étrangères a pris les mesures qui s'imposaient. Je peux témoigner qu'à Bamako l'ambassadeur a lutté ferme contre les trafics de visas. Lesquels ont, à ma connaissance, cessé.

Table

Monsieur le Président 15

Première partie : Les leçons du fleuve 25
    Nom 27
    Autres noms 43
    Prénoms 60
    Sexe 63
    Date et lieu de naissance 73
    Pays 89
    Situation de famille 125
    Qu'est-ce qu'une femme ? I 133

Deuxième partie : Un amour ferroviaire 137
    La conquête 141
    Volontaire et fertile 168

Troisième partie : Les maladies de l'espérance 185
    Profession 185
    Qu'est-ce qu'une femme ? II 215
    L'apprentissage du pire 223

Quatrième partie : La foire aux noms 305
    Motif du séjour 307
    Adresse(s) pendant le séjour 383
    La défaite du chronomètre 408
    Adresse(s) pendant le séjour 412
    Moyen(s) de transport (en cas de transit) 426

Décision contestée 457
Mémoire complémentaire 459

Remerciements 501
Avertissement 505

Du même auteur :

Loyola's Blues, *roman, Éditions du Seuil, 1974 ; coll.* « *Points* ».

La vie comme à Lausanne, *roman, Éditions du Seuil, 1977 ; coll.* « *Points* », *prix Roger-Nimier.*

Une comédie française, *roman, Éditions du Seuil, 1980 ; coll.* « *Points* ».

Villes d'eau, *en collaboration avec Jean-Marc Terrasse, Ramsay, 1981.*

L'Exposition coloniale, *roman, Éditions du Seuil, 1988 ; coll.* « *Points* », *prix Goncourt.*

Besoin d'Afrique, *en collaboration avec Éric Fottorino et Christophe Guillemin, Fayard, 1992 ; LGF.*

Grand amour, *roman, Éditions du Seuil, 1993 ; coll.* « *Points* ».

Rochefort et la Corderie royale, *photographies d'Eddie Kuligowsski, Paris, CNMHS, 1995.*

Mésaventures du Paradis, *mélodie cubaine, photographies de Bernard Matussière, Éditions du Seuil, 1996.*

Histoire du monde en neuf guitares, *accompagné par Thierry Arnoult, roman, Fayard, 1996.*

Deux étés, *roman, Fayard, 1997 ; LGF.*

Longtemps, *roman, Fayard, 1998 ; LGF.*

Portrait d'un homme heureux, André Le Nôtre, *Fayard, 2000.*

La grammaire est une chanson douce, *Stock, 2001 ; LGF.*

Les Chevaliers du subjonctif, *Stock, 2004.*

Composition réalisée par NORD COMPO

Achevé d'imprimer en mai 2006 en France sur Presse Offset par

BRODARD & TAUPIN

GROUPE CPI

La Flèche (Sarthe).
N° d'imprimeur : 34449 – N° d'éditeur : 70948
Dépôt légal 1re publication : mars 2005
Édition 02 – mai 2006
LIBRAIRIE GÉNÉRALE FRANÇAISE – 31, rue de Fleurus – 75278 Paris cedex 06.